Notfall-Taschenbuch
für den Rettungsdienst

Notfall-Taschenbuch
für den Rettungsdienst

15., aktualisierte Auflage

Dr. med. Rolando Rossi

Günter Dobler

unter Mitarbeit von

Waldemar Birkholz †

Dr. rer. nat. Angela Rossi

Stumpf + Kossendey Verlagsgesellschaft mbH, Edewecht 2026

Wichtige Hinweise

Die Autoren und der Verlag haben höchste Sorgfalt hinsichtlich der Angaben von Therapie-Richtlinien, Medikamentenanwendungen und -dosierungen aufgewendet. Für versehentliche falsche Angaben übernehmen sie keine Haftung. Da die gesetzlichen Bestimmungen und wissenschaftlich begründeten Empfehlungen einer ständigen Veränderung unterworfen sind, ist der Benutzer aufgefordert, die aktuell gültigen Richtlinien anhand der Literatur und der medizinischen Fachinformationen zu überprüfen und sich entsprechend zu verhalten.

Die Angaben von Handelsnamen, Warenbezeichnungen etc. ohne die besondere Kennzeichnung ®/™/© bedeuten keinesfalls, dass diese im Sinne des Gesetzgebers als frei anzusehen wären und entsprechend benutzt werden könnten.

Der Text und/oder das Literaturverzeichnis enthalten Links zu externen Webseiten Dritter, auf deren Inhalt der Verlag keinen Einfluss hat. Deshalb kann er für diese fremden Inhalte auch keine Gewähr übernehmen. Für die Inhalte der verlinkten Seiten ist stets der jeweilige Anbieter oder Betreiber der Seite verantwortlich.

Aus Gründen der Lesbarkeit ist in diesem Buch meist die männliche Sprachform gewählt worden. Alle personenbezogenen Aussagen gelten jedoch stets für Personen beliebigen Geschlechts gleichermaßen.

Autoren:
Birkholz, Waldemar †;
Dobler, Günter
Rettungsassistent, Arbeiter-Samariter-Bund, Ulm (Donau)
Rossi, Angela, Dr. rer. nat.
Fraunhofer Institut (ISC), Würzburg
Rossi, Rolando, Dr. med.
Facharzt für Anästhesie; Anästhesiologische Intensivmedizin, Notfallmedizin, Qualitätsmanagement, Risikomanagement

Korrespondenzadresse:
Dr. med. Rolando Rossi
Notarztdienst Landkreis Schwäbisch Hall
rolando.rossi@web.de

Bibliografische Information der Deutschen Nationalbibliothek

Die Deutsche Nationalbibliothek verzeichnet diese Publikation in der Deutschen Nationalbibliografie; detaillierte bibliografische Daten sind im Internet über https://dnb.dnb.de abrufbar.

ISBN 978-3-96461-089-8

Rathausstraße 1, 26188 Edewecht
kundenservice@skverlag.de
1983, 1984, 1985, 1986, 1987, 1990, 1993, 1998, 2000, 2005, 2007, 2011, 2017, 2023, 2026
Druck: DRUCKZONE GmbH & Co. KG, 03048 Cottbus
Gestaltung: Karin Girlatschek, Hamburg
Illustrationen: Franziska von Aspern, Hamburg
Piktogramme: Yi Xie, Y I X I E D E S I G N, Kassel

Inhalt

Inhalt

Vorwort

Der Rettungssanitäter hat im Einsatz klar zu definierende Aufgabenbereiche bei der Erstversorgung von Notfallpatienten wahrzunehmen:

1. Selbstständig zu handeln, falls kein Arzt am Ort des Geschehens zur Verfügung steht,
2. auf Anordung eines Arztes selbstständige oder assistierende Tätigkeiten durchzuführen.

Für beide Aufgaben benötigt er Kenntnisse und Fähigkeiten, also eine den Erfordernissen entsprechende theoretische und praktische Aus- und Fortbildung. Obwohl es heute genügend Vorstellungen, ja sogar Empfehlungen über den anzustrebenden Ausbildungsinhalt gibt, ist die Ausbildung in der Qualität unterschiedlich und unzureichend geblieben und auch die notwendige Fortbildung nur in einem geringen Umfange erreicht. Andererseits muss der Rettungssanitäter in den beiden dargestellten Aufgabenbereichen schnell, gezielt und effektiv handeln, er muss die Situation erkennen, die sich aus dem breiten Spektrum der Notfälle ergibt, und daraus die Ansatzpunkte der ihm möglichen Sofortmaßnahmen ableiten. Er muss in der Kooperation mit dem Arzt mitdenken und handeln, Maßnahmen, Geräte und Instrumentar anwenden oder Medikamente, Infusionen bereitstellen, schließlich eine Überwachungsfunktion wahrnehmen können. Es gibt häufige und seltene Notfälle, damit häufig und selten anzuwendende Maßnahmen, Geräte und Medikamente. In der bereits dargestellten unbefriedigenden Ausbildungssituation wird jeder Rettungssanitäter, der seinen Aufgaben gerecht werden will, sehr viel Eigeninitiative aufbringen müssen, um sich ständig weiter- und fortzubilden. Das Grundsätzliche kann er nur aus den Lehrbüchern entnehmen.

Für Wiederholungen oder eine schnelle Information haben sich auch im ärztlichen Bereich gestraffte Zusammenfassungen des Grundlagenwissens in Form eines Taschenbuches bewährt. Die Autoren dieses Taschenbuches bieten mit ihrer Publikation dem Rettungssanitäter ein klar gegliedertes, in Stichworten zusammengefasstes Basiswissen an. Ich bin der festen Überzeugung, dass damit eine weitere Lücke zu schließen ist. Das Buch kann als ständiger Begleiter die dringend notwendige Fortbildung verbessern, als kurzgefasster Ratgeber aber auch im Einsatz nützlich sein. Es kann, soll und darf weder praktische Übungen noch eine systematische Fortbildung ersetzen.

Ich wünsche dem Taschenbuch eine weite Verbreitung und vor allem den angestrebten Erfolg.

F. W. Ahnefeld — Ulm, Mai 1983

Einleitung

Notfallsituationen, in denen Patienten akut in ihren Vitalfunktionen bedroht oder bereits gestört sind, können jederzeit und überall auftreten. Sie bedürfen schneller und qualifizierter medizinischer Hilfe. Durch systematisches Vorgehen und gezielten Einsatz der zur Verfügung stehenden Mittel ist die vitale Gefährdung abzuwenden und Komplikationen vorzubeugen. Dies ist das Ziel der Notfallmedizin.

Das vorliegende Buch kann und will nicht die Grundlagen und Techniken der Erstversorgung vermitteln. Diese Aufgabe wird von den viel umfangreicheren Lehrbüchern sowie den Aus- und Fortbildungsveranstaltungen wahrgenommen. Unter bewusster Vernachlässigung seltener Situationen wird hier, in gedrängter Form, das schematisierbare Vorgehen im Bereich der außerklinischen Notfallmedizin bei den häufigsten Notfallsituationen dargestellt. Es wird die Darstellung differenzialdiagnostischer Erwägungen zugunsten vorrangig wichtiger Maßnahmen zur Sicherung der Vitalfunktionen zurückgestellt. Form und Umfang des Bandes wurden so gewählt, dass er vom Personal im Rettungsdienst stets mitgeführt werden kann und bei Bedarf unmittelbar zur schnellen Information zur Verfügung steht. Es wurde bewusst Raum für eigene Anmerkungen und Eintragungen gelassen, um Möglichkeiten zu haben, dieses Buch auf die eigenen Bedürfnisse und die regionalen Gegebenheiten abzustimmen. Wenn sich das Buch auch vor allem an das Rettungsdienstpersonal wendet, so werden doch auch die notärztlichen Maßnahmen angeführt, um eine kontinuierliche Behandlung sicherzustellen.

Für kritische Hinweise und Anregungen sind wir jederzeit dankbar. Unser besonderer Dank gilt Herrn H. Güttler für seine Hilfe bei der Überarbeitung des Manuskriptes. Wir danken dem Verlag für die gute Zusammenarbeit, die eine zeitgerechte Publikation ermöglichte.

Ulm, August 1983

Die kontinuierliche Weiterentwicklung der außerklinischen Notfallmedizin spiegelt sich auch in der neuesten, aktualisierten Auflage unseres Buches wider.

Die aktuellen CPR-Leitlinien sind genauso berücksichtigt wie die vielfältigen Erweiterungen der Kompetenzen aller Mitarbeitenden im Rettungsdienst. Einzelne Präzisierungen und modifizierte Anweisungen ermöglichen auch im Einsatz eine jederzeit gezielte Information über das angemessene strukturierte Vorgehen am Notfallort und auf dem Transport.

Der Umfang und das Konzept, die unmittelbar erforderlichen Maßnahmen systematisch und knapp darzustellen, wurde beibehalten und dabei um wesentliche Neuerungen ergänzt.

Auch Details zu einzelnen Krankheitsbildern und Notfallmedikamenten wurden vielfältig an neue wissenschaftliche Erkenntnisse angepasst.

Wir danken unseren Lesern, insbesondere Thomas Rudi (NotSan), für die konstruktiven Hinweise und Herrn Dr. Robert Beyer (Verlag Stumpf + Kossendey) für die wiederum stetige Unterstützung auch bei dieser Neuauflage.

Die Autoren — Januar 2026

I Einsatztaktik

Notarzt

Notfallsanitäter

Rettungssanitäter

Eigene Notizen

Eigene Notizen

Zusammenarbeit mit Polizei und Feuerwehr

RettSan NotSan

Polizei

Aufgaben:
- Absicherung der Notfallstelle
- Unterstützung der technischen und medizinischen Einsatzkräfte
- Aufnahme ggf. zivil- und strafrechtlich bedeutsamer Tatbestände

Zusammenarbeit:
- stets Kontakt zu dem Einsatzleiter der Polizei suchen, um den Einsatzablauf (auch juristisch korrekt) zu organisieren, z. B. bei Unfall, Körperverletzung, Tod, Wohnungsöffnung

▶ Merke
Stets Beachtung der ärztlichen Schweigepflicht zugunsten des Patienten!

Feuerwehr

Aufgaben:
- Rettung, z. B. bei technisch schwieriger Situation vor Ort, Einsturzgefahr, Gasaustritt, Strom-/Chemie-/Gefahrgutunfall
- Bergung, z. B. bei Wohnungsöffnung (zusammen mit Polizei)
- Brandbekämpfung: z. B. Löschen, Gefahrenabwehr
- technische Hilfeleistung, z. B. Einklemmung, Ertrinken, Großschadensereignis

Zusammenarbeit:
- Stets Kontakt zu dem Einsatzleiter der Feuerwehr suchen, um die Hilfeleistung vor Ort zu organisieren.

▶ Merke
Der Feuerwehreinsatzleiter (Helmkennzeichnung beachten) ist als Vertreter der Kommune als Gesamteinsatzleiter allen anderen vor Ort tätigen Kräften einsatztechnisch weisungsbefugt.

RettSan NotSan NA

Sonderrechte von Einsatzfahrzeugen
nach StVo § 35 Abs. 5a, 8 und § 38 Abs. 1

Fahrzeuge des Rettungsdienstes, beim gemeinsamen Einsatz von Blaulicht und Einsatzhorn, »wenn höchste Eile geboten ist, zur Rettung von Menschenleben oder Abwendung schwerer gesundheitlicher Schäden, unter gebührender Berücksichtigung der öffentlichen Sicherheit und Ordnung«:

Befreiung z. B. von einer gegebenen Verpflichtung zur Einhaltung:
- einer Höchstgeschwindigkeit
- eines Überholverbots
- eines Park- oder Halteverbots
- der Einschränkungen zum Befahren einer Fußgängerzone.

Zur Vermeidung von Schäden, ggf. im Schritttempo:
- Überquerung einer Kreuzung bei Rotlicht oder eines Zebrastreifens bzw.
- bei Annäherung an vorausfahrende Fahrzeuge.

▶ **Merke**
- Für die Anfahrt beim Einsatz erteilt die Rettungsleitstelle aufgrund der Notfallmeldung die Anweisung zum Einsatz des Sondersignals, für die Transportfahrt entscheiden die Mitarbeiter vor Ort.
- Besonders problematisch: Fahren zweier (oder mehrerer) Fahrzeuge im Verband.

Medizinprodukte-Betreiberverordnung (MPBetreibV) bzw. Medizinproduktegesetz (MPG)

Vorschriften über das Inverkehrbringen, Betreiben und Anwenden von Geräten zur Untersuchung und Behandlung in der Medizin. Insbesondere sind geregelt: Durchführung von Funktionsprüfungen und Einweisung des Bedienungspersonals (für energetisch betriebene Geräte, z. B. Defibrillatoren, Beatmungsgeräte, Infusionspumpen, Intubatoren) sowie die Vorhaltung eines Gerätebuches, der Gebrauchsanweisung und der Bestellung eines Geräteverantwortlichen.

▶ **Merke**
Die Vorschriften des MPG und der MPBetreibV müssen von allen im jeweiligen Rettungsdienst eingesetzten haupt-/ehrenamtlichen ärztlichen und nicht-ärztlichen Mitarbeitern beachtet werden.

Indikation: Notarzt

Indikation Notarzt		
A	Atemweg verlegt/verengt	- auffällige, ungewöhnliche Atemgeräusche
B	Atemstillstand	- ausgeprägte Atemnot, Zyanose - auffällige Brady-/Tachypnoe - Atembeschwerden Säugling/Kleinkind
C	Kreislaufstillstand	- (starker) Brustschmerz mit Begleitsymptomen - auffällige Brady-/Tachykardie - auffällige Hypo-/Hypertonie
D	Bewusstlosigkeit	- stärkste, akute Kopfschmerzen - anhaltender Krampfanfall - akute Querschnittslähmung - akute Psychose/Suizidgefahr
E	unbeherrschte Schmerzen	- beginnende/stattgehabte Geburt - Hypo-/Hyperthermie, schwere Verbrennung/Verbrühung - Unfall mit schweren Verletzungen - besondere Einsatzlagen

Telenotarzt

Ziel: Bereitstellung ärztlicher Kompetenz an der Einsatzstelle und auf dem Transport ohne direkte Notarztpräsenz vor Ort, ergänzend zum boden- und luftgebundenen Notarztsystem

Persönliche Voraussetzungen: Facharzt in einem notfallmedizinisch relevanten Fachgebiet, Zusatzbezeichnung Notfallmedizin, langjährige Notarzttätigkeit, Qualifikation Leitender Notarzt, aktuelle Fortbildungskurse Typ ACLS, ATLS, PALS, DIVI Intensivtransport, telemedizinische Schulung, Supervision

Indikation: Unterstützung des RD-Teams vor Ort anhand definierter SOP bei bewusstseinsklaren, kreislaufstabilen Patienten mit suffizienter Atmung z. B. mit Schlaganfall, Hypoglykämie, hypertensiver Entgleisung, Schmerzzuständen nach einfachen Traumata oder abdominellen Erkrankungen, Sekundärtransporten, Hilfestellung bei unklaren Notfallsituationen, rechtliche Absicherung bei Transportverweigerung, Unterstützung des Notarztes vor Ort

Durchführung: stabile Übertragung von Vitalparametern, Videostreaming und Mobilfunkverbindung

Einsatzbewertung: Mainz Emergency Evaluation Score (MEES)

Punktwert		1	2	3	4
Glasgow Coma Scale		≤ 7*	8–11	12–14	15
Atemfrequenz		≤ 4* ≥ 31*	5–7 25–30	8–11 19–24	12–18
Sauerstoffsättigung		≤ 85*	86–90	91–95	96–100
Herzfrequenz		≤ 39* ≥ 161*	40–49 131–160	50–59 101–130	60–100
Herzrhythmus		VT, Kafli* Asyst*	AA, pVES	SVES mVES	SR
Blutdruck	sys	< 79* > 230*	80–99 160–229	100–119 141–159	120–140
	dia	> 120*	119–110	109–95	
Schmerz		–	stark	leicht	kein

Legende:

VT = ventrikuläre Tachykardie
Kafli = Kammerflimmern
Asyst = Asystolie
AA = absolute Arrhythmie
pVES = polytope ventrikuläre Extrasystolen
SVES = supraventrikuläre Extrasystolen
mVES = monomorphe ventrikuläre Extrasystolen
SR = Sinusrhythmus

► **Merke**
Wird bei einem Kriterium nur 1 Punkt erreicht (Kennzeichen = *), besteht unmittelbare Lebensgefahr.

Messung:
Bestimmung bei der Erstuntersuchung ($MEES_1$) und bei Übergabe in der Klinik ($MEES_2$): $MEES_2$ minus $MEES_1$ = Verlauf (Delta MEES)

Auswertung:
Delta MEES ≥ (+2) = Zustand gebessert
Delta MEES (+1) – (–1) = Zustand unverändert
Delta MEES ≤ (–2) = Zustand verschlechtert

Einsatzbewertung: modifiziertes NACA-Schema

0 Keine Verletzung oder Erkrankung; kein Patient vor Ort.

I Verletzungen und Erkrankungen **geringfügiger Art**, die keiner akuten ärztlichen Therapie bedürfen. *Zum Beispiel:* Prellungen, Schürfungen, Stauchungen, Verrenkungen, Orthostase, flüchtige Hypotonie.

II Verletzungen und Erkrankungen leichterer Art, die zwar einer **weiteren Abklärung** bzw. ambulanten Behandlung, aber in der Regel keiner notärztlichen Behandlung bedürfen. *Zum Beispiel:* Finger-/Zehen-, Nasenbeinfrakturen, einfache Kolik, komplikationsloser Asthmaanfall.

III Verletzungen und Erkrankungen mäßiger Art, die ggf. einer notärztlichen und in der Regel einer **stationären Abklärung** bzw. Behandlung bedürfen, bei denen jedoch keine akute Lebensgefahr zu erwarten ist. *Zum Beispiel:* einzelne, ggf. offene Frakturen, einfache Herzrhythmusstörungen, komplikationsloser Krampfanfall.

IV Verletzungen und Erkrankungen schwerer Art ohne akute Lebensgefahr, die aber eine sich kurzfristig entwickelnde **Vitalbedrohung** nicht ausschließen lassen und zumeist einer notärztlichen Untersuchung/ Behandlung bedürfen. *Zum Beispiel:* Schädel-Hirn-Trauma (mit Bewusstlosigkeit), isolierte Brustkorb-, Bauchverletzung, ausgeprägte Herzrhythmusstörungen, Schlaganfall.

V Verletzungen und Erkrankungen mit **akuter Lebensgefahr**, die ohne baldige Behandlung wahrscheinlich tödlich enden (Reanimationsbereitschaft). *Zum Beispiel:* offenes und/ oder ausgeprägtes Schädel-Hirn-, Thorax-, Abdominaltrauma, akutes Koronarsyndrom, Magen-Darm-Blutung, Koma, Lungenembolie.

VI Verletzungen und Erkrankungen, die sofortige **Wiederbelebungsmaßnahmen** notwendig machen (erfolgreiche Reanimation).

VII Verletzungen und Erkrankungen, die unmittelbar zum **Tode** geführt haben (erfolglose Reanimation).

Anregungen für einen guten Umgang mit Patienten

- Bereiten Sie sich in Ihrer Fortbildung auf häufige und spezielle Notfallsituationen vor.
- Nutzen Sie die Zeit während der Anfahrt zur mentalen Vorbereitung.
- Achten Sie auf mögliche Gefahren aus dem Umfeld.
- Verschaffen Sie sich zunächst einen Gesamtüberblick.
- Wenden Sie sich erst dann Einzelproblemen zu.
- Wenden Sie nur Methoden und Techniken an, die Sie sicher beherrschen.

Auftreten

- Berücksichtigen Sie die Ausnahmesituation des Patienten. Er ist verunsichert, hat Angst und/oder Schmerzen.
- Ihr Aufreten soll ruhig, höflich und gezielt sein.
- Stellen Sie sich dem Patienten vor und erklären Sie Ihre Funktion.

Kommunikation mit Patienten

- Sprechen Sie den Patienten mit seinem Namen und mit »Sie« an.
- Erkundigen Sie sich ruhig und sachlich über die Beschwerden des Patienten.
- Versuchen Sie, ein Vertrauensverhältnis aufzubauen.
- Halten Sie vorsichtigen Körperkontakt (z. B. Hand am Puls).
- Erklären Sie Ihre Maßnahmen und das Ziel, das Sie damit erreichen wollen (z. B. Verband, Lagerung, Infusion etc.).
- Versuchen Sie, dem Patienten seine Situation durch mitfühlendes Erklären zu erleichtern. Wenn der Patient das Vorgehen nachvollziehen kann, wird er ruhiger und das Gefühl der Sicherheit wächst in ihm.
- Respektieren Sie das Selbstbestimmungsrecht des Patienten.
- Versetzen Sie sich in die Lage des Patienten, dann werden Sie die richtigen Worte finden.
- Belasten Sie den Patienten nicht mit Ihrem Mitleid, sondern verwandeln Sie es in engagiertes Helfen.
- Lassen Sie den Gesprächsfaden nie abreißen. Hören Sie aktiv zu.
- Vergessen Sie den Patienten und seine Situation nie, auch wenn Sie von seinen Symptomen oder von Ihrem Tun fasziniert sind.
- Beziehen Sie Angehörige bestmöglich in alle Abläufe mit ein und erklären Sie in angemessenem Umfang den weiteren vorgesehenen Ablauf.
- Sagen Sie dem Patienten (und seinen Angehörigen), in welches Krankenhaus (Abteilung) der Transport führt (Telefonnummer angeben).
- Unter- und übertreiben Sie nie bei der Beantwortung von Fragen des Patienten.
- Äußern Sie keine vagen Vermutungen über Diagnose und weitere Therapie.

Anregungen für einen guten Umgang mit Patienten

Teamkommunikation

- Pflegen Sie im Umgang mit Ihren Kollegen und Mitarbeitern einen höflichen und sachlichen Ton.
- Beschränken Sie Anweisungen auf das Nötigste.
- Geben Sie Anweisungen ruhig und klar.
- Vermeiden Sie Diskussionen zwischen den Helfern.
- Unterlassen Sie jegliche Äußerungen/Gespräche, die nicht unmittelbar mit diesem Einsatz in Zusammenhang stehen.

Problemsituationen

- Versuchen Sie, störende Einflüsse auszuschalten (z. B. den aufgeregten Ehepartner darum bitten, den Raum zu verlassen).
- Verteilen Sie an störende Personen (Schein-)Aufträge (z. B. Medikamente holen, Personalien aufschreiben, Unfallstelle absichern, Gepäck vorbereiten etc.).
- Lassen Sie sich nicht durch Aggressionen und Beleidigungen zu unüberlegten Äußerungen oder Taten hinreißen. Reden und handeln Sie ruhig und sachlich weiter.
- Schreien Sie niemals.
- Überdenken Sie genau, ob zur Einweisung in eine psychiat. Klinik Zwang benötigt wird.
- Versuchen Sie, psychische Problempatienten durch überzeugendes Erklären zum Mitarbeiten zu bewegen.

Dokumentation und Nachbesprechung

- Dokumentieren Sie alle Ihre Befunde und Maßnahmen (leserlich).
- Besprechen Sie problematische Einsätze anschließend intensiv und in Ruhe mit allen Beteiligten.
- Bedenken Sie stets, dass Sie nicht alles wissen und können, sondern alles nur bestmöglich machen können.

▶ Merke

- Bei der Versorgung von (bewusstlosen) Patienten unnötige Äußerungen vermeiden, da diese auch bei anscheinend tiefer Bewusstlosigkeit wahrgenommen werden können.
- Der Empfänger entscheidet immer über den Inhalt der Nachricht! Daher muss bei wichtigen Mitteilungen immer nachgefragt werden, ob der Inhalt richtig verstanden wurde.

▲ Wichtig

Gerade in der Notfallmedizin ist oft keine Perfektion zu erreichen. Daher ist auch eine regemäßige Weiterbildung in Kommunikationstechniken wie z. B. nach Schulz von Thun oder Watzlawick notwendig.

Umgang mit körperlichen und psychischen Belastungen

Notfallmedizin bedeutet Arbeit in menschlichen Ausnahmesituationen, unter hohem Stress und unter meist ungünstigen technischen Voraussetzungen. Die Tätigkeit im Rettungsdienst mit den vielfältigen Aufgaben stellt höchste Anforderungen an die körperliche und seelische Leistungsfähigkeit aller hier Tätigen. Besondere Belastungen ergeben sich z. B. bei Einsätzen, in denen keine (wirksame) Hilfe geleistet werden konnte oder bei denen Kinder oder Bekannte beteiligt waren.

Stressreaktionen der Mitarbeiter des Rettungsdienstes sind deshalb häufig und keinesfalls ein Zeichen von beruflicher Insuffizienz oder psychischer Schwäche.

Typische Zeichen sind Angst- und Unruhezustände, Herzklopfen, Zittern, Ess- und Schlafstörungen, Alpträume, Schuldgefühle, Rückzug aus der Gemeinschaft, Alkohol-, Medikamenten- und Drogenmissbrauch.

Bestmögliche Vermeidungsstrategie solcher »posttraumatischer Reaktionen« ist eine systematische Verarbeitung belastender Einsatzerlebnisse. Regelmäßige und strukturierte kollegiale Einsatzbesprechungen können Fehlentwicklungen verhindern. Zusätzliche Gespräche mit geeigneten Personen innerhalb und außerhalb des Rettungsdienstes relativieren die persönliche Sichtweise und helfen bei der Überwindung von Belastungen.

Die Kombination von körperlicher Arbeit, langen, unregelmäßigen Dienstzeiten sowie wechselndem Tag-Nacht-Rhythmus und die Konfrontation mit fachlich und menschlich belastenden Einsatzkonstellationen gefährdet die Gesundheit. Möglichkeiten zur Vermeidung des »Ausbrennens« sind die Sicherstellung ausreichenden Schlafes, die Vermeidung von Nikotin-, Koffein- und Alkoholmissbrauch, Ausgleichssport, ein persönliches Hobby und bestmögliche Stabilität im Familien- und Freundeskreis. Entspannungstechniken, z. B. autogenes Training oder Yoga, wirken prophylaktisch, können aber auch im Bedarfsfall eine Hilfestellung geben.

Ansprechpartner für professionelle Hilfe gibt es meist innerhalb der Organisation oder bei Notfallseelsorgern, medizinischen Psychologen und Ärzten.

▶ **Merke**

- Die strikte Beachtung von Führungs- und Handlungskonzepten (z. B. ABCDE) kann während eines Einsatzes helfen, Überforderungssituationen zu vermeiden.
- Je früher professionelle Hilfe in Anspruch genommen wird, umso schneller und wirksamer kann geholfen werden.

Vermeidung und Bewältigung von kritischen Situationen (Crew Resource Management)

Grundsätzlich:

- systematisch auf schwierige Situationen vorbereiten, z. B. durch Fortbildung (Kenntnis der Ausstattung, Vorgehen in – selteneren – Einsatzlagen)
- klare Strukturen im Team (Führung, Koordination, Unterstützung)
- Aufgaben u. Verantwortlichkeiten festlegen und kommunizieren

In der Einsatzsituation:

- zunächst Gesamtsituation und Aufgaben erfassen
- in kritischen/unklaren Situationen 10-für-10-Prinzip bzw. Team Time Out
- erforderliche Maßnahmen festlegen und priorisieren
- frühzeitig weitere/spezielle Hilfe anfordern
- kontinuierlich im Team kommunizieren
- Überlastung von Teammitgliedern vermeiden
- Entwicklung der Situation beachten
- Vorgehen (selbst-)kritisch beurteilen

Einschätzung der Eigengefährdung

Grundsätzlich: Ausschluss von ursächlich ...

- Hypoxie? → SpO_2
- Hypoglykämie? → BZ-Spiegel
- Alkohol-/Drogen-/Medikamenteneinfluss? → Neurostatus
- Schädel-Hirn-Trauma? → Verletzung
- akute Infektionskrankheit? → Temperatur

Gibt es ...

- frühere, psychisch bedingte Ausnahmesituationen/Suizidversuche?
- eigene körperliche Begleiterkrankungen bzw. Depressionen in der Familie?
- ein gestörtes soziales Umfeld (Familien/Freunde)?
- einen klaren Vorsatz/detaillierte Pläne zu einer Selbstschädigung?
- eine potenziell tödliche Substanz?
- charakteristische Probleme wie ängstliche Erregung/Gefühle von Wertlosigkeit oder Hoffnungslosigkeit?

▶ **Merke**

- Die Suizidgefahr steigt mit der Anzahl der positiven Antworten.
- Idealerweise stimmt der Patient freiwillig einer stationären psychiatrischen Behandlung zu. Bei mangelnder Einsicht muss ggf. eine fürsorgliche Einweisung (unter Zuziehung der Polizei) erfolgen.

Kommunikation mit gehörlosen Patienten

Gehörlosigkeit erkennen:
- Auf die gestellten Fragen werden keine passenden Antworten gegeben.
- Die Person bittet mehrmals, das Gesagte zu wiederholen.
- Die Person spricht selbst undeutlich oder mit unangemessener Lautstärke.

Bei Verdacht auf Gehörlosigkeit:
- Blickkontakt herstellen, indem die Person leicht an der Schulter berührt wird oder ein kurzes Handzeichen gegeben wird
- immer Blickkontakt halten
- möglichst klare Artikulation
- langsam sprechen (nur ca. 30 % des Gesprochenen kann durch Lippenablesen verstanden werden)
- Mundbild muss gut sichtbar sein (nach Möglichkeit kein Mundschutz)
- kurze, klare Sätze
- Fragen aufschreiben oder Dinge aufmalen
- Erfragen der Gehörlosigkeit durch DGS (s. u.)
- bei Bedarf einen Gebärdendolmetscher organisieren (http://bdue.de)
- diesen immer neben dem behandelnden Arzt positionieren, um Blickkontakt halten zu können
- angefahrene Notaufnahme soll im Vorfeld über Gehörlosigkeit des Patienten informiert werden

→ *vgl. Empfehlungen des Deutschen-Gehörlosen-Bundes e. V. in »Der gehörlose Patient« (Deutscher Gehörlosen-Bund e. V. 2011), unter: www.gehoerlosen-bund.de*

Deutsche Gebärdensprache (DGS):
- visuell-gestische Sprache, rechtlich anerkannt nach § 6 BGG
- gebildet aus:
  - Handform, Handstellung, Ausführungsstelle im Raum und Bewegung
  - Mimik, Mundbild, Haltung von Kopf und Oberkörper
- Ansprache von Personen durch ausgestreckten Zeigefinger
- hochgezogene Augenbrauen kennzeichnen einen Satz als Frage

Beachte beispielhafte Handgesten, die im Einsatz bei der Kommunikation mit gehörlosen Patienten helfen können, auf der Folgeseite. Die Ausführbewegungen werden durch die abgebildeten Pfeile angezeigt.

Kommunikation mit gehörlosen Patienten

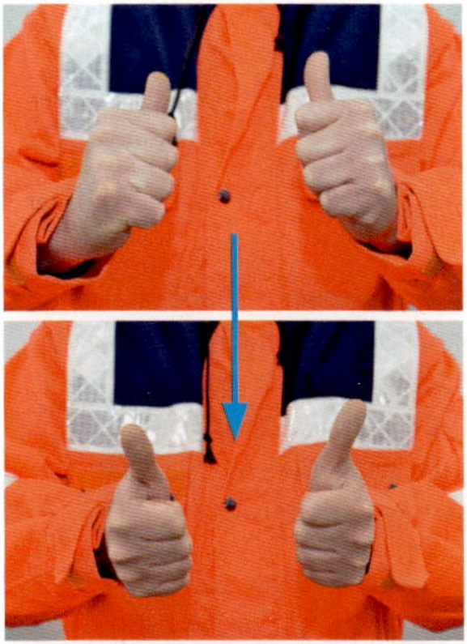

Helfen

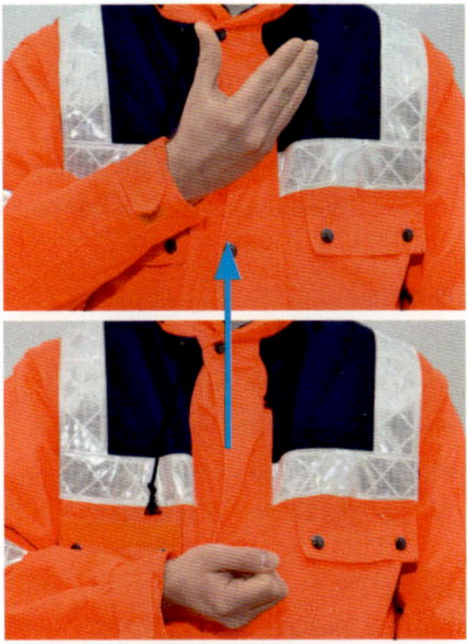

Medikamente

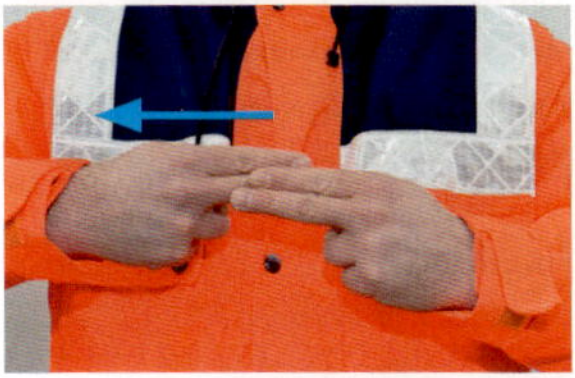

Verletzt

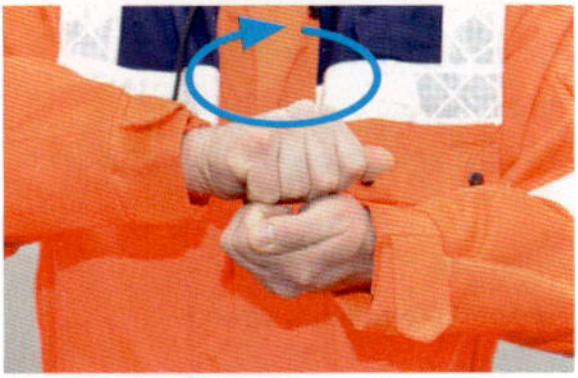

Schmerzen

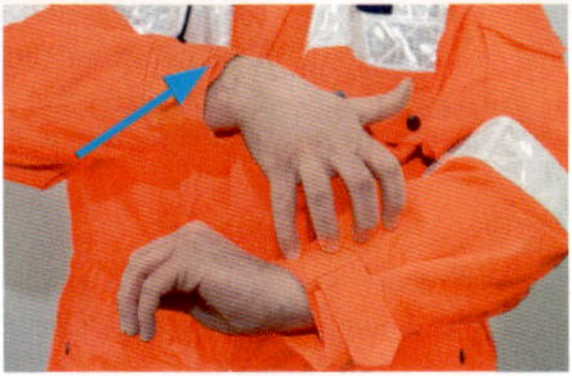

Allergie

Sprachtabelle

Deutsch

Welche Beschwerden haben Sie?

Zeigen Sie mir, wo es Ihnen wehtut!

Atmen Sie tief ein und aus!

Welche Medikamente nehmen Sie ein?

Wir müssen Sie in ein Krankenhaus bringen.

Englisch

What is the matter with you?

Show me where you feel pain!

Please breathe in and out deeply!

What kind of drugs do you take?

We have to take you to hospital.

Serbokroatisch

Kakve poteskoce imate?

Pokazite mi, gde vas boli!

Duboko udisite i izdisite!

Kakve ste lijekove uzimali do sada?

Moram vas odneti u Bolniciu institut.

Italienisch

Che disturbi ha?

Mi indichi dove le fa male!

Respiri profondamente!

Che medicine ha preso?

Lo dobbiamo ricoverare in un' ospedale!

Spanisch

¿Que clase de molestias tiene Usted?

¡Enseneme dondo le duele!

¡Respire profundamente!

¿Que clase de medicamentos le dieron?

¡Tengo que transportarle a un hospital!

Türkisch

Ne gibi sikâyetleriniz vardir?

Buraya agriyan yerinizi gösteriniz!

Derin nefes alip veriniz!

Ne gibi ilaclar Kullandiniz?

Sizi hastaneye götürmek zorundayiz!

Französisch

Quelles douleurs avez-vous?

Montrez où vous avez mal!

Respirez profondement!

Quels médicaments prenez-vous?

Nous devons vous emporter dans un hôpital!

▶ **Merke**

Manche in der westlichen Welt übliche Handzeichen, z. B. grüßende Hand (= Hallo), Daumen nach oben (= alles in Ordnung), werden im arabischen Raum als Beleidigung empfunden/verstanden.

Meldepflicht übertragbarer Erkrankungen und Krankheitserreger
(§ 6 Infektionsschutzgesetz)

RettSan NotSan NA

- **Verdachtsfall, Erkrankung, Todesfall**:
  Botulismus, Cholera, Coronavirus-Krankheit-2019 (COVID-19), Diphterie, enteropathisch-hämolytisch-urämisches Syndrom (HUS), humane spongiforme Enzephalopathie, Masern, Meningokokken-Meningitis/-Sepsis, Milzbrand, Mumps, Pertussis, Pest, Poliomyelitis, Röteln, Tollwut, einschließlich nach Berührung eines tollwutverdächtigen Tieres, Typhus abdominalis/Paratyphus, Varizellen, virusbedingtes hämorrhagisches Fieber, Virushepatitis

- **Erkrankung, Todesfall**:
  behandlungsbedürftige Tuberkulose, Clostridioides-difficile-Infektion mit klinisch schwerem Verlauf

- **Verdachtsfall, Erkrankung:**
  schwerwiegende Impfreaktion; mikrobiell bedingte Lebensmittelvergiftung/infektiöse Gastroenteritis in einem Lebensmittelbetrieb bei:
  - Personen, die beim Herstellen, Behandeln und Inverkehrbringen von z. B. Fleisch, Weichtieren, Säuglings-/Kleinkindernahrung, Speiseeiserzeugnissen tätig sind (vgl. dazu § 42 Abs. 1 IfSG) *bzw.*
  - bei mehreren Betroffenen

Schutz vor HIV-Infektion

RettSan NotSan NA

- **Übertragungswege**: Nadelstichverletzung, von Mutter auf Kind (Schwangerschaft, Geburt, Stillen), ungeschützter Geschlechtsverkehr

- **keine Übertragung** durch Speichel, z. B. Küssen, gemeinsam benutztes Besteck, Kleidung; bei intakter Haut

- **Übertragungsvermeidung**: Einmal-Handschuhe; Vorsicht bei (benutzten) Kanülen; keine Atemspende

- **Infektionsrisiko**: »einfache« Nadelstichverletzung (ca. 0,3 %), Blut an Kanüle/Spritze sichtbar (ca. 1,5 %), »tiefe« Nadelstich-/Schnittverletzung (ca. 4,8 %)

RettSan NotSan NA

Schutz vor HIV-Infektion

– **Maßnahmen**: Postexpositionsprophylaxe (PEP)
  - ausbluten lassen, z. B. venöse Stauung über mehrere Minuten
  - intensive Desinfektion/Spülung mit Hautdesinfektionsspray (> 60 % Alkohol) über 5–10 min, ggf. mit Wasser/Seife reinigen
  - Unfallmeldung, Durchgangsarztbericht
  - einschl. Antikörperstatusüberprüfung: sofort, nach 1V, nach 3, nach 6 und nach 12 Monaten
  - bei HIV: Dreifachkombination, z. B. Zidovudin, Lamivudin, Indinavir

▶ **Merke**

Grundsätzlich sollte bei allen Mitarbeitern ein Impfschutz bestehen gegen: Masern, Mumps, Röteln, Windpocken sowie Diphtherie, Keuchhusten, Tetanus, Kinderlähmung, Hepatitis A/B, Grippe und COVID-19. Impfstatus genau überprüfen und ggf. Auffrischungen durchführen.

RettSan NotSan NA

Infektionstransport

Mögliche Übertragung von Viren (z. B. durch Blut) oder Bakterien (z. B. durch Haut-/Schleimhautkontakt oder Tröpfchen).

Rettungsmittel:
– geeignetes Fahrzeug, geschultes Personal

Transportvorbereitung:
– Hygieneplan beachten, ggf. Kontakt mit Desinfektor aufnehmen
– überflüssige Ausstattung aus Fahrzeug entfernen, Notfallausrüstung im Fahrerraum verstauen
– Schutzbekleidung, Desinfektionsmittel bereitstellen

Transportdurchführung:
– Team + Patienten auf die Situation einstellen
– Kontakte mit Dritten vermeiden
– Aufnahmeeinheit über die Situation informieren, anmelden
– Abschlussdesinfektion nach Hygieneplan bzw. durch Desinfektor
– Sondersituation Meningokokken-Meningitis-Patient: bei Kontakt mit infektiösem Sekret, z. B. Speichel, Einmalgabe von Ciprofloxacin (500 mg p. o.)

Infektionstransport

Patientengruppe	Krankenbeispiele	Was ist zu tun?
Patienten Gruppe 1: kein Anhalt für Infektionskrankheit		Standardhygiene: – Einmal-Handschuhe – ggf. Schutzkleidung (PSA) – Händedesinfektion (3 ×): vor, nach Patientenkontakt, nach Handschuhausziehen – abschl. Flächendesinfektion – Instrumente desinfizierend reinigen – Wäsche »normal« aufbereiten
Patienten Gruppe 2: – Infektionskrankheiten, die bei einem Transport üblicherweise nicht übertragen werden	z. B. Virushepatitis, Noroviren, HIV ohne AIDS, Tuberkulose (»geschlossen«)	
– MRSA bzw. ORSA – VRE-Erkrankung – ESBL – MRGN	– Methicillin- bzw. Oxacillin-resistenter Staphylococcus aureus – Vancomycin-resistenter Enterococcus – Extended Spectrum Beta-laktamase-Bildner – multiresistente gramnegative Erreger, z. B. Pseudomonas aeruginosa, Escherichia coli	zusätzlich zu Gruppe 1 und 2: – frische Körper- und Bettwäsche – Wunden frisch verbinden – Patient: Händedesinfektion – ggf. auch Mund- und Nasenschutz – beim Absaugen: Mundschutz – Scheuer-Wisch-Desinfektion – Schutzkittel
Patienten Gruppe 3: hoch ansteckende, gefährliche Infektionskrankheiten	Cholera, Diphtherie, hämorrhagisches Fieber, Meningoencephalomyelitis (Enteroviren), Milzbrand, Pocken, akute Poliomyelitis, Q-Fieber, Tollwut, Tuberkulose (»offen«), Typhus, Windpocken, Herpes zoster (»ausgebreitet«), Influenza, schweres Atemnotsyndrom (SARS)	zusätzlich zu den obigen Maßnahmen: – feinfiltrierende Partikelmasken für Personal und Patient (FFP-2) – Schutzbrille – ggf. Einmal-Overall – laufende Desinfektion – ggf. Raumdesinfektion, z. B. nach Husten, Absaugen – Wäscheaufbereitung (> 60 °C)

Gefahrguttransport

Bei Einsätzen mit Gefahrstoffen ist folgende Symbolik für die Kennzeichnung von Stoffen und Gemischen auf dem jeweiligen Produkt anzutreffen: rot umrandete Raute mit schwarzem Symbol auf weißem Grund, darunter wird zusätzlich das Signalwort »Gefahr/Achtung« verwendet.

Eine vollständige Darstellung der Gefahr setzt sich zusammen aus der Gefahrenkategorie, der Abkürzung der Einstufung, dem Gefahrenpiktogramm, dem Signalwort und dem Gefahrenhinweis.

GHS 01
Explosiv

GHS 02
Entzündbar

GHS 03
Oxidierend

GHS 04
Gase unter Druck

GHS 05
Ätzend

GHS 06
Lebensgefahr

GHS 07
Gesundheitsschädlich

GHS 08 – Schädigt Organe, krebserzeugend

GHS 09
Umweltgefährdend

Transport gefährlicher Güter

RettSan NotSan NA

Orangefarbenes, viereckiges Warnschild (30 × 40 cm)

- An Tankfahrzeugen, auf Straßen und Schienen; daran befestigt: Gefahrzettel mit näheren Angaben: Hinweise auf besondere Gefahren (H-Hinweise) und Sicherheitsratschläge (P-Hinweise).
- Obere Gefahrennummer (Kemler-Zahl): 1. Ziffer gibt die Hauptgefahr an, 2. und 3. Ziffer zusätzliche Gefahren. Ziffernverdoppelung: besonders starke Wirkung, z. B. 66 = sehr giftig. Sind auf dem Schild keine Zahlen angebracht, enthalten Taschen an der Rückseite informierende Begleitpapiere.

Hauptgefahr durch:

2 Gas
3 entzündbaren flüssigen Stoff
4 entzündbaren festen Stoff
5 oxidierenden Stoff, brandfördernd
6 giftigen Stoff (Ansteckungsgefahr)
7 Radioaktivität
8 Ätzwirkung
9 spontane heftige Reaktion möglich.

X vorangestellt:
Stoff darf nicht mit Wasser in Berührung kommen.

X423
1428

0 angefügt:
keine zusätzliche Gefahr.

Die untere Stoffnummer (UN-Nummer) codiert die genaue chemische Bezeichnung des Stoffes (z. B. 1428 = Natrium).

Sondersituation Binnenschiffe:
- ein blauer/s Kegel/Licht: Feuergefahr
- zwei blaue Kegel/Lichter: Ammoniak oder ähnliche Stoffe
- drei blaue Kegel/Lichter: Explosionsgefahr

Sondersituation Drei-Meilen-Seefahrt:
- Notsignal, z. B. SOS, Mayday NC, viereckige Flagge mit Ball

Merke
- Weitere Informationen sind den Fahrzeug- bzw. Begleitpapieren (Unfallmerkblätter) zu entnehmen, die (auch in deutscher Sprache) stets mitgeführt werden müssen (s. auch Sicherheitsblätter und Gefahrstoffdatenbank).
- Bei Unfall mit Beteiligung eines derartigen Fahrzeuges immer sofortige Benachrichtigung der Feuerwehr!
- Zusätzliche Informationen: Werkfeuerwehr der BASF AG Ludwigshafen (TUIS), Tel. (0621) 6043333.

Hubschraubereinsatz

Indikation:

- Notarztzubringer (bei größeren Strecken)
- Primäreinsatz in ländlichen Gebieten
- Sekundäreinsatz (Klinikverlegung)
- Transport von technischen Geräten (z. B. Rettungsschere der Feuerwehr etc.)
- Transport von Blut, Organen oder medizinischem Personal
- schonender Transport, z. B. von Wirbelsäulenverletzten

Landeplatzauswahl:

- Suche nach ebenem Gelände
- Mindestfläche 35 m × 35 m
- fester, staubfreier Untergrund
- Hindernisfreiheit auf ca. 100 m
- Vorsicht: Überlandleitungen (Hochspannung)

Korrektes Verhalten bei Annäherung des RTH:

- ausgesuchten Landeplatz deutlich hervorheben (z. B. bei Nacht Ausleuchtung mit Autolicht)
- bewegliche Landeplatzmarkierung entfernen
- Neugierige zum Verlassen des Platzes auffordern
- Patienten gegen Wind, Staub etc. schützen
- Einweisung des RTH (mit Rücken gegen den Wind stehen, Standort nicht verlassen)
- Annäherung an den RTH nur, wenn Rotorblatt steht oder auf Handzeichen der Besatzung

Wichtige Übermittlungszeichen:

Hier landen, brauchen Hilfe

beide Arme nach oben *oder* grünes Lichtsignal

Nicht landen, brauchen keine Hilfe

rechter Arm nach oben, linker Arm nach unten *oder* rotes Lichtsignal

Probleme:

- beschränkte Landemöglichkeiten in dicht besiedelten Landstrichen
- enge räumliche Verhältnisse mit eingeschränkten Diagnose- und Therapiemöglichkeiten während des Transports
- hoher Geräuschpegel, einengende Lagerung, schneller Steig- oder Sinkflug verängstigen den Patienten

Hubschrauberstützpunkte

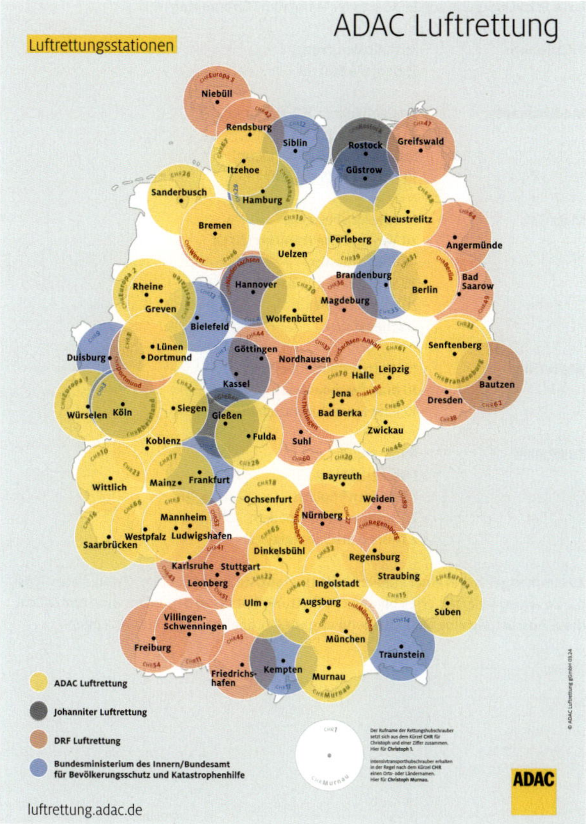

Quelle: ADAC Luftrettung gGmbH, Hansastraße 19, 80686 München

RettSan NotSan NA

Einsatzkiste: Großunfall

– zur Erstversorgung von 5 – 10 schwer Verletzten/Verbrannten

Infusionen:

– kristalloide Lösung, 15 Beutel à 500 ml

Medikamente:

– Analgetikum (z. B. Esketamin), 10 Ampullen (25 mg/5 ml)
– Sedativum (z. B. Midazolam), 10 Ampullen (5 mg/ml)

Material:

– 15 Infusionsbestecke
– 20 Venenverweilkanülen (20 G)
– 40 Fixierpflaster
– 20 Spritzen (5 ml), Kanülen (Gr. I)
– 20 Alkoholtupfer
– 2 Venenstauer

Weiterhin:

– 10 Wärmeschutzfolien
– 10 Brandwundentücher, groß
– 10 Paar Einmal-Handschuhe (unsteril)

Zusätzlich:

– 4 Tourniquets
– 1 Beckenschlinge
– 1 Satz Sam® Splints
– 2 Thoraxpunktionsnadeln
– 2 Thoraxverschlusspflaster

Zusammengefasst in einer stabilen Leichtmetallkiste (evtl. mehrere Kisten dieses Typs), die an einem jederzeit erreichbaren Ort (Rettungsleitstelle) deponiert wird, ermöglicht diese Ausrüstung eine Notfallbehandlung vor Ort unabhängig von Fahrzeugen.

Medizinische Task Force (MTF)

RettSan NotSan NA

- lageangepasste Zusammenfassung von unterschiedlichen Fachmodulen zur Bewältigung eines Großschadensereignisses oder einer spezifischen katastrophenmedizinischen Lage
- bundesweit 61 Medizinische-Task-Force-Teams; können sowohl allein (bei regionalen Ereignissen) als auch bundesweit eingesetzt werden
- zielgerichteter Einsatz unterschiedlicher Module je nach Situation und spezifischem Bedarf zur Verstärkung des vorhandenen präklinischen notfallmedizinischen Versorgungspotenzials am Notfall- bzw. Behandlungsort

Helfer- und Fahrzeugausstattungs-Module:

Modul	Fahrzeuge	Besatzung pro Fahrzeug / gesamt mit Reserve	Aufgabe
Führung	1 × Kommandofahrzeug (KdoW)	6 / 12	Führung der MTF oder einzelner Module
Behandlung	1 × Gerätewagen Behandlung (GW Beh) 2 × Mannschafts-Transportwagen (MTW)	2 / 4 9 / 18	Behandlungsplatz verstärken und längere Zeiträume bis zum Abtransport überbrücken Behandlung von Verletzten/Erkrankten bei ABC-Lagen
Transport	6 × Notfall-Krankentransportwagen Typ B (KTW Typ B)	2 / 24	Ergänzung der regionalen Rettungsdienste Jedes Modul Transport stellt Transportmöglichkeiten für 12 Patienten in 6 KTW Typ B.
Ergänzungsteil bei Katastrophen	7 × Gerätewagen San (GW San)	6 / 84	Material zum Errichten und Betreiben eines Behandlungsplatzes umfangreiches Material, um direkt im Schadensgebiet effektiv medizinische Hilfe leisten zu können
Logistik/ Betreuung	1 × Lkw (GW Log)	3 / 6	Patienten nach der Dekontamination mit notwendigen Bedarfsmitteln, z. B. Bekleidung, ausstatten die gesamte Medizinische Task Force mit Logistik bei länger andauernden Einsätzen ausstatten
Dekontamination Verletzter	1 × Mannschafts-Transportwagen (MTW) 1 × Dekontaminations-lastkraftwagen »Personen II+«	9 / 18 6 / 12	Dekontamination Verletzter oder Erkrankter bei einer entsprechenden Gefahrenlage

▶ **Merke**

Leitfaden Katastrophenmedizin herunterladen unter: www.bbk.bund.de.

RettSan NotSan NA

Sichtung

Vorsichtung:

1. Gehfähig? Befolgt einfache Anweisungen? Wenn ja → SK III?
2. Atemfrequenz < 10 bzw. > 30/min? Wenn ja → SK I?
3. Puls > 120/min, Re-Kapillar. > 2 sec? Wenn ja → SK I?
4. Ansprechbar? Einfache Blutstillung möglich? Wenn ja → SK II?

Sichtungskategorien:

SK I Unmittelbare vitale Bedrohung (rot)
→ Behandlungspriorität/Sofortbehandlung/Transportpriorität, z. B. Atemfunktionsstörungen, Schock, Polytrauma, ausgeprägtes Schädel-Hirn-/Thorax-/Abdominaltrauma
Maßnahmen: Lagerung, Freimachen/Freihalten der Atemwege, Blutstillung, Schockbekämpfung, Schmerzmittel

SK II Schwere Erkrankungen/Verletzungen (gelb)
→ dringende Behandlung, z. B. offene Frakturen, große Weichteilverletzungen, Amputationen, Verbrennungen
Maßnahmen: Schockprophylaxe, Wundabdeckung, Lagerung, Schmerzmittel, Sedierung, Transport

SK III Leichte Erkrankungen/Verletzungen (grün)
→ verzögerte Behandlung/später, ggf. ambulant, z. B. geschlossene Frakturen, kleinere Verletzungen
Maßnahmen: Lagerung, Wundabdeckung, Schmerzmittel, Sedierung, Sammeltransport

SK IV Keine Überlebenschance, z. B. letale Verletzungen (blau)
→ Betreuung, Abwarten, Schmerzbehandlung, Seelsorge

(EX) Tote (schwarz)
→ Kennzeichnung

Dokumentation:

- Identifikationsnummer
- Sichtungskategorie
- Kurzdiagnose
- Warnhinweise bei Kontamination

Ziel:

▶ bestmögliche Hilfe für die größtmögliche Zahl von Betroffenen

Behandlungsphasen:

Phase 1	Basismaßnahmen Atemwege, Lagerung, Blutstillung
Phase 2	erweiterte Maßnahmen venöser Zugang, Sauerstoff, Intubation/Beatmung, Narkose
Phase 3	Stabilisierung, Transportfähigkeit Volumenersatz, Analgesie/Sedierung, Dokumentation
Phase 4	Transport hohe/niedrige Priorität, Zielklinik festlegen

Leitender Notarzt

Voraussetzungen:

- fundiertes notfallmedizinisches Wissen (Fachkunde Rettungsdienst)
- Gebietsarzt-Anerkennung (z. B. Arzt für Anästhesiologie)
- Zusatzbezeichnung Notfallmedizin
- mehrjährige, kontinuierliche Tätigkeit als Notarzt
- theoretische und praktische Fähigkeiten in der gleichzeitigen Versorgung mehrerer Notfallpatienten
- detaillierte Kenntnisse der regionalen (medizinischen) Infrastruktur
- entsprechende Weiterbildung durch Landesärztekammer

Aufgaben:

- Information über Gesamtsituation
- Lagebeurteilung
- medizinische Einsatzleitung
- ständige Kommunikation mit der Rettungsleitstelle
- intensive Zusammenarbeit mit der technisch-organisatorischen Einsatzleitung vor Ort und dem Organisatorischen Leiter Rettungsdienst (OrgL)

Sichtung:

- innerhalb von 1–2 min erfolgt die Beurteilung hinsichtlich
  - Bewusstseinslage/Neurostatus
  - Atemfunktion
  - Herz-Kreislauf-Tätigkeit
  - Verletzungsmuster und -ausmaß
  - Anamnese und Beschwerdebild

  analog dem Prioritäten Polytrauma ► s. S. 206

Schnell-Einsatz-Gruppen (SEG'en)

Aufgaben:

- Unterstützung des regulären Rettungsdienstes bei medizinischen und organisatorischen Aufgaben
- Heranführung weiteren Materials und Fahrzeugen für Behandlung und Transport, Betreuung von Nicht-Verletzten bzw. Angehörigen etc.
- Ausstattung 10–12 Personen (Notarzt, NotSan, RettSan, weitere Hilfskräfte): Infusions- und Verbandsmittel, Sauerstoff, Decken, Tragen, Verpflegung; Dokumentation

RettSan NotSan NA

Großschadensereignisse / Katastrophen

Großunfall: Begrenztes, mit den in der Region zur Verfügung stehenden Mitteln beherrschbares Ereignis.

Notfallmedizin: Unter günstigen Voraussetzungen (viele Helfer, ausreichend Material) werden wenige Notfallpatienten optimal versorgt.

Katastrophenmedizin: Mit sehr beschränkten Mitteln (wenige Helfer, kaum Material) muss das Überleben vieler Patienten sichergestellt werden. Es besteht ein Missverhältnis zwischen dem Bedarf an medizinischen Leistungen und deren aktueller Verfügbarkeit, den Behandlungsmöglichkeiten. Daraus ergibt sich die Notwendigkeit, Prioritäten festzulegen (Sichtung).

Versorgungsstufen beim Massenanfall von Verletzten (MANV) ► s. a. Alg. 24 S. 397		
Stufe 1:	5 bis 50 Verletzte	Kann mit örtlichen Verstärkungskräften **(Schnell-Einsatz-Gruppen)** und Hilfe aus benachbarten Rettungsdienstbereichen abgearbeitet werden. Beispiel: Verkehrsunfälle mit Reisebussen oder Brände in Wohnanlagen.
Stufe 2:	50 bis 500 Verletzte	**Überregionale Ressourcen** weit über nachbarschaftliche Hilfe hinaus erforderlich. Beispiel: Eisenbahnunglücke.
Stufe 3:	über 500 Verletzte	**Länderübergreifende** und internationale Hilfe erforderlich. Beispiel: Flugtagsunglück Ramstein.
Stufe 4:	weit über 500 Verletzte	Durch zerstörte Infrastruktur, **massive externe Hilfe** erheblich erschwert. Beispiel: Hamburger Sturmflut 1962, Elbehochwasser 2002.

► **Merke**

- Gerade in der Situation eines Großschadensereignisses mit vielen gleichzeitig betroffenen Patienten ist ein besonnenes, systematisches Vorgehen in enger Zusammenarbeit innerhalb der medizinischen Einheiten und zwischen den verschiedenen Leistungsträgern vor Ort Voraussetzung für eine optimale medizinische Hilfe.
- Die Maßnahmen sind immer abhängig von den zu diesem Zeitpunkt zur Verfügung stehenden Möglichkeiten und müssen jeweils den augenblicklichen Bedingungen angepasst werden.
- Keine unkoordinierten Behandlungs- und Transportmaßnahmen (LNA).
- Kontinuierlicher Informationsaustausch mit anderen Hilfseinheiten (Polizei, Feuerwehr etc.) und insbesondere mit der Rettungsleitstelle. Diese hat die benötigten Helfer und Fahrzeuge an den Schadensort zu dirigieren und in Rücksprache mit den Krankenhäusern und dem Leitenden Notarzt den gezielten Abtransport zu organisieren.
- Wird ein gewisser Schadensumfang überschritten, sind die Verwaltungsorgane hinzuzuziehen. Diese können Katastrophenalarm auslösen.

Empfehlungen zur Ausstattung

RettSan NotSan NA

DIN EN 1789 regelt die Ausstattung und Einteilung der Rettungsdienstfahrzeuge:

PTA, Typ A1 = Patient Transport Ambulance
- für den Transport eines einzelnen Patienten (bisher in Deutschland nicht eingesetzt)
- meist ein Kombi oder eine Großraumlimousine
- **med. Ausstattung:** sehr gering, im Wesentlichen nur Trage, Tragestuhl, Tragetuch, tragbares Sauerstoffinhalationsgerät, manuelles Absauggerät, Feuerlöscher, Verbandmittel, Infusionshalterung, Funkgerät

PTA, Typ A2 = Patient Transport Ambulance = KTW
- für den Transport eines oder mehrerer Patienten mit Krankentrage und/oder Tragestuhl
- **med. Ausstattung:** wie ehem. dt. KTW, nur z. B. ohne Blutdruckmessgerät, Vakuummatratze, Infusionen; mit tragbarem Sauerstoffgerät, sonstige Ausstattung wie in Typ A1

EA, Typ B = Emergency Ambulance = RTW »klein«
- für den Transport, die Erstversorgung und Überwachung von Patienten
- **med. Ausstattung:** z. B. Trage, Tragestuhl, Schaufeltrage, Vakuummatratze, Schienungsmaterial, Halskrausen, Sauerstoffanlage im Fahrzeug und tragbare Sauerstoffinhalationseinheit, Beatmungsbeutel, Absauggerät, Blutdruckmanschette, Pulsoxymeter, Infusionen und Zubehör sowie Wärmebox für Infusionen, EKG, Defibrillator, tragbare Notfallausrüstung (u. a. mit Beatmungsbeutel, Absaugung etc.), Magenspülset, Verbandmittel, tragbares und stationäres Funkgerät
- **zusätzlich empfohlene Ausstattung:** u. a. Spineboard, Medikamente

MICU, Typ C = Mobile Intensive Care Unit = RTW »normal«/Notarztwagen
- für Transport, erweiterte Versorgung, Behandlung und Überwachung von Patienten
- **med. Ausstattung:** wie Typ B, zusätzlich u. a. externer Herzschrittmacher, erweiterte tragbare Notfallausrüstung (u. a. mit Infusionen und Zubehör, Intubation, Medikamenten, Beatmungsbeutel und Zubehör), Thoraxdrainage, Perikardpunktionssatz, ZVK, PEEP-Ventil, automat. Beatmungsgerät, Spritzenpumpe
- **zusätzlich empfohlene Ausstattung:** u. a. Kapnometer

S-RTW = Schwerlast-Rettungswagen, für Patienten ab 140 kg
- Lkw-Fahrgestell, das mit einer Ladebordwand ausgestattet ist
- spezielle Trage mit bis zu 450 kg Tragfähigkeit, Länge und die Breite anpassbar, spezielles Tragetuch bis zu 280 kg oder bis 800 kg mit 12 Griffen
- spezieller Tragestuhl, der über ein Raupensystem fährt

DIN 75076 regelt die Ausstattung des **Intensivtransportwagens (ITW)**
- **med. Ausstattung:** wie MICU, **zusätzlich**: Schwerlast-Intensivtrage, Beladehilfe, Multifunktionsmonitor (inkl. 2 invasiven Druckmessungen etc.), Blutgasanalysegerät, mind. 6 Spritzenpumpen, mobiles Absauggerät, O_2-Vorräte: 4.000 l stationär, 800 l mobil

RettSan NotSan NA

Notfallkoffer

– Grundausrüstung im Rettungsdienst, die bei jedem Notfallpatienten unmittelbar zur Verfügung stehen sollte

I. Diagnostische Einheit:
- Stethoskop
- Blutdruckmessgerät
- Reflexhammer
- Taschenlampe
- Blutzuckerteststreifen
- Pulsoxymeter
- Thermometer

II. Atmungs-Einheit:
- Absaugvorrichtung
- Absaugkatheter (verschiedene Größen)
- Sauerstoffflasche (mindestens 200 l)
- Sauerstoffbrille, -maske (mit Reservoirbeutel)
- Beatmungsbeutel, -masken (versch. Größen), Reservoirbeutel
- Rachentuben (Guedel-, Wendl-Tubus) (versch. Größen)
- Endotrachealtuben, Larynxmasken (versch. Größen)
- Intubationsbesteck
- Pleurapunktionsbesteck (Venenkanüle 16 G)
- Kapnometer

III. Kreislauf-Einheit:
- Infusionslösungen: Vollelektrolytlösung, kristalloide Lösung, kolloidale Volumenersatzmittel, z. B. Gelafundin® ISO 40 mg/ml, Natriumbikarbonat 8,4 %
- Tupfer, Pflaster, sterile Mullkompressen, Verbandpäckchen, Brandwundenverbandpäckchen
- Desinfektionsspray
- Venenverweilkanülen
- Venenverweilkatheter
- Spritzen und Kanülen (versch. Größen)
- Schutzhandschuhe

IV. Notfall-medikamente: ► s. S. 283 – 336

Bei Bedarf: EKG-Monitor/Defibrillator, Infusions-, Spritzenpumpen, Notfallrespirator

Kinder-Notfallkoffer: Zusätzlich zu dem für die Versorgung Erwachsener konzipierten Notfallkoffer sollte in den Rettungsfahrzeugen ein speziell für die Erstversorgung von Kindern zusammengestellter Koffer zur Verfügung gehalten werden.

Grundsätze der Rettung

RettSan NotSan NA

Grundsatz: Eigengefährdung ausschließen, absichern von Helfern und Patienten, Fluchtmöglichkeiten ermitteln, Arbeitsfläche schaffen

Retten: Befreien von Menschen (oder Tieren) aus Lebensgefahr, z. B. mit Rettungsgriff. Vorsicht bei Halswirbelsäulenverletzung!

Bei Verkehrsunfällen:
- Unfallstelle absichern
- Gefahrguttransport? E-/Hybrid-Kfz?
- Zündung ausschalten
- Feuerlöscher bereithalten
- sofortige Schutzhelmabnahme beim Motorradfahrer
- ggf. Zervikalstütze, ► s. S. 188
- Rettungsbrett, Schaufeltrage, Vakuummatratze verwenden

Airbag (SRS): *(Fahrer/Beifahrer)*
- Airbag bereits ausgelöst: übliches Vorgehen
- Airbag nicht ausgelöst: Zündung ausschalten; Vorsicht bei allen Arbeiten im Bereich von Lenksäule/Armaturenbrett; Hitze vermeiden; Wirkungsbereich des Airbags bestmöglich freihalten; Pulver nicht inhalieren

Bei gasverseuchten Räumen:
- CO-Warngerät, Rauchverbot, Räume lüften
- keine Lichtschalter betätigen
- Feuerwehr/Atemschutz:
  - umluftabhängiger (»leichter«) Atemschutz mit Filtern bei ätzenden Chemikalien in niedriger Konzentration
  - umluftunabhängiger (»schwerer«) Atemschutz mit Pressluft bei Blut- und Zellgiften (CO, Zyaniden) und Chemikalien in hoher Konzentration (über 0,5 %)

Bei Stromunfällen: **Stromkreis unterbrechen!**

Niederspannungsunfall (unter 1.000 Volt)
- Gerät abschalten, Netzstecker ziehen
- Sicherung entfernen
- isolierender Standort

Hochspannungsunfälle (über 1.000 Volt) nur durch VDE-Fachmann (Feuerwehr)
- freischalten
- vor Wiedereinschalten sichern
- Spannungsfreiheit feststellen
- erden und kurzschließen
- unter Spannung stehende Teile abschirmen

Ertrinkungs-/Eisunfälle:
- Selbstschutz vorrangig, Anleinen des Helfers
- vorsichtige Annäherung an den Betroffenen
- Gegenstand, z. B. Rettungsring, zureichen

Nachalarmierung der Feuerwehr:
- eingeklemmte Person, schwieriger Transport
- gasverseuchte Räume
- Gefahrguttransport, E-/Hybrid-Kfz
- Brandgefahr
- Einsturzgefahr
- Notfälle am Wasser

Nachalarmierung der Polizei:
- Verkehrsunfall mit Verletzten, Toten
- (Verdacht auf) kriminelles Delikt
- unklare Todesursache, unbekannte Leiche
- Gefahr im Verzug

RettSan NotSan NA

Abnehmen des Schutzhelmes bei Zweiradfahrern

Vorgehen:

- *grundsätzlich den Schutzhelm* – vorsichtig – abnehmen
- *beim ansprechbaren Patienten:* unter dessen Mithilfe
- *beim komatösen Patienten:* durch zwei Helfer
- *beim Radfahrer/Skater:* analog

▶ **Helfer 1** (am Kopf des Patienten):
- fixiert Kopf und Helm achsengerecht

▶ **Helfer 2** (neben dem Patienten):
- öffnet das Visier, ggf. Brille abnehmen
- löst Kinnriemen
- hält durch seitliches Umfassen des Hinterkopfes mit zwei Händen Hals und Nacken achsengerecht (keine Verdrehungen/Verkippungen)

▶ **Helfer 1:**
- zieht den Helm vorsichtig ab (Nase beachten)
- übernimmt die achsengerechte Position der Halswirbelsäule

▶ **Helfer 2:**
- überprüft die Atmung
- legt Zervikalstütze an

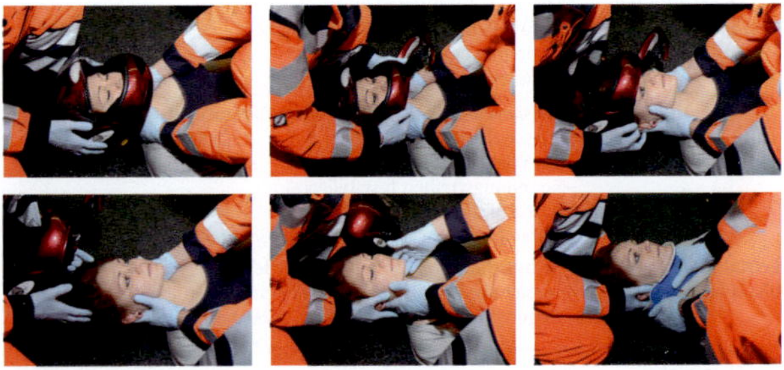

Führung im Rettungsdienst-Einsatz

RettSan NotSan NA

Führungsaufgaben

Lagefeststellung ► Lagebeurteilung ► Strukturierung der Hilfeleistung ▼ Anordnungen ◄ Aufgaben-übernahme ◄ Aufgaben-erledigung ▲ (Lagefeststellung)

Handlungen

persönliche Verantwortung erfassen ► Verantwortungs-bereich strukturieren ► Aufgaben erkennen ▼ Prioritäten setzen ◄ Kräfte gezielt einsetzen ◄ Aufwand/Nutzen gewichten ▲ (persönliche Verantwortung erfassen)

Situationsentwicklung

Art des Notfalls ► Gefährdung der Einsatzkräfte ► Anzahl der Betroffenen ▼ Unmittelbare Vitalgefährdung? ◄ Rettungsmittel/Personal ausreichend? ◄ Hilfeleistung ausreichend? ▲ (Art des Notfalls)

Schema: Voranmeldung in der Klinik

1
- Alter des Patienten, insbesondere bei Kindern < 8 Jahre
- Geschlecht
- Leitsymptom – Notfalldiagnose, z. B. Kind mit Krampfanfall, Verkehrsunfall: Radfahrer

2
- Ansprechbarkeit: wach/bewusstseinsgetrübt/bewusstlos/Narkose

3
- Belüftung: Spontanatmung, Masken-CPAP/intubiert/beatmet

4
- Circulation: stabil/Volumenersatz/Katecholamine/Reanimation

5
- Differenzierung: z. B. Schlaganfall, STEMI-Infarkt, Polytrauma, Geburt

6
- Ergänzung: z. B. Gesichtsschädelbeteiligung, Schwangerschaft, Infektion

▶ **Merke**

- Vor allem bei unmittelbar erforderlichen, »zusätzlichen« medizinischen Disziplinen in der Notaufnahme, z. B. Neurologie, Kardiologie, Radiologie, Gynäkologie, ist eine differenzierte Anmeldung wichtig.
- Die letztliche Festlegung des Transportziels (in das am besten geeignete, nächstgelegene Krankenhaus) ist Aufgabe und Verantwortung des Teams vor Ort bzw. des Notarztes; die Leitstelle wird hierbei, mit den ihr zur Verfügung stehenden Informationen, beraten, nicht entscheiden.
- Alle an der Akutversorgung beteiligten Kliniken haben primäre Aufnahmepflicht, ein grundsätzliches Abmelden einer Notaufnahme ist nicht statthaft.

Typische Indikationen Schockraum

- Alter ≥ 70 Jahre, Sturz > 3m Höhe, Ejektion aus Kfz., Fraktur langer Röhrenknochen
- GCS ≤ 12, Af < 10 bzw. > 29/min, SpO_2 < 90%, Hf > 120/min, Temp. < 35 °C
- perf. Schädel-/Halsverletzung, instab. Thorax/Becken, periphere neurolog. Ausfälle, Verbrennung ≥ 20% ≥ Grad 2b

Schema: Übergabe des Patienten in der Klinik

RettSan NotSan NA

Übergabeort:
- Patienten in geeignete Umgebung bringen (z. B. Schockraum)
- Patienten auf Rettungsdiensttrage belassen
- alle Beteiligten anwesend, aufmerksam

I **Identifizierung:**
- Leader Rettungsdienst-Team
- Leader Klinikaufnahme-Team
- Patientendaten, z. B. Krankenversichertenkarte

S **Situation:**
- Situation am Notfallort, Zeitpunkt
- ggf. Abbruch der Übergabe für unmittelbar erforderliche Maßnahmen

O **Observation:**
- Vitalfunktionen
- cABCDE, AcVPU, GCS, BEFAST, NRS, OPQRST
- Haupt- und Nebendiagnosen

B **Background:**
- SAMPLERS
- Infektionsstatus, Pflegesituation, Patientenverfügung
- Kontaktmöglichkeiten Angehörige

A **Aktionen:**
- durchgeführte Maßnahmen, Verlauf
- anstehende Diagnostik/Therapie
- Risiken

R **Rückfragen:**
- Informationslücken? Ergänzungen?

Read Back:
- Zusammenfassung durch Leader Klinikaufnahme-Team

Umlagerung:
- Übergang der Behandlung und Verantwortung an das übernehmende Team

Weitergabe:
- Einsatzprotokoll, Asservate, Eigentum des Patienten etc.

▶ **Merke**
- **ISOBAR** (= gleiches Druckniveau) bringt Übergebende und Übernehmende auf das gleiche Informationsniveau und verhindert Informationsverluste bei der Patientenübergabe.
- Grundsätzlich eignet sich das ISOBAR-Schema in adaptierter Form für jede Patientenübergabe, also auch für Sekundär- und Krankentransporte.
- Entscheidend für die Qualität einer Übergabe ist eine möglichst ruhige Atmosphäre und die ungeteilte und disziplinierte Aufmerksamkeit aller Beteiligten.

RettSan NotSan

Sekundärtransport

Checkliste Risikofaktoren (Verlegung nur mit Notarzt):

- Gravierende, unerklärte Bewusstseinsstörung (GCS < 13, insbes. < 8)?
- Therapieresistenter Hirndruck, Krampfzeichen?
- Spontanatemfrequenz < 10/min bzw. > 30/min?
- Bekannter/zu erwartender schwieriger Atemweg?
- Differenziertes Beatmungsmuster?
- Akute, massive Verschlechterung des Gasaustauschs (FiO_2-, PEEP-Steigerung > 30 %)?
- Respiratorische bzw. metabolische Azidose (pH < 7,25)?
- Neu aufgetretener Brustschmerz bzw. bedrohliche kardiale Arrhythmien?
- Therapieresistenter Schockzustand?
- Ventricular Assist Devices wie LVAD, BiVAD etc.?
- Unkontrollierte Blutung?
- Ungesicherte instabile Frakturen (HWS, große Röhrenknochen)?
- Unterkühlung (< 35 °C)? Fieber (> 41 °C)?

Checkliste zur Vorbereitung und Durchführung:

- Fallnummer, Auftraggeber
- erforderliches Rettungsmittel
- abgebende Klinik, Abteilung, Station, verantwortlicher Arzt, Telefonnummer
- Transportziel: Klinik, Abteilung, Station, verantwortlicher Arzt, Telefonnummer
- Indikation des Transports, Dringlichkeit
- Erkrankungsbeginn/Unfallzeitpunkt
- Vorerkrankungen
- aktuelle Anamnese
- Diagnose:
  - Hauptdiagnose
  - Nebendiagnose
- Befunde:
  - Bewusstseinslage (GCS), Pupillen, Neurostatus
  - Atmung (Atemmodus, SpO_2, Af)
  - Kreislauf (Puls, RR, Urinproduktion)
  - Verletzungen (SHT, Thorax, Abdomen, Extremitäten)
- Untersuchungsergebnisse (Bildgebung, Labor)
- bisher durchgeführte Maßnahmen/Operationen
- aktuelle Behandlung:
  - Analgesie, Sedierung
  - Beatmung: Modus, FiO_2, Atemwegsdrücke, AZV
  - $etCO_2$, Blutgasanalyse
  - Herz-Kreislauf-Situation, Medikamente, Dosierungen

Sekundärtransport

RettSan NotSan

- Organersatzverfahren
- Gefäßzugänge, Katheter, Drainagen
- Lagerungen, Schienungen
- Mobilisierung
- Infektionsstatus

– besondere Anforderungen (Isolierung/Desinfektion)
– anstehende Maßnahmen: Diagnostik, Operation, Intensivtherapie, Rehabilitation
– vor Transport sonstige abzuklärende Fakten

Maßnahmen:

– Vorbereitung des Fahrzeuges: z. B. Zusatzausstattung erforderlich?
– Vorbereitung des Patienten: z. B. Intubation, Zugänge/Drainagen, Volumen-/Katecholamintherapie, Transfusion erforderlich?
– systematische, schrittweise Übernahme (im Team)
– Aushändigung der Unterlagen, persönlicher Gegenstände

Checkliste für die Übernahme eines Patienten:

– Neurologie:
- Orientierung: zeitlich, örtlich, zur Person, zur Situation
- Reaktion: verlangsamt – erweckbar auf Ansprache – erweckbar auf Schmerz – komatös – sediert – Narkose
- ICP – Lähmungen – Krampfzeichen
- Glasgow Coma Scale _/15: Motorik _/6, verbal _/5, Augen _/4
- Pupillen: rechts (eng – mittel – weit – Lichtreaktion), links (eng – mittel – weit – Lichtreaktion)

– Atmung:
- spontan – O_2-Gabe – SpO_2 – stabil/instabil
- maschinell beatmet – Endotrachealtubus – Tracheostoma
- Beatmungsmodus – FiO_2 – f/min – V_T – PEEP – I : E – Paw

– Herzkreislauf:
- EKG-Rhythmus – f/min – RR – stabil/instabil – Temp.
- Pacer/AICD permanent/passager – ECMO/PCLA/ILA
- Gefäßzugänge: periphervenös – zentralvenös – arteriell

– Besonderheiten:
- Infektionsstatus, Lagerung, Drainage
- Magensonde, PEG, Blasenkatheter
- Sonstige

– Unterlagen/persönliche Gegenstände

RettSan NotSan NA

Besondere Einsatzlagen: Amok- und Terrorsituation

▶ s. a. Leitender Notarzt S. 37, Führung im Rettungsdienst-Einsatz S. 43

Grundsätze des Vorgehens:

- Die Sicherheit der eingesetzten Rettungskräfte hat oberste Priorität!
- schnellstmöglich die für die eigene Tätigkeit erforderlichen Informationen einholen
- diszipliniert und ruhig auftreten, kommunizieren und handeln
- ständig auf verdächtige Personen und Gegenstände achten:
  → **ALERT:**
  - Person **a**llein und nervös?
  - **L**ockere Kleidung?
  - Sichtbare **E**lektronik?
  - **R**umpf: steife Haltung?
  - **T**rigger: Hände fest geschlossen?

  → ABC-Bedrohung?
- Das praktische Vorgehen muss stets der aktuellen Gefährdungslage angepasst werden: Veränderung der Gesamtsituation? Verlagerung des Einsatzgebietes? »Second Hit« (2. Schlag) zu erwarten?
- ständige enge Zusammenarbeit mit Polizei und Feuerwehr
- kontinuierliche Rücksprache mit der Rettungsleitstelle über die Versorgung vor Ort und die Transport- und Krankenhauskapazitäten

Einsatztaktik:

- Das Vorgehen entspricht den Regelungen zum Leitenden Notarzt-Einsatz und der Leitlinie Massenanfall von Verletzten und Erkrankten (▶ s. a. Alg. 24 S. 397).
- frühzeitige und großzügige Alarmierung von Rettungsmitteln und Einsatzkräften → Reserven bereithalten
- »Ringbereitstellung« der Rettungsmittel rund um den Schadensort statt Konzentrierung auf einen Bereitstellungsraum; Festlegung von Hubschrauberlandeplätzen
- Aufenthalt der Medizinteams am Schadensort so kurz wie möglich halten (Watch and clean the scene) → »Crash-Rettung«: freie Atemwege, ggf. Beatmung – Blutstillung – Ruhigstellung/Lagerung – schnellstmöglich in sichere Umgebung bringen

Besondere Einsatzlagen: Amok- und Terrorsituation

RettSan NotSan NA

- Einleitung der Maßnahmen ggf. erst nach Übernahme der Patienten von der Polizei im sicheren Bereich möglich
- erweiterte Maßnahmen erst in sicherer Umgebung einleiten (dezentrale Behandlungsplätze, Rettungsmittel, zügiger Transport vital Bedrohter)
- häufig abnorme psychische Reaktionen bei Patienten (Schockstarre oder Erregungszustände)
- typische Verletzungen:
  - stark blutende, offene oder geschlossene Körperhöhlenverletzungen
  - Extremitätentrauma mit offenen/ geschlossenen Frakturen
  - (Teil-)Amputationen
  - stärkste Schmerzen

▶**Merke**
Im Einsatz zu beachten sind die »Handlungsempfehlungen für Rettungsdiensteinsätze bei besonderen Einsatzlagen/Terrorlagen (REBEL)« des Bayerischen Staatsministeriums des Innern, für Sport und Integration.

Qualitätsindikatoren Erstversorgung

Patient mit:

Bewusstseinsstörung:	– Blutzuckermessung
akutem zentral-neurologischem Defizit:	– Transport in Einrichtung mit Schlaganfalleinheit (wenn kein bewusster Therapieverzicht)
Schädel-Hirn-Trauma:	– GCS ≤ 13 → Transport in Klinik mit CT – GCS < 9 → Transport in Klinik mit Neurotraumatologie
Beatmeter Patient, insbes. nach CPR:	– kontinuierliche Kapnografie
Akutes Koronarsyndrom (STEMI):	→ Transport in Klinik mit Herzkatheter (Bereitschaft 24 h/7 Tage), 12-Kanal-EKG-Ableitung, Therapie mit ASS und Heparin
Polytrauma:	– Maßnahmen: • SpO_2 • RR • EKG • ≥ 1 venöser Zugang • Blutstillung • Sauerstoffgabe • Zervikalstütze • Intubation bei: GCS < 9, SpO_2 < 90 %, Af < 6 bzw. > 29/min, RR_{sys} < 90 mmHg, Transport ≤ 30min
s. Verletzungsartenverfahren S. 357	– bei leichter Verletzung → lokales Traumazentrum – bei schwerer Verletzung → regionales Traumazentrum – bei schwerster Verletzung → überregionales Traumazentrum
Schmerz:	– initialer NRS ≥ 5 wird um ≥ 2 bzw. auf ≤ 4 gesenkt

▶ **Merke**

Die Einhaltung der Qualitätsindikatoren ist besonders wichtig für die fünf zeitkritischen Krankheitsbilder („Big Five"):

- Akutes Koronarsyndrom
- Akutes neurologisches Defizit (Schlaganfall, Stroke)
- Kreislaufstillstand
- Polytrauma
- Sepsis

II Diagnostik

Atemwege | Atmung | Herz-kreislauf | Bewusst-sein

Verletzung | Schmerzen | Kinder

Sehen | Hören | Fühlen

Riechen | Untersuchen | Messen

Diagnostik

Der Notfallpatient

Definition:
Patient, bei dem eine Störung der Vitalfunktionen – *Atmung* und *Kreislauf* – und/oder der mit ihnen verbundenen Funktionssysteme – *Bewusstsein* und *inneres Milieu* –
- droht,
- sich entwickelt oder
- bereits eingetreten ist.

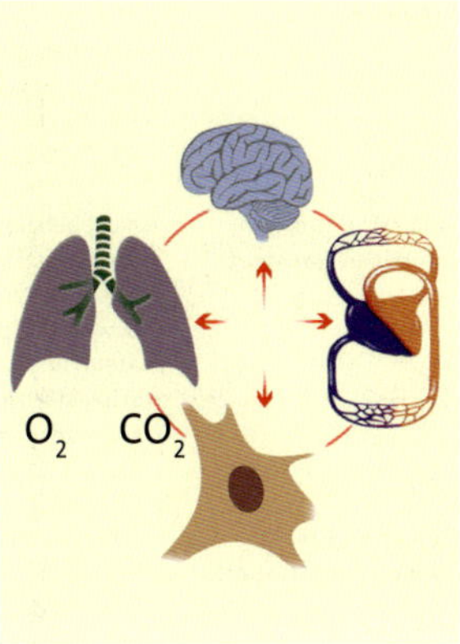

Ursachen akuter Störungen der Vitalfunktionen sind
a) eingeschränkte Funktionsbedingungen, z. B. vermindertes Sauerstoffangebot, Blutvolumenverluste, und
b) eingeschränkte Funktionsfähigkeit, z. B. Herzinsuffizienz, gestörte Durchblutung.

Ziel der Maßnahmen:
- Wiederherstellung bzw. Aufrechterhaltung der *Vitalfunktionen*
- Schmerzbekämpfung und Beruhigung
- Verhinderung von Komplikationen
- Erzielung der Transportfähigkeit
- kontinuierliche Überwachung, ggf. Behandlung

Rettungskette

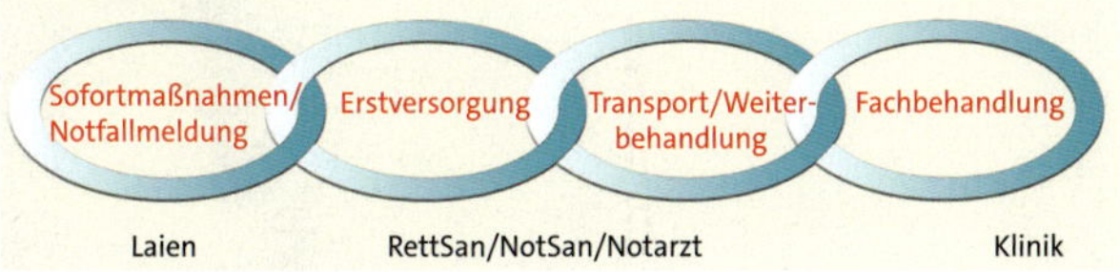

Nur wenn alle Glieder der Rettungskette nahtlos ineinander greifen, ist die optimale Hilfe für den Patienten gewährleistet.

Zeitkritische Patienten:

- Glasgow Coma Scale ≤ 12, insbesondere wenn Wert (trotz Therapie) weiter fallend
- Atemfrequenz ≤ 5/min oder ≥ 35/min bzw. SpO_2 ≤ 90 % (trotz Therapie)
- Herzfrequenz ≤ 40/min oder ≥ 120/min bzw. RR_{sys} ≤ 90 mmHg (trotz Therapie)

Indikation zum sofortigen Transport:

- nicht behebbare Atemwegsverlegung
- Kreislaufstillstand bei Schwangerschaft > 20. Woche
- Nabelschnurvorfall
- Bewusstlosigkeit mit sich kontinuierlich verschlechternder Atem- und Kreislauffunktion
- Schädel-Hirn-, Thorax-, Abdominal-/Beckentrauma mit sich kontinuierlich verschlechternder Bewusstseinslage bzw. Atem- und Kreislaufsituation

Indikation zum dringenden Transport:

- Schlaganfall im Zeitfenster
- akutes Koronarsyndrom im Zeitfenster
- lebensbedrohliche Verletzungen
- anhaltender Krampfanfall (trotz Therapie)
- Kohlenmonoxidvergiftung mit Bewusstseinsstörung

▶ **Merke**

- Wäge die Verbesserungsmöglichkeiten durch weitere Maßnahmen vor Ort und auf dem Transport kritisch gegen den entstehenden Zeitverbrauch bis zur klinischen Behandlung ab.
- Statt unnötig langer Verweildauer vor Ort ist ggf. ein Rendezvous mit dem Notarzteinsatzfahrzeug auf dem Weg zur Klinik sinnvoller.

Erstuntersuchung

Vor Annäherung an den Patienten:
Eigen-/Fremdgefährdung ausschließen, Gesamtsituation erfassen, Anzahl der Patienten, ggf. weitere Hilfe anfordern

Unfallhergang/Ereignis:
Unfallmechanismus/Stärke der einwirkenden Kraft, z.B. Sturz > 3 m Höhe, Verformung des Fahrzeugs

Atmung:
Atembewegungen, Atemstoß, Zyanose
- normal
- Störung
- Atemstillstand

Kreislauf:
Puls, Blutdruck, Schockzeichen
- normal
- Störung
- Kreislaufstillstand

Bewusstsein:
Reaktion auf Ansprache/Berührung/Schmerzreiz (WASB)
- normal
- Störung
- Bewusstlosigkeit

Verletzungen:
äußere, innere (Schnelle Trauma-Untersuchung, STU)
- keine
- möglich
- offensichtlich

Ständige Kommunikation im Team

▶ Merke

- Ziel der Erstuntersuchung: Einstufung des Patientenzustandes in kritisch (= vital bedroht) und nicht kritisch (= Vitalfunktionen stabil).
- Sowohl Erstuntersuchung (1. Blick) mit darauf aufbauender Erstbehandlung (zur Wiederherstellung/Sicherung der Vitalfunktionen) als auch die erweiterte Untersuchung (2. Blick) mit darauf aufbauender erweiterter Behandlung (zur weiteren Stabilisierung des Patienten) laufen in der Notfallmedizin grundsätzlich und systematisch nach dem **ABCDE-Konzept** ab.
- Bei Verschlechterungen und/oder Komplikationen wird immer wieder auf die ABCDE-Ebene zurückgegangen.

Algorithmus Erstuntersuchung

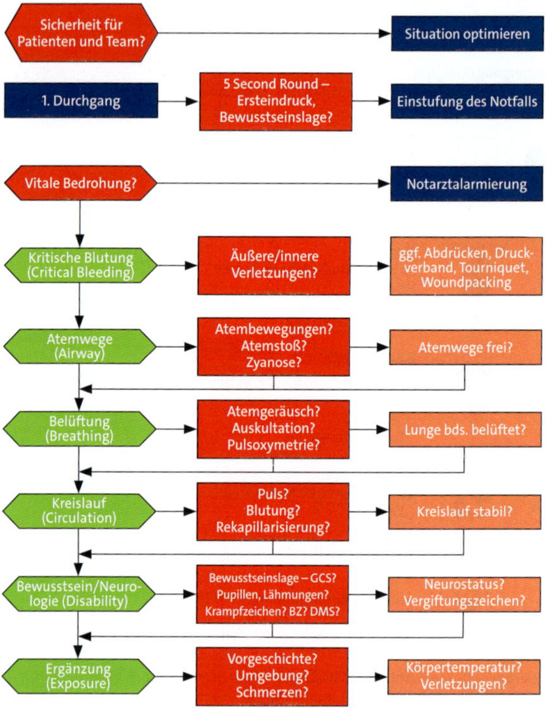

▶Merke
Mit dem 1. Durchgang müssen die Hauptstörung erfasst und die Erstbehandlung eingeleitet werden.

Erweiterte Diagnostik: Atmung

Atembewegungen	
normal	– regelmäßig
beschleunigt	– Gasaustauschstörung (Lunge)
vertieft	– Azidoseatmung (Coma diabeticum)
invers	– Atemwegsverlegung (»Schaukeln«)
paradox	– Rippenserienfraktur, instabiler Thorax
unregelmäßig	– zentrale Atemstörung
abgeschwächt	– Totraumatmung
Schnappatmung	– Atemstillstand

Haut-/Schleimhautaussehen	
normal	– rosig
blau	– Zyanose, O_2-Mangel, peripher/zentral
blass	– Kreislaufstörung und/oder Blutverlust

Auswurf	
normal	– wenig, dünnflüssig, hell
blutig	– Thoraxtrauma, Tumor, Infektion
schaumig, hellrot	– Lungenödem
zähflüssig, glasig	– Asthma bronchiale
dickflüssig, verfärbt	– Infektion

Atemstoß	
normal	– warme Ausatemluft aus Mund und Nase
vermindert	– flache Atmung
fehlt	– Atemwegsverlegung bzw. Atemstillstand

Atemgeräusche	
normal	– leises Strömungsgeräusch
spastisch	– gepresst, pfeifend (z. B. Asthma)
feines Rasseln	– leise (z. B. Lungenödem)
grobes Rasseln	– Schleim, Erbrochenes in Rachen und Trachea
schnarchend	– Atemwegsverlegung
ziehend-pfeifend	– bei der Einatmung (Kehlkopfenge)
einseitiges Fehlen	– Pneumothorax
völliges Fehlen	– Atemstillstand

Messen	
	– SpO_2, Puls
	– RR, EKG
	– Temperatur

▶ Merke
Spezielle Situation: Patient mit Tracheostoma (▶ s. S. 88).

Erweiterte Diagnostik: Herz-Kreislauf

Haut-/Schleimhautaussehen	
normal	– rosig, warm
blau	– Zyanose
blass	– Durchblutungsstörung
kaltschweißig	– Schock
überwärmt	– Fieber

Hautturgor	
normal	– glatt, spannungslos
Ödeme	– Herzinsuffizienz, Überwässerung
stehende Hautfalten	– Flüssigkeitsmangel

Puls	
normal	– regelmäßig, gut tastbar, um 70/min
beschleunigt	– Fieber, Anstrengung
schlecht tastbar	– Schock
fehlend	– peripher: Zentralisation
	– zentral: Kreislaufstillstand
unregelmäßig	– Schädigung des Herzens

Blutdruckmessung	
palpatorisch	– orientierend
mit Stethoskop	– genau

EKG	
Frequenzbestimmung	
Rhythmusüberprüfung	
Infarktzeichen	
Differenzialdiagnostik	– Kammerflimmern ⟷ Asystolie
	– Vorhof- ⟷ Kammertachykardie
	– Vorhof- ⟷ Kammerextrasystolie

Rekapillarisierung	– innerhalb 2 sec

Körpertemperatur	– erniedrigt
	– erhöht

► **Merke**

Eine korrekte Pulskontrolle muss folgende drei Fragen beantworten:

– Frequenz – z. B. 70/min

– Tastbarkeit – z. B. gut fühlbar

– Rhythmus – z. B. regelmäßig

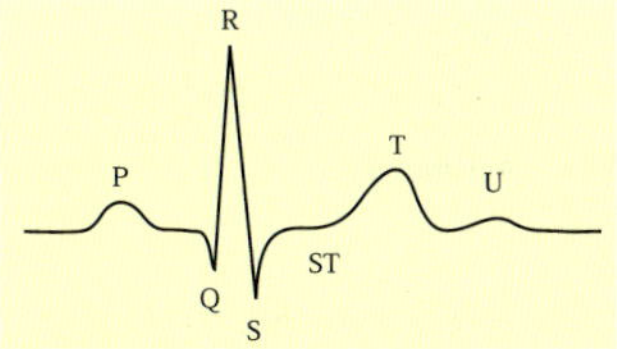

P-Welle:
Vorhoferregung
QRS-Komplex:
Kammererregung
T-Welle:
Erregungsrückbildung

Begriffe

– **Arrhythmie**
unregelmäßige Herzschlagfolge

– **AV-Block 1.°, 2.°, 3.°**
Hemmung der Erregungsüberleitung zwischen Vorhof und Kammer

– **AV-Dissoziation**
Vorhof und Kammer schlagen unabhängig, unkoordiniert

– **Bigeminus**
jedem Normalschlag folgt eine Extrasystole

– **Bradykardie**
Herzfrequenz unter 60/min

– **Pulslose elektrische Aktivität (PEA), früher: elektromechanische Entkoppelung (EMD)**
elektrische Erregungen (Monitor) bleiben ohne mechanische Antwort (kein Puls tastbar)

– **Schenkelblock**
Störung der Erregungsleitung im Bereich der Tawaraschenkel

– **Tachykardie**
Herzfrequenz über 100/min

Schnellinterpretation des EKG

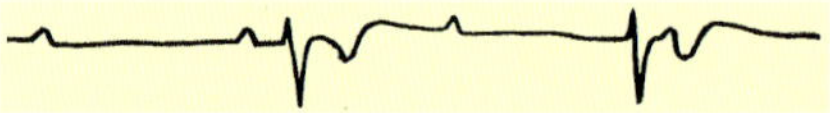

1. Technisch korrekte Ableitung?
- Alle Ableitungen vorhanden?
- Keine Elektroden locker?

2. Lebensbedrohliche Herzrhythmusstörung?
- extreme Bradykardie, extreme Tachykardie?
- Kammertachykardie, Kammerflimmern?
- pulslose elektrische Aktivität, Asystolie?

3. Regelmäßigkeit?
- Abstand der P-Wellen gleich?
- Abstand der QRS-Komplexe gleich?

4. Frequenz?
- Häufigkeit der P-Wellen?
- Häufigkeit der QRS-Komplexe?

5. Form?
- P-Wellen alle gleich gestaltet?
- Folgt auf jede P-Welle ein QRS-Komplex?
- Liegt vor jedem QRS-Komplex eine P-Welle?
- QRS-Komplexe alle gleich gestaltet?
- QRS-Komplex verbreitert (> 0,1 sec)?
- ST-Strecken gehoben?
- ST-Strecken gesenkt?
- QT-Strecke verlängert?

6. Vorhof-Kammer-Koppelung?
- PQ-Abstand verlängert (> 0,2 sec)?
- PQ-Abstand immer gleich?
- P-QRS-Koppelung immer gegeben?

7. Sonstige Unregelmäßigkeiten / Abnormitäten?

12-Kanal-EKG-Ableitung

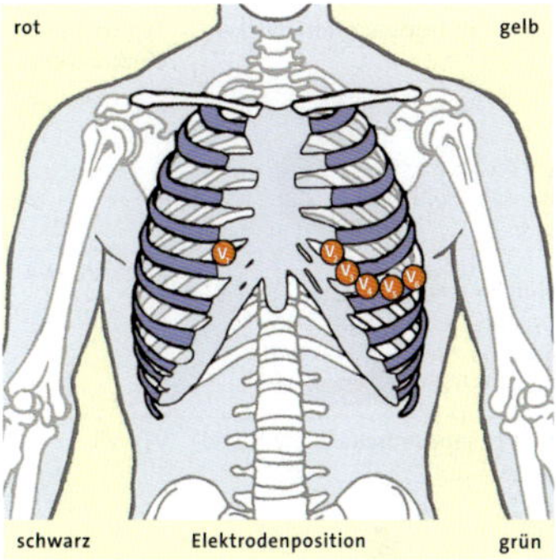

Elektrodenposition

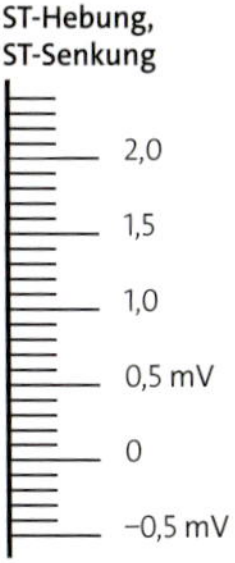

Legende:

V_1 = 4. ICR parasternal rechts
V_2 = 4. ICR parasternal links
V_3 = zwischen V_2 und V_4
V_4 = 5. ICR Medioklavikularlinie links
V_5 = vordere Axillarlinie Höhe V_4 links
V_6 = mittlere Axillarlinie Höhe V_4 links

rot = rechter Arm
gelb = linker Arm
grün = linkes Bein
schwarz = rechtes Bein

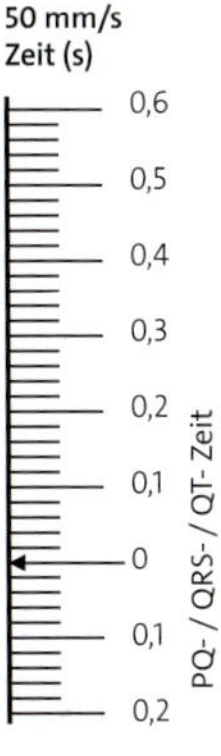

Lagetyp:

- überdrehter Linkstyp (a)
- Linkstyp (b)
- Indifferenztyp (c)
- Steiltyp (d)
- Rechtstyp (e)
- überdrehter Rechtstyp (f)

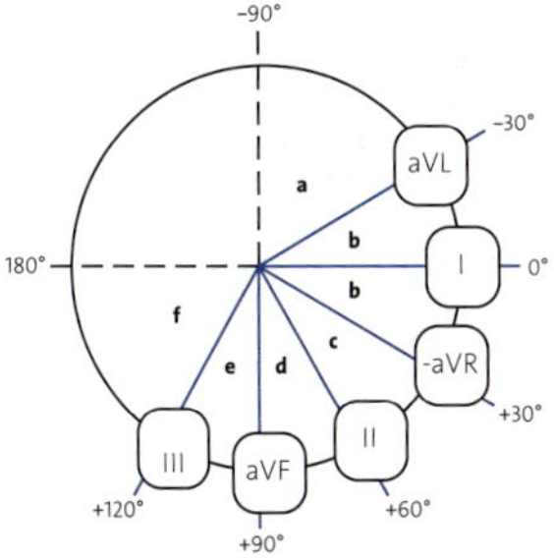

Lokalisation eines Koronarverschlusses

Bezeichnung	Typisches Koronargefäß		Betroffener Herzmuskel	Typische EKG-Veränderung
massiver Infarkt	LCA	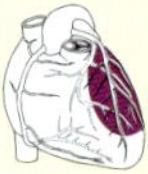	linker Ventrikel 	avL, I, V1–V6
Vorderwand-spitzeninfarkt	RIVA	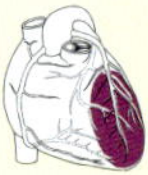	Vorderwand 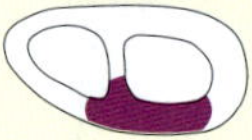	avL, I, V2–V4
Vorderwand-septum-infarkt	septale Äste RIVA	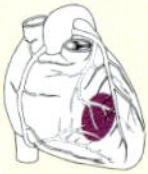	septumnahe Vorderwand 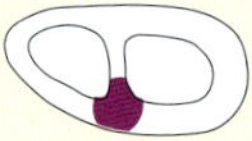	V1–V3
Vorder-Seitenwand-infarkt	lat. Äste RIVA		vordere Seitenwand 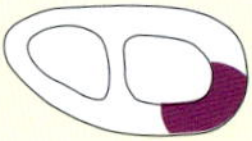	avL, I, V5–V6
Hinterwand-Seitenwand-Infarkt	RCX		hintere Seitenwand 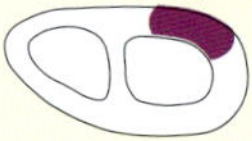	avF, III, V5–V6
Hinterwand-infarkt	Endäste RCX o. RCA	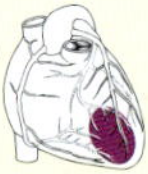	Hinterwand 	avF, II, III, invers V1–V2
Rechtsherz-infarkt	RCA	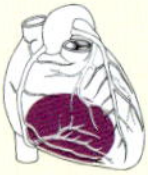	rechter Ventrikel 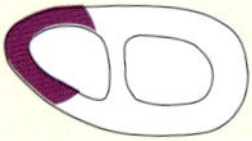	III, V3r–V4r

Abkürzungen:

LCA	linke Koronararterie	RIVA	linke vordere absteigende Koronararterie
RCA	rechte Koronararterie	RCX	linke umlaufende Koronararterie

Herzschrittmacher – AICD

Einstufung von Kammerextrasystolen (Lown-Klassifizierung)

Klasse	Auftreten	Charakteristik	Bewertung
1 A 1 B	gelegentlich	< 1/min, < 30/h > 1/min	ungefährlich
2	häufig	> 30/h	überwachen
3	polytop	multiform	gefährlich
4 A 4 B	Couplets Salven	fest angekoppelte Extrasystolen mehr als zwei Extrasystolen	gefährlich
5	R-auf-T-Phänomen	Übergang in Kammerflimmern	lebensbedrohlich

Code-Erklärung für Herzschrittmacher (NASPE/BPEG-Code mit fünf Buchstaben)

1. Buchstabe	2. Buchstabe	3. Buchstabe	4. Buchstabe	5. Buchstabe
stimulierte Kammer	steuernde Kammer	Betriebsart	Programmierbarkeit etc.	Antitachykardiefunktion
O = keine	O = keine	O = keine	O = keine	O = keine
A = Atrium	A = Atrium	T = getriggert	P = einfach progr.	P = Stimulation
V = Ventrikel	V = Ventrikel	I = Inhibition	M = mehrf. progr.	S = Schock
D = doppelt (A+V)	D = doppelt (A+V)	D = doppelt (T+I)	C = Telemetrie	D = doppelt (P+S)

Automatischer implantierbarer Kardioverter-Defibrillator (AICD)

Funktion	implantiertes Gerät zur Erkennung und Behandlung bradykarder und tachykarder Herzrhythmusstörungen (Stimulation bzw. Kardioversion/Defibrillation)
Fehlfunktion, Behandlung	– Ausfall der Stimulation → Vorgehen wie bei Bradykardie – Ausfall der Kardioversion/Defibrillation → Vorgehen wie bei Kammerflimmern – nicht angebrachte Schockabgabe → Magnetauflage

Erweiterte Diagnostik: Bewusstsein, Hirnfunktion

Sind die Vitalfunktionen sichergestellt, erfolgt eine erweiterte Diagnostik.

- *Vorgeschichte:*
  Erkrankungen, Operationen, Medikamente, Allergien, evtl. Schwangerschaft, ähnliche Ereignisse in der Vergangenheit – Verlauf
- *unmittelbarer Verlauf:*
  (Haupt-)Beschwerden, Schmerzen, Angaben von Anwesenden, sonstige Umstände
- *körperliche Untersuchung:*
  allgemein, gezielt

Reaktion auf Ansprache, Berührung
- normal
- verlangsamt
- vermindert
- fehlt

Reaktion auf Schmerzreize (dosieren)
- gezielt
- ungezielt
- Beuge-/Streckkrämpfe
- fehlt

Krämpfe
- keine
- seitenbetont
- generalisiert

Reflexe
- normal
- seitenungleich
- gestört
- fehlen

Lähmungen
- keine
- einseitig
- beidseitig
- Para-/Hemi-/Tetraplegie

Neurologische Beurteilung umfasst:
- Pupillenweite, -form, -motorik
- Bulbusstellung, -motorik
- Nackensteife
- (mehrfaches) Erbrechen

Messen:
- SpO_2, Puls
- RR, EKG
- Temperatur

> ▶ **Merke**
> Wichtig ist die Beurteilung (und Dokumentation) des Verlaufs, z. B. Eintrübung, Erbrechen, Krampfzeichen

Schema zur Beurteilung der Bewusstseinslage

bewusstseinsklar:
ungestörte Wahrnehmung der Umgebung und prompte Reaktion auf äußere Reize, zeitlich/örtlich/zur Person orientiert

bewusstseinsgetrübt:
verminderte Wahrnehmung der Umgebung, verlangsamte Reaktion, spontanes bzw. provoziertes Augenöffnen, gezielte Bewegungen auf Schmerzreize

bewusstlos-komatös:
unerweckbar, Augen geschlossen, verminderte – aufgehobene Reaktion auf Schmerzreize

▶ **Merke**
WASB-Schema: wach – verzögerte Reaktion auf Ansprache – Reaktion auf Berührung, Schmerz – bewusstlos → Ergebnis ständig kommunizieren!

Komastufe	Betroffenes Hirnareal	Reaktion auf Schmerzreize	Puppenkopf-Phänomen*	Pupillenweite	Lichtreaktion	Kornealreflex	Glasgow Coma Scale
I	Großhirn	erhalten	erhalten	eng	erhalten	erhalten	6–8
II	Großhirn	ungezielt, Beugen	(erhalten)	mittel	(erhalten)	erhalten	5–6
III	Mittelhirn	Streckkrämpfe	erloschen	(mittel)	(erhalten)	(erhalten)	4
IV	Stammhirn	keine	erloschen	weit	erloschen	erloschen	≤ 3

▶ **Merke**
* Puppenkopf-Phänomen: Blickrichtung bleibt bei passiver Drehung des Kopfes erhalten.

Entscheidend für die Beurteilung ist nicht ein einmaliger Befund, sondern die zeitliche Entwicklung von Störungen. Deshalb frühestmöglich einfache neurologische Erstuntersuchung (▶ s. S. 66) und Dokumentation (Notfallprotokoll).

Skala zur Beurteilung der Pupillenweite

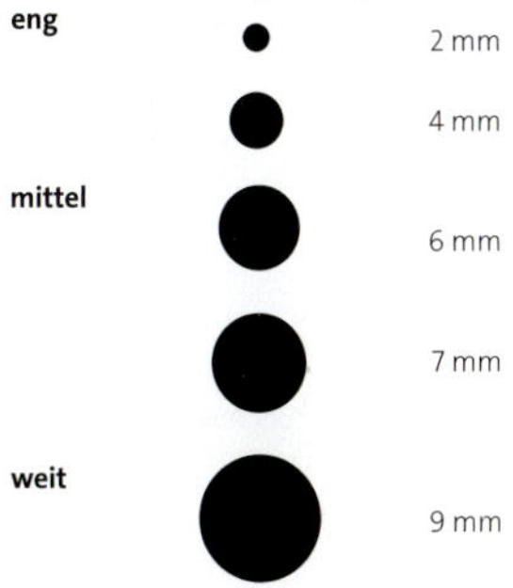

Schema zur Beurteilung der Bewusstseinslage Glasgow Coma Scale (GCS)

Augen öffnen:	spontan	4 Punkte
	auf Ansprache	3 Punkte
	auf Schmerzreiz	2 Punkte
	überhaupt nicht	1 Punkt
Worte:	spricht orientiert; Kinder: verständlich, angemessen	5 Punkte
	verwirrt; Kinder: schreien tröstbar	4 Punkte
	einzelne Worte	3 Punkte
	unpassende einzelne Worte; Kinder: schreien untröstbar	2 Punkte
	keine	1 Punkt
Bewegungen:	befolgt Anweisungen	6 Punkte
	gezielte Schmerzreaktion	5 Punkte
	ungezielte Schmerzreaktion	4 Punkte
	Beugemechanismen	3 Punkte
	Streckmechanismen	2 Punkte
	keine	1 Punkt
Beurteilung:	Summe der erreichten Punkte	

► Merke
GCS < 13 → Notarztalarmierung, Stabilisierung, Überwachung
GCS < 9 → Beatmung, Intubation, unmittelbare vitale Bedrohung

BEFAST-Test – Schlaganfall-Diagnostik

BEFAST-Test:	Balance	Gleichgewichtsstörung
	Eyes	Sehstörung
	Face	fehlende Mimik – hängender Mundwinkel
	Arm	Armhalteversuche (mit geschlossenen Augen)
	Speech	Sprachstörung (»Ich heiße ...«)
	Time	Zeitpunkt des Symptombeginns

► Merke
Telefonnummer der Angehörigen für Kontaktaufnahme notieren und weitergeben.

Erfassung des Sedierungsgrades
Richmond Agitation Sedation Scale (RASS)

Grad	Stichwort	Beschreibung
+4	streitlustig	gewalttätig, gefährlich
+3	sehr agitiert	aggressiv, zieht Schläuche/Katheter
+2	agitiert	ungezielte Bewegungen
+1	unruhig	ängstlich, nicht aggressiv
0	aufmerksam, ruhig	kooperativ, kommunikativ
-1	schläfrig	unaufmerksam, erweckbar, Blickkontakt > 10 sec
-2	leicht sediert	erwacht kurzfristig, Blickkontakt < 10 sec
-3	mäßig sediert	Reaktion auf Ansprache, kein Blickkontakt
-4	tief sediert	kein Augenöffnen auf Ansprache, aber auf Berührung
-5	nicht erweckbar	kein Augenöffnen auf Ansprache/Berührung

Ziel: Sedierungsgrad: 0/-1, beatmete Patienten: -2

Sedierungskonzept bei Erregungszustand / Delir

häufigste Ursache: Alkohol- und/oder Drogenwirkung bzw. -entzug (jüngere Patienten), Medikamentenwirkung bzw. -entzug (ältere Patienten)

Bewusstseinslage	RASS	Maßnahmen
Ruhig	0	Situation erklären, Gespräch über aktuelle und anstehende Maßnahmen
Unruhig	+1	Beruhigung, wiederholt Situation und Maßnahmen erklären, ggf. Sedierung
Agitiert	+2	beruhigendes Einwirken, Sedierung, ggf. + Analgosedierung
Aggressiv	+3	Sedierung, ggf. + α_2-Agonist, Antipsychose
Gewalttätig	+4	tiefe Sedierung

Ziel der Maßnahmen: RASS 0/-1

▶ **Merke**
Grundsätzlich Schmerzen als Ursache ausschließen bzw. durch Analgesie behandeln!

Schmerzeinschätzung – Schmerzbehandlung

Visuelle Analogskala (VAS) bzw. Numeric Rating Scale (NRS)	Einschätzung durch den Patienten selbst: Wie stark sind Ihre Schmerzen auf einer Skala von 0 (= kein Schmerz) bis 10 (= stärkste vorstellbare Schmerzen)?

Bewertung:

0 | 1 | 2 | 3 | 4 | 5 | 6 | 7 | 8 | 9 | 10

kein Schmerz	geringer Schmerz	mäßiger Schmerz	starker Schmerz	unerträglicher Schmerz

Maßnahmen (entsprechend regionaler Anweisungen):

Schmerzstärke:	VAS / NRS:	Maßnahmen:
keine/minimale Schmerzen	0–2	einfühlen, erklären
geringer Schmerz	3–4	Beruhigung, Lagerung Abdomen: z. B. Paracetamol 1.000 mg p. o. Trauma: z. B. Ibuprofen 400–600 mg p. o.
mäßiger Schmerz	5–6	Brustschmerz: z. B. Morphin 3–5 mg i. v. Trauma: z. B. Metamizol 1 g i. v. Kinder: z. B. Esketamin (50 mg/2 ml) 0,1 ml/kg KG nasal jeweils ggf. + Sedierung: z. B. Midazolam 2–3 mg-weise i. v.
starker Schmerz	7–8	Abdomen: z. B. Butylscopolamin 20–40 mg i. v. + Metamizol 1 g i. v. Trauma: z. B. Fentanyl 0,1–0,2 mg i. v., z. B. Esketamin 10–20 mg i. v. Kinder: z. B. Fentanyl (0,1 mg/2 ml) 0,04 ml/kg KG nasal jeweils + Sedierung: z. B. Midazolam 2–3 mg-weise i. v.
unerträglicher Schmerz	9–10	Narkoseeinleitung ▶ s. S. 124–125

▶ **Merke**

Regelmäßige Wiederholung der Schmerzeinschätzung (und deren Dokumentation) erlauben, analog der GCS, eine Verlaufsbeurteilung und Anpassung an den aktuellen Bedarf bzw. die Indikationsstellung für weitere Maßnahmen.

Anamnese

Aktuelle Entwicklung der Beschwerden / Schmerzen

- Beginn der Beschwerden
- Entwicklung: Auslösung – Vermeidung; Linderung – Verschlechterung
- Qualität: Art/Typ der Beschwerden
- Verlauf: Zunahme/Abnahme
- Ausstrahlung im Körper
- Stärke der Beschwerden

Schmerzen – OPQRST-Analyse			
O	Onset	Beginn der Beschwerden	Zeitpunkt, Ereignis, schleichend
P	Provocation	Auslösung von Schmerzen	Körperlage, Bewegung, Linderung
Q	Quality	Schmerztyp	stechend/dumpf, ständig/kolikartig
R	Radiation	Ausstrahlung	in die Tiefe/Peripherie
S	Severity	Stärke der Schmerzen	Schmerzskala 0 – 10
T	Time	zeitlicher Verlauf	seit Stunden/Tagen

SAMPLERS-Schema

S Symptome
A Allergien
M Medikamenteneinnahme
P Prä-/Vorerkrankungen, Patientengeschichte
L Letzte Mahlzeit
E Ereignisse
R Risikofaktoren
S Schwangerschaft

Schema zur Lokalisation einer Rückenmarksschädigung

Segmentale Nervenversorgung der Haut

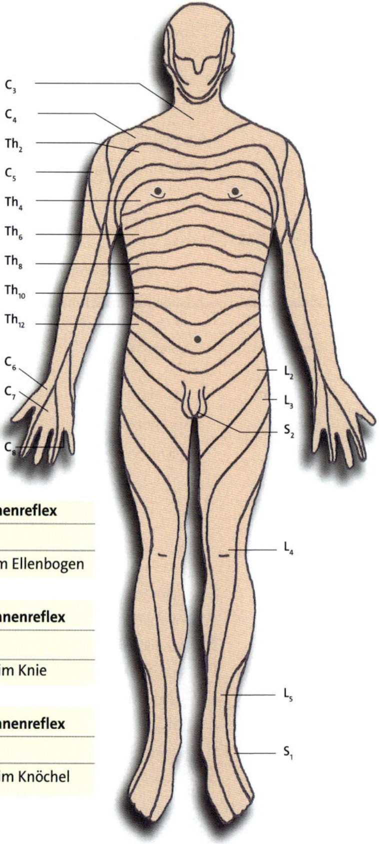

Legende:

C	=	zervikale Segmente
	=	Halswirbel
Th	=	thorakale Segmente
	=	Brustwirbel
L	=	lumbale Segmente
	=	Lendenwirbel
S	=	sakrale Segmente
	=	Kreuzbein

Muskeleigenreflex	**Bizepssehnenreflex**
Nervenwurzel	C_5, C_6
Leitsymptom	Beugung im Ellenbogen

Muskeleigenreflex	**Patellarsehnenreflex**
Nervenwurzel	L_2, L_3, L_4
Leitsymptom	Streckung im Knie

Muskeleigenreflex	**Achillessehnenreflex**
Nervenwurzel	S_1
Leitsymptom	Streckung im Knöchel

Schema zur Lokalisation einer Rückenmarksschädigung

Segmentale Nervenversorgung der Haut

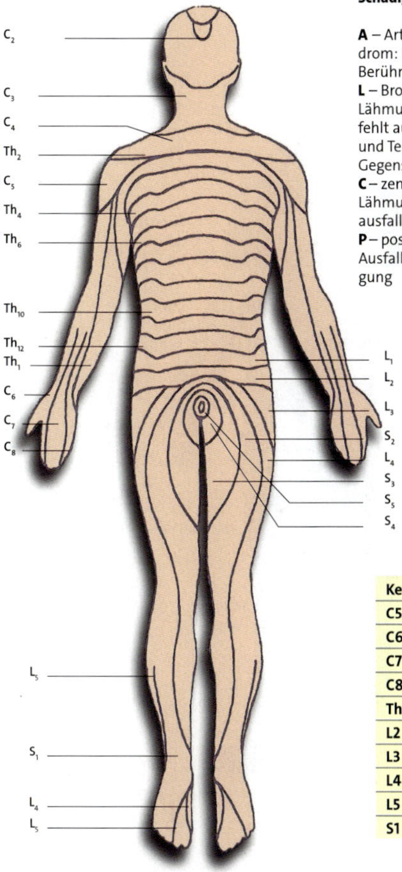

Rückenmarksyndrome bei teilweiser Schädigung:

A – Arteria-spinalis-anterior-Syndrom: Lähmung, Analgesie beidseits, Berührungsempfinden erhalten
L – Brown-Sequard-Syndrom (re./li.): Lähmung und Berührungsempfinden fehlt auf betroffener Seite, Analgesie und Temperaturempfinden fehlt auf Gegenseite
C – zentrales Rückenmarksyndrom: Lähmung (Arm/Bein), Sensibilitätsausfall unterhalb Schädigung
P – posteriores Rückenmarksyndrom: Ausfall Sensibilität unterhalb Schädigung

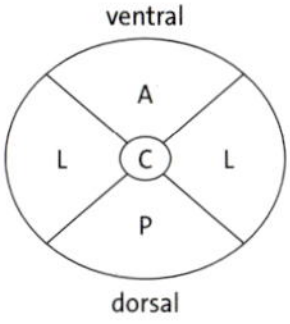

Kennmuskeln	
C5	Ellenbogenbeuger
C6	Handgelenkstrecker
C7	Ellenbogenstrecker
C8	Fingerbeuger
Th1	Fingeradduktoren
L2	Hüftbeuger
L3	Kniestrecker
L4	Fußheber
L5	Zehenstrecker
S1	Fußsenker

Orientierung am Körper

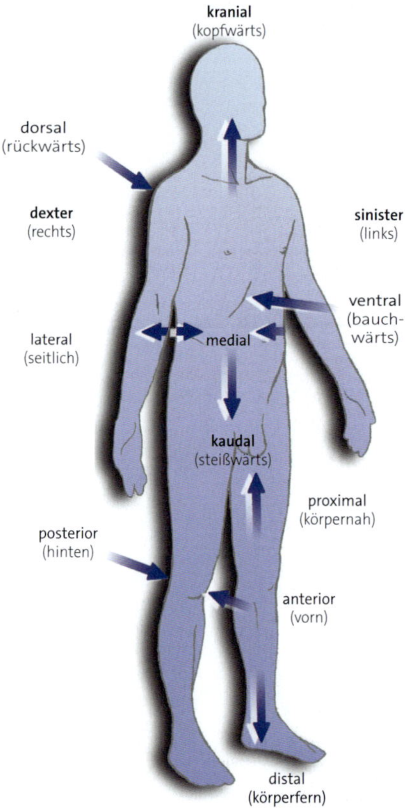

Erweiterte Diagnostik: Verletzungen

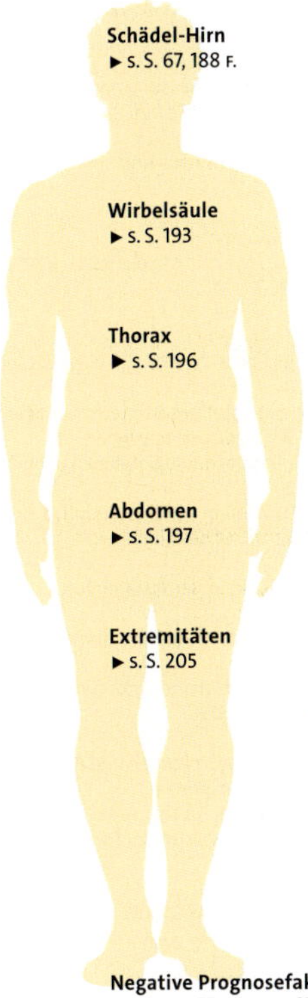

Schädel-Hirn
▶ s. S. 67, 188 f.

- Bewusstseinslage?
- Pupillen?
- Krämpfe?
- Blutung?
- Schmerzen?
- Liquoraustritt?

Wirbelsäule
▶ s. S. 193

- Schmerzreaktion?
- Gefühlsstörungen?
- Abwehrbewegungen?
- Lähmungen?

Thorax
▶ s. S. 196

- Schmerz?
- Prellmarken?
- Hautemphysem?
- Halsvenenstauung?
- Atemgeräusch? fehlend?
- Blutung?

Abdomen
▶ s. S. 197

- Schmerz?
- Abwehrspannung?
- Prellmarken?
- Blutung?

Extremitäten
▶ s. S. 205

- Knochenbrüche?
- Blutung?
- Durchblutung?
- aktive Beweglichkeit?
- Gefühlsstörungen?

Negative Prognosefaktoren: Traumapatient

- Alter > 55 Jahre, > 65 Jahre, > 75 Jahre
- Schädel-Hirn-Trauma, insbesondere mit Glasgow Coma Scale ≤ 5
- Beckenverletzung mit Blutung
- Mehrfachverletzung
- Blutdruck < 90 mmHg syst.
- Reanimationsmaßnahmen

Monitoring

Standardmonitoring:

- Grundsätzlich:
  - EKG-Ableitung (Extremitäten)
  - Herzfrequenz
  - Atemfrequenz
  - Blutdruckmessung (nicht-invasiv)
  - Pulsoxymetrie (SpO_2)
- Bei Bewusstseinsstörung:
  - Blutzuckermessung
- Nach Intubation, bei Beatmung, insb. im Rahmen der CPR:
  - Kapnometrie, CO_2-Messung in der Exspirationsluft ($etCO_2$)
- Bei akutem Koronarsyndrom:
  - 12-Kanal-EKG, ggf. nach 20 – 30 min wiederholen

Pulsoxymetrie (SpO_2):

- Messung des Anteils an sauerstoffgesättigtem Hämoglobin in der Körperperipherie, z. B. Finger, Ohrläppchen
- Angabe in Bezug auf die Gesamthämoglobinmenge (in %). Zielbereich: 94 – 98 %.
- Dosierung der Sauerstoffzufuhr in der Einatemluft, z. B. O_2-Sonde/-Brille/-Maske zur Erreichung des Zielbereichs

Kapnometrie ($etCO_2$):

- Messung des CO_2-Partialdrucks in der Ausatemluft
- Normalbereich: 33 – 43 mmHg
- Eine Regulation erfolgt durch Variation von Atemfrequenz (und Atemzugvolumen).
- Der $etCO_2$ ist bei einer Reanimation Indikator für das Wiedereinsetzen des Spontankreislaufs (ROSC).

Nicht-invasive Blutdruckmessung (NIBD):

- (automatisierte) Messung des systolischen und diastolischen Blutdrucks nach dem Oszillationsprinzip
- Bestimmend für die Organdurchblutung ist der mittlere arterielle Druck (MAD). Er wird berechnet nach der Formel:

$$\{[(RR_{sys} - RR_{dia}) : 5] \times 3\} + RR_{dia} = MAD; \text{ z. B.:}$$

$$\{[(130 - 80) : 5] \times 3\} + 80 = 30 + 80 = 110$$

▶ Merke

Zur konventionellen Blutdruckmessung (NIBD) geeignete Manschette verwenden. Breite bedeckt 2/3 des Oberarms. Bei adipösen Patienten ggf. breitere und längere Manschetten verwenden.

Physiologische Kennzahlen

	Neugeborene (< 28 Tage)	**Säuglinge** (1 Monat – 1 Jahr)	**Kleinkinder** (1 – 5 Jahre)
Gewicht ca. (kg)	4	10	15
Größe ca. (cm)	50	80	100
Atemfrequenz (1/min)	40	30	25
Atemzugvolumen (ml)	20 – 30	50 – 100	100 – 200
SpO_2 (%)	10 min n. Geburt 90	≥ 94	≥ 94
Herzfrequenz (1/min)	125 – 160	115 – 140	95 – 120
Blutdruck (mmHg)	60/40 – 70/50	80/50 – 90/55	95/55 – 100/60
Blutzucker (mg/dl)	65 – 100	65 – 100	65 – 100

	Schulkinder (6 – 13 Jahre)	**Jugendliche** (14 – 18 Jahre)	**Erwachsene** (> 18 Jahre)
Gewicht ca. (kg)	30	50	70
Größe ca. (cm)	120	155	175
Atemfrequenz (1/min)	20	15	12
Atemzugvolumen (ml)	200 – 400	300 – 500	500 – 800
SpO_2 (%)	≥ 94	≥ 94	92 – 100
Herzfrequenz (1/min)	85 – 100	65 – 80	60 – 80
Blutdruck (mmHg)	105/60 – 120/70	120/70 – 130/85	120/70 – 140/90
Blutzucker (mg/dl)	65 – 100	65 – 100	80 – 100

Der ältere Patient

Allgemein:

- Analog zu den Besonderheiten im Kindesalter sind auch bei Älteren in der Notfallversorgung z. T. andere Bedingungen zu beachten.
- typische Probleme im Alter: Instabilität, Immobilität, intellektueller Abbau, Inkontinenz
- erschwerte Befragung durch Kommunikationsprobleme
- Überlagerung von alterstypischen Veränderungen und Krankheitssymptomen
- abgeschwächte/untypische Symptome
- veränderte Selbstwahrnehmung
- Vielzahl von Vorerkrankungen
- Einnahme zahlreicher Medikamente
- veränderte Medikamentenwirkung

Definitionen:

- älterer Mensch: 60 – 74 Jahre
- alter Mensch: 75 – 89 Jahre
- sehr alter/hochbetagter Mensch: 90 – 99 Jahre
- langlebiger Mensch: über 100 Jahre

Juristische Aspekte:

- Patientenverfügung, mutmaßlicher Patientenwille
- Betreuungsvollmacht
- Hinzuziehung von Angehörigen
- Beschränkung der Behandlung am Lebensende?
- Hinweise für Vernachlässigung, Körperverletzungen?

Altersbedingte Besonderheiten:

- Vielzahl von Vor- und Begleiterkrankungen mit/ohne Zusammenhang mit der aktuellen Notfallsituation, z. B. zerebrale Veränderungen, koronare Herzerkrankung, Hypertonie, Herzinsuffizienz, Diabetes mellitus
- Verschlechterung der geistigen Leistungsfähigkeit → Desorientierung, schwierige Befragung/Untersuchung, geringe Kooperation → häufig Fremdanamnese erforderlich
- Symptome, z. B. akutes Koronarsyndrom, werden vermindert/anders wahrgenommen → Verkennung der Situation

Geistige / körperliche Einschränkungen:

- zerebrale Insuffizienz, Sehbehinderung, Schwerhörigkeit, Zahnprothesen → verminderte Orientierung und Kooperation, Sprechprobleme
- Organleistung (z. B. Herz, Lunge, Leber, Niere) vermindert → Leistungsreserven bei Bedarf vermindert → schnelle Organdekompensation, z. B. Hypoxie, Hypotonie, Ischämie
- häufig Schrittmacherträger (→ Vorsicht bei EKG-Interpretation!)
- Fehl- und/oder Mangelernährung, insbesondere Störungen im Flüssigkeits- und Elektrolythaushalt → Kreislaufinstabilität

Der ältere Patient

Komplikationen:

- verminderte Immunkompetenz → häufige Infektionen
- allgemeine Gebrechlichkeit, verminderte Knochenstabilität → häufige Knochenbrüche, z. B. Schenkelhalsfraktur
- herabgesetzte körperliche Belastbarkeit/Gebrechlichkeit → verminderte Mithilfe, schnelle Auskühlung
- häufig Ernährungssonden (PEG), Inkontinenz (Windeln), künstlicher Darmausgang (Stoma), Blasenkatheter, Wundliegen (z. B. Steißbein, Fersen)

Veränderte Normalwerte:

- $SpO_2 \leq 94\,\%$
- Blutdruck ≤ 160/95 mmHg
- Körpertemperatur ≤ 37,2 °C, Fieber > 37,8 °C
- Blutvolumen und Herzzeitvolumen vermindert

Beschwerden:

- allgemeine Schwäche, Erschöpfung, Krankheitsgefühl

uncharakteristisch:

- Atemnot

untypisch:

- Brustschmerzen

häufig:

- Synkope
- Schwindel, Benommenheit
- Fieber (selten > 37,8 °C)
- Sturz, Verletzung

> ▶ **Merke**
> Häufig setzt sich das klinische Bild aus mehreren Bausteinen zusammen; meist überlagern akute Symptome vielfache chronische Einschränkungen und Krankheiten.

Medikamente:

- Mehrfachmedikation (ärztlich verordnete und frei verkäufliche, zusätzlich eingenommene) bei herabgesetzter Medikamententoleranz → verstärkte/veränderte Medikamentenwirkung
- Verteilungsraum für Medikamente verkleinert → Wirkung verstärkt
- Herzzeitvolumen vermindert → Wirkeintritt verzögert
- Leber- und Nierenfunktion vermindert → Wirkzeit verlängert
- häufig Einnahme von 5 – 8 (und mehr) Medikamenten mit ggf. widersprüchlichen Haupt- und Nebenwirkungen bzw. vielfältigen Interaktionen (Medikamentenwirkung bzw. -entzugserscheinungen?)

Hochrisikomedikamente:

- Gerinnungshemmer (Typ Marcumar®, neue Substanzen)
- Thrombozytenaggregationshemmer (Typ ASS, Clopidogrel)
- Blutzucker senkende Substanzen (Typ Insulin, Metformin)
- Psychopharmaka (Typ Sedativa, Antidepressiva)
- Schmerzmittel (Typ Opioid)
- Antihypertensiva (Typ Betablocker, Diuretika)
- Antiarrhythmika

Bewusstseinslage:

Allgemein:

- häufig depressive Verstimmungen (»Altersdepression«), meist unter medikamentöser Behandlung mit (mehreren) Psychopharmaka
- Einfluss von Alkohol bzw. Entzugserscheinungen?

Delir:

- akut beginnende Störung des Bewusstseins und der Aufmerksamkeit mit Störungen der Wahrnehmung (Orientierung, Sprache, Auffassung, Gedächtnis), wird durch körperliche Veränderungen bzw. Krankheiten ausgelöst

Risikofaktoren:

- Dehydrierung
- Seh-, Hörstörungen
- eingeschränkte Hirnleistungen
- Organleistungsstörungen

Ursachen:

- Infektionen
- Störungen der Atem- und Kreislauffunktion und/oder des Stoffwechsels
- Medikamenten(-neben-)wirkungen bzw. -interaktionen

Diagnostik:

Orientierung:

- zur Person: »Wie heißen Sie?«
- zur Situation: »Was ist passiert?«
- örtlich: »Wo sind Sie?«
- zeitlich: »Welchen Wochentag/Monat/welches Jahr haben wir?«

Kurztest Delir:

- »Buchstabieren Sie ›Tisch‹ rückwärts!« (mehr als 1 Fehler?)
- »Sagen Sie die Monate Dezember bis Juli (rückwärts) auf!«
- »Schwimmt ein Stein? Leben im Meer Fische? Wiegt 1 Apfel mehr als 2?«

	Delir	Demenz
Beginn	akut (Stunden/Tage)	chronisch (> 6 Monate/Jahre)
Verlauf	wechselnd	kontinuierlich
Bewusstsein	gestört	klar
Aufmerksamkeit	vermindert	normal
Wahrnehmung	gestört	gestört
Halluzinationen	häufig	seltenst
Motorische Aktivität	vermindert/vermehrt	normal

Vorsicht!

- Mischbild beim akuten Delir eines dementen Patienten
- stets vorrangig Ausschluss von Sauerstoffmangel und niedrigem Blutdruck als Ursache des Delirs
- zurückhaltende Sedierung, z. B.:
  - Haloperidol (2,5 – 5 mg i. m.) unter EKG-Kontrolle
  - Midazolam (2 – 3 mg-weise i. v.)

▶ **Merke**
Bei jedem unklaren Erregungszustand ursächlich an Schmerzen, z. B. durch volle Blase, denken.

Traumatologie:

Besondere Risiken:

- Schweregrad und Ausmaß von Verletzungen werden wegen des Fehlens typischer Symptome durch altersbedingte Veränderungen und/oder chronische Medikamenteneinnahme häufig unterschätzt.
- Stürze führen leicht zu inneren Blutungen (Schädel, Thorax, Abdomen, Becken), insbesondere bei Einnahme von Gerinnungs- und/oder Thrombozytenaggregationshemmern (Typ ASS bzw. Marcumar®).
- Volumenverluste führen schnell zur Kreislaufinstabilität.

Stürze aus »innerer« Ursache:
- Schwindel
- Gangstörungen
- Sehstörungen
- Medikamentenwirkung
- akute Erkrankungen, z. B. Herzrhythmusstörungen

▶ **Merke**
- Bei jedem Sturz sollte die Ursache (z. B. vorangegangener Schwindel, Benommenheit) erfragt werden.
- Besonders sorgfältige Atem- und Kreislaufüberwachung zur Verhinderung von Sauerstoffdefiziten und Minderdurchblutung (maskierter Schock) und der zerebralen Situation (Verwirrtheitszustand, Hinweise auf Blutung ins Schädelinnere).
- Vermeidung von Volumenmangelzuständen **und** Volumenüberladung.
- Vorsichtige Analgesie und Sedierung (ggf. wiederholte Gabe in geringeren Dosen).

Transport:
- zusätzlich zum Medikamentenplan Unterlagen wie z. B. Arztbriefe, Pflegeplan, Patientenverfügung, Telefonnummer der Angehörigen/Betreuer mit in die Klinik nehmen
- Patient vor Auskühlung schützen

POCUS – Point of Care Ultrasound (Ultraschalluntersuchung vor Ort)

- eFAST – extended Focused Assessment with Sonography for Trauma (Protokoll für Ultraschalluntersuchung in der Traumatologie)
- Organbezogene Abläufe in der Inneren Medizin, nach ABCDE-Schema

Durchführung:
- mit geeignetem Schallkopf, bei entsprechender Lagerung

Indikation:

Chirurgie
- Feststellung/Ausschluss lebensbedrohlicher Organstörungen
- 4H und HITS, z.B. (Spannungs-)Pneumothorax, Herzbeuteltamponade, Blutung im Bauchraum, Harnstau, Frakturen großer Röhrenknochen

Notfallmedizin
- Tubusposition, Reanimation, Herzaktion und -ventrikelfüllung

Innere Medizin
- Schockzustände, Aortennotfall, Pleuraerguss, Thrombose, Lungenembolie, COPD/Lungenoedem, Pneumonie

Ergebnis:
- Steuerung der Behandlung vor Ort und Auswahl der Zielklinik

▶ **Merke**
- Aussagefähige Ultraschallbefunde erfordern eine fundierte Aus- und Fortbildung in dem Verfahren.
- Zeit-/Aufwand und Nutzen der Untersuchung müssen abgewogen werden.

Eigene Notizen

III Allgemeine Maßnahmen

Atemwegs-
störung

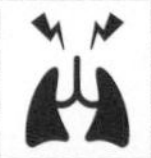
Atemstörung

Herz-Kreislauf-
Störung

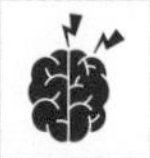
Bewusstseins-
störung

Vergiftung

Verletzung

Eigene Notizen

Lagerungen

Seitenlage

Seitenlage mit Kissen

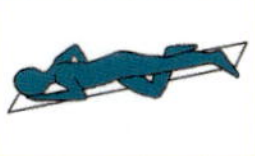

Seitenlage auf Trage – Kopf tief 15 °

Oberkörper erhöht möglichst auf verletzte Seite

Rückenlage

Erhöhung der Beine Kopftieflagerung

Rückenlage angezogene Beine mit Knierolle

Erhöhung der Beine kurzzeitig, Volumenmangeltest

aufrecht sitzend

Erhöhung der Beine Kopftieflagerung

erhöhter Oberkörper auf Trage – Beine herunterhängend

Linkshalbseitenlagerung

erhöhter Oberkörper

betroffene Extremität tieflagern

erhöhter Oberkörper

betroffene Extremität hochlagern

Maßnahmen bei Atemwegsstörungen (A-Problem)

Atemwege frei?

> ▶ **Merke**
> Vor der Beatmung Mund-Rachen-Raum freimachen.

Freimachen der Atemwege:

- Kopf überstrecken, Unterkiefer vorziehen (Esmarch-Handgriff)
- Ausräumen des Mund-Rachen-Raums
- Fremdkörper evtl. mit Magill-Zange entfernen
- 5 Schläge zwischen Schulterblätter (Kopftieflage) im Wechsel mit
- 5 Brustkorb- (Säuglinge) bzw. Oberbauchstößen (Kinder, Erwach sene)
- Absaugen
- Koniotomie

Freihalten der Atemwege:

- Seitenlage
- Rachentubus (Guedel-, Wendl-Tubus), Larynxmaske, -tubus
- Intubation

Absaugen:

Einführtiefe des Katheters bei

- Absaugen über Mund → Länge vom Ohrläppchen bis zum Mundwinkel
- Absaugen über Nase → Länge vom Ohrläppche bis zur Nasenspitze

Vorsicht! Ohne Sog einführen!

> ▶ **Merke**
> – Bei Patienten mit Tracheostoma (Kanüle):
> • Entfernen von Halstuch etc.
> • ggf. absaugen und/oder (Innen-)Kanüle entfernen
> • ggf. beatmen: Atemspende (Mund-zu-Stoma) oder nach Intubation des Stomas mit dünnem Tubus (z. B. 6,5 mm).
> – Übergewicht ist ein generelles Risiko für Atemwegs- und Atemstörungen:
> • erschwerte Spontanatmung
> • verminderte Sauerstoffreserven
> • anspruchsvolle Maskenbeatmung
> • schwieriger Atemweg
> • erhöhte Atemwegsdrücke
> • erhöhte Aspirationsgefahr.

Maßnahmen bei Atemwegsstörungen (A-Problem)

Mund-Rachen-Tuben:

Guedel-Tuben:

Richtwerte	
Frühgeborene	Größe 000
Säuglinge	Größe 00
Kleinkinder	Größe 0
Kinder	Größe 1
Jugendliche	Größe 2
Erwachsene (Frau)	Größe 3
Erwachsene (Mann)	Größe 4
Erwachsene groß	Größe 5

Vorsicht!
- Reizung der Rachenhinterwand (Erbrechen)
- Verlegung der Atemwege (bei falscher Größe)

Nasen-Rachen-Tuben:

Wendl-Tuben:

Richtwerte	Größe [Ch.]	Größe [mm]
Neugeborene/ Säuglinge	12–16	2,0–3,0
Kinder	16–22	3,0–4,5
Jugendliche	22–28	4,5–6,0
Erwachsene	28–36	6,0–8,5

Vorteil:
- kaum Reizung im Rachen (wache Patienten)

Vorsicht!
- Verletzung der Nasenschleimhaut, Blutung
- korrektes Einführen in die untere Nasenmuschel parallel zur Zahnreihe im Oberkiefer

Maßnahmen bei Atemwegsstörungen (A-Problem)

Larynxmasken:
(Fastrach™)

Richtwerte	
> 70 kg KG	Größe 5
70 kg KG	Größe 4
50 kg KG	Größe 3
30 kg KG	Größe 2,5
20 kg KG	Größe 2
10 kg KG	Größe 1,5
< 5 kg KG	Größe 1

Vorgehen:

- Cuff mit Gel versehen
- Kopf überstrecken, Mund des Patienten so weit wie möglich öffnen (Esmarch-Handgriff)
- Kehlkopfmaske mit Öffnung zur Zunge
- entlang des Gaumens mit Unterstützung des Zeigefingers bis zum Widerstand einführen
- Blocken der Maske
- beatmen und korrekte Lage durch Auskultation überprüfen
- Larynxmaske fixieren
- Cuffdruck messen

▶ **Merke**
Die Larynxmaske (Fastrach™) ermöglicht das nachträgliche Positionieren eines Endotrachealtubus.

Maßnahmen bei Atemwegsstörungen (A-Problem)

Larynxtuben:

Richtwerte		
(gr.) Erwachsene > 180 cm	Größe 5	violett
Erwachsene 155–180 cm	Größe 4	rot
(kl.) Erwachsene < 155 cm	Größe 3	gelb
Kinder 125–155 cm	Größe 2,5	orange
Kleinkinder > 25 kg	Größe 2	grün
Säuglinge > 12 kg	Größe 1	weiß
Neugeborene > 5 kg	Größe 0	transparent

Vorgehen:

- Cuffs vor Anlage aktiv entlüften und mit Gel versehen
- Blockerspritze nach Farbmarkierung füllen
- Kopf des Patienten leicht überstrecken, Mund öffnen
- Unterkiefer anheben (Esmarch-Handgriff)
- Tubus mit den Fingern bis in die Speiseröhre vorschieben
- Cuffs blocken
- beatmen und korrekte Lage durch Auskultation überprüfen
- Larynxtubus fixieren
- Cuffdruck messen

Vorsicht!

- Larynxmaske und Larynxtubus sind keine 100 %ige Absicherung vor Aspiration

Endotracheale Intubation:

Indikation:

- Atemstillstand/Schnappatmung
- Sauerstoffmangel (SpO_2 < 90 %) trotz O_2-Gabe
- Bewusstlosigkeit ohne Schutzreflexe (z. B. GCS ≤ 8)
- ausgeprägter Schockzustand (z. B. Polytrauma)
- Ateminsuffizienz mit Schwierigkeiten der Beatmung, z. B. Thoraxtrauma
- Aspirationsgefahr, z. B. bei Verletzungen des Gesichtsschädels, Schädel-Hirn-Trauma, Koma ohne Schutzreflexe

Zubehör:

NA

- Laryngoskop und Spatel Gr. 3, Videolaryngoskop
- Endotrachealtubus Gr. 7,5
- Blockerspritze
- Absaugpumpe

Allgemeine Maßnahmen

Maßnahmen bei Atemwegsstörungen (A-Problem)

- Beatmungsbeutel mit O_2-Reservoir
- Stethoskop
- Guedel-Tubus
- Fixierpflaster/Mullbinde

(evtl.)
- Silikonspray
- Führungsstab
- Magill-Zange
- (Kinder:) Kapnometer

Ablauf:
- Sauerstoff: einatmen lassen (15 l über 2 min)
- Oberkörperhochlage, Kopf überstrecken, Polster unterlegen
- Mund öffnen → (Video-)Laryngoskop einführen
- BURP-Manöver (Backward, Upward, Rightward, Pressure)
- Kehlkopf einstellen → Tubus unter Sicht einführen
- Beatmungsbeutel anschließen → Beatmung beginnen
- Magen, dann Lunge (4 ×) abhören
- Tubuslage korrekt? Brustkorbbewegungen seitengleich? Tubusinnenseite beschlagen? Kapnometrie? Pulsoxymetrie?
- Beißschutz
- Tubus fixieren, Cuffdruck messen
- bei Intubationsproblemen: Larynxmaske oder Larynxtubus erwägen

▶ **Merke**

Risikofaktoren für schwierige Intubation:
- Übergewicht
- Nacken nicht frei beweglich
- Abstand Kinn – Schildknorpel < 2 Querfinger
- Mundöffnung < 3 Querfinger
- Rachenhinterwand nicht sichtbar (Mallampati ≥ 3).

Maßnahmen bei Atemwegsstörungen (A-Problem)

Video-laryngoskopie: Verfahren zur erleichterten endotrachealen Intubation bei schwierigen anatomischen Verhältnissen

Instrument: Es sind verschiedene Modelle auf dem Markt.
Das System besteht aus Handgriff und Einmal-Spatel, in die eine Linse und ein Glasfaserkabel eingelassen sind. Am angeschlossenen Monitor kann der Blick auf den Kehlkopfeingang auch dann erfolgen, wenn eine direkte Sicht (mit normalem Laryngoskop) nicht möglich ist.

Vorgehen:

- Tubus mit Führungsstab »stark« vorbiegen
- Das Instrument wird unter Blick auf den Monitor in der Mittellinie in den Mund eingeführt und vorgeschoben, bis Sicht auf den Kehlkopfeingang gegeben ist.
- Einführen des Tubus in den Mund (unter direkter Sicht) und Vorschieben in den Kehlkopf unter kontinuierlicher Beobachtung auf dem Monitor, ggf. unter Assistenz (Druck auf den Kehlkopf von vorn)

Probleme:

- ungewohnte Technik erfordert ausreichende Übung
- Verschmutzung der Kameralinse durch Blut und/oder Sekret
- schlechte Sichtbarkeit auf dem Monitor in heller Umgebung

Notkoniotomie:

Indikation: Schwellung im Kelkopfbereich, Glottisödem, Gesichtsschädelverletzung mit Unmöglichkeit der Intubation und Beatmung

Ort: Ligamentum conicum unter dem Schildknorpel, gut tastbare Vertiefung

Material:

- Skalpell, sterile Tupfer, etwas kleinerer Endotrachealtubus, sterile Handschuhe oder
- Koniotomie-Set Quicktrach® (siehe spezielle Gebrauchsanweisung)

Vorgehen:

- Hals überstrecken
- langsam die Haut und dann das Ligamentum durchtrennen
- die Öffnung mit dem Finger weiten, den Trachealtubus einführen und blocken
- beatmen und Lage durch Auskultation überprüfen

Maßnahmen bei Atemwegsstörungen (A-Problem)

	Frühgeborene (< 40 SSW)	**Säuglinge** (> 6 Monate)	**Kleinkinder** (< 5 Jahre)	**Schulkinder** (< 9 Jahre)
Wendl-Tubus Größe	16	18	20	22
Guedel-Tubus Größe	000	00	0	1
Larynxmaske Größe	1	1,5	2	2,5
Larynxmaske Cuff-.Vol.	4	7	10	14
Larynxtubus Größe	0	1	1–2	2
Larynxtubus Cuff-.Vol.	10	20	20–35	35
Endotracheal-tubus Größe	3	3,5	4–5	5–6

	Kinder (< 15 Jahre)	**Erwachsene < 70 kg**	**Erwachsene < 100 kg**	**Erwachsene > 100 kg**
Wendl-Tubus Größe	26	28	30	32
Guedel-Tubus Größe	2	3	4	5
Larynxmaske Größe	3	4	5	6
Larynxmaske Cuff-.Vol.	20	30	40	50
Larynxtubus Größe	2–3	3	4	5
Larynxtubus Cuff-.Vol.	35–60	60	80	90
Endotracheal-tubus Größe	6–7	7,5	8	8,5

▶ **Merke**

- Die sog. supraglottischen Atemwege Larynxmaske und -tubus sind Alternativen zur Maskenbeatmung, z. B. im Rahmen der Reanimation.
- Die sichere Durchführung erfordert regelmäßiges Training (10–12 × pro Jahr).
- Herstellerangaben zur Cuff-Volumenmenge beachten.

Lagerung bei Atemstörungen (B-Problem)

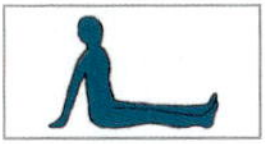

Atemnot / Asthma bronchiale / COPD
– erhöhter Oberkörper
ZIEL: ▶ Erleichterung der Atmung durch Einsatz der Atemhilfsmuskulatur

Lungenödem
– aufrecht sitzend
– herunterhängende Beine
ZIEL:
▶ Erleichterung der Atmung
▶ Entlastung des Lungenkreislaufs

Thoraxtrauma
– Oberkörper erhöht
– möglichst auf verletzte Seite
ZIEL:
▶ Ruhigstellung
▶ Schmerzlinderung
▶ bessere Belüftung des unverletzten Lungenflügels

Maßnahmen bei Atemstörungen (B-Problem)

Sauerstoffzufuhr:
– Nasenbrille, über Maske (mind. 4 – 6, bis zu 15 l/min, mit Reservoir)
– Beatmungsbeutel (mit Reservoir)

Generelles Ziel:
▶ SpO_2 94 – 98 %
▶ bei COPD: SpO_2 88 – 92 %

Beatmung:
– Atemspende
– Beatmungsbeutel (mit Reservoir, 15 l O_2/min)
– Notfallrespirator
– PEEP-Beatmung (max. 5 cm H_2O)

Richtwerte	Atemzugvolumen: 6 ml/kg KG in 1 sec	
	Frequenz/min	Atemzugvolumen
Früh-/Neugeborene	40 – 50	20 – 35 ml
Kinder 5 Jahre	20 – 25	50 – 150 ml
Kinder 10 Jahre	16 – 20	200 – 300 ml
Jugendliche	14 – 16	300 – 400 ml
Erwachsene	10 – 14	400 – 600 ml

Maßnahmen bei Atemstörungen (B-Problem)

Gefahren bei Atemspende / Maskenbeatmung:
- zu hoher Beatmungsdruck → Magenblähung → Erbrechen → Aspiration → Zerreißung der Lunge (bei Neugeborenen) → ungenügendes Atemvolumen
- Zwerchfellhochstand → verminderte Lungendehnbarkeit

Variationen:

PEEP (z. B. 5 cm Wassersäule) bei:
- Lungenödem
- Thoraxtrauma (Vorsicht!)
- Ertrinken
- Aspiration
- O_2-Mangel
- CO-/Reizgasvergiftung

Inspiration : Exspiration (I : E)
- normal: 1 : 2
- bei Thoraxtrauma, chronischen Lungenerkrankungen, akuter Lungenschädigung 1 : 1
- bei Intensivpatienten ggf. auch 2 : 1

▶ **Merke**
- PEEP-Beatmung nur bei intubierten Patienten!
- PEEP-Beatmung vermindert den venösen Rückstrom (Vorsicht bei Volumenmangel).

Beatmungsmodi* (Grundformen):
*Bezeichnungen und Variationen herstellerabhängig

Volumenkontrolliert (VCV)		Druckkontrolliert (PCV)		Spontanatmung	
IPPV	Kontrollierte Beatmung	ASB	Assistierte Spontanatmung	CPAP	Kontrollierte Überdruck im Atemsystem
(S)IMV	Assistierte Spontanatmung	(S)PSV	Assistierte Spontanatmung		
		BiPAP/ BiLevel	Druckunterstützung auf zwei Druckniveaus		

Beatmungsparameter (Standard Erwachsene)					
Atemzugvolumen	Atemfrequenz	PEEP	Insp.Zeit	I : E	Spitzendruck
6 – 8 ml/kg KG	10/min	0 – 5 mmHG	1 – 1,5 sec.	1 : 3	30 mmHg

Maßnahmen bei Atemstörungen (B-Problem)

Nicht-invasive Beatmung (NIV):

- zur Unterstützung der unzureichenden Spontanatmung
- Beatmung mit wachsenden Druckniveaus

Indikation:

- Lungenödem
- COPD/Asthma bronchiale
- Pneumonie
- Rauchgasinhalation
- bei GCS > 11, angestrengter Atmung (Atemhilfsmuskulatur), Af > 25/min und/oder $SpO_2 < 90$ % trotz hoher O_2-Zufuhr

Absolute Kontraindikation:

- fehlende Spontanatmung
- Verlegung der Atemwege
- Brechneigung
- bewusstloser Patient

Vorgehen:

Hypoxämisches Lungenversagen:

- Atemfrequenz?
- SpO_2?
- Patienten informieren
- Geräteeinstellung:
  - FiO_2: 1,0
  - initial CPAP: 5 mbar
  - ggf. Flow-Trigger: 3 l/min
- Maske anpassen:
  - Start der Therapie mit 2–3 mbar
  - CPAP-Steigerung auf 6–8–10 mbar
  - ggf. Druckunterstützung 5 mbar
- Maske fixieren
- Verlauf; Frequenz? SpO_2?

Hyperkapnisches Lungenversagen:

- Atemfrequenz?
- SpO_2?
- Patienten informieren
- Geräteeinstellung:
  - FiO_2: 1,0
  - initial CPAP: 5 mbar
  - Druckunterstützung 10 mbar
  - ggf. Flow-Trigger: 3 l/min
- Maske anpassen:
  - Start der Therapie mit 2–3 mbar
  - Steigerung der Druckunterstützung auf 15–20 mbar
  - ggf. BiPAP/(DuoPAP/BiLevel/BiVent)
  - ggf. NIV – mit zusätzlichen synchronisierten, kontrollierten Beatmungshüben
- Maske fixieren
- Verlauf; Frequenz? SpO_2?

▶ **Merke**
Ist kein NIV-System verfügbar, kann ein Versuch mit Flow-CPAP probiert werden. Kapnografie!

Maßnahmen bei Atemstörungen (B-Problem)

Thoraxpunktion:

Indikation: Spannungspneumothorax

Ort: 2. Zwischenrippenraum, Schlüsselbeinmitte, Oberrand der Rippe

Material: mindestens 14-G-Venenverweilkanüle mit aufgesetzter, halb mit NaCl 0,9 % gefüllter 10-ml-Spritze

Vorgehen:
- langsam ca. 3 – 6 (– 8) cm vorschieben
- nach Luftaspiration Stahlmandrin entfernen
- Kanüle stumpf vorschieben
- Luft entweichen lassen
- Verweilkanüle (offen) lassen, knickfrei befestigen

Thoraxdrainage:

Indikation: Pneumohämatothorax, ggf. vor Hubschraubertransport

Ort: 3. – 5. Zwischenrippenraum, mittlere Axillarlinie, Oberrand der Rippe

Vorgehen:
- Inzision mit Skalpell
- stumpf mit Klemme/Finger Pleuraraum aufsuchen
- Drainage einlegen, fixieren
- Luft-/Blutaustritt beobachten

NA

Endobronchiale Medikamentenzufuhr über Inhalationsmaske bei Bronchospasmus / Anaphylaxie:

Salbutamol, z. B. Broncho Inhalat®:
- Kinder: 1 Amp., entspr. 1,25 mg (= 2,5 ml)
- Erwachsene: 2 Amp., entspr. 2,5 mg (= 5 ml), + Ipratropiumbromid 1 Amp., entspr. 250 µg (= 2 ml), in die Verneblermaske geben und mit 15 l O_2-Flow inhalieren lassen

Epinephrin 1 mg/ml:
- 3 – 5 mg pur in die Verneblermaske geben und mit 15 l O_2-Flow inhalieren lassen

Kapnometrie und Kapnografie (B-Problem)

Definitionen:

Kapnometrie: Messung des CO_2-Partialdrucks in der Ausatemluft ($etCO_2$)

Kapnografie: On-Line-Kurvendarstellung des CO_2-Partialdrucks in der Ausatemluft

Indikation:

- Überwachung des Gasaustauschs bei beatmeten Patienten (als Ersatz für eine Blutgasanalyse)
- Absicherung der korrekten Position eines Beatmungstubus unmittelbar nach Intubation ($etCO_2$ um 35 mmHg)
- Feststellung einer ausreichenden Kompressionstiefe bei der Herzdruckmassage ($etCO_2$ ca. 10 mmHg)
- Feststellung des Wiedereinsetzens der Spontanzirkulation im Rahmen einer Reanimation (plötzlicher $etCO_2$-Anstieg auf Werte über 35 mmHg)
- Hilfsmittel zur Entscheidung über den Abbruch einer Reanimation (anhaltend $etCO_2$ um 0 mmHg)

Grundsätze der Durchführung*:

- Anschließen des Messschlauchs an den Monitor
- Aktivieren der CO_2-Messung
- Kalibrierung durchführen
- Messkopf in den Beatmungsschlauch einsetzen (distal = geräteseitig des Beatmungsfilters)
- Beurteilung der Kapnografiekurve (Basislinie → steil ansteigender, dann ganz langsam ansteigender Kurventeil → Abfall der Kurve zur Basislinie) und des Kapnometriewertes (z. B. 35 – 40 mmHg)

* Details sind abhängig vom verwendeten Gerätetyp.

▶ **Merke**

- Bei normalen Verhältnissen im Körper- und Lungenkreislauf liegt der kapnometrisch gemessene $etCO_2$-Wert ca. 3 – 4 mmHg unter dem im arteriellen Blut gemessenen Wert ($paCO_2$).
- $etCO_2$-Werte werden, analog den SpO_2-Werten, im Protokoll eines beatmeten Patienten dokumentiert.

Maßnahmen bei Herz-Kreislauf-Störungen (C-Problem)

Punktion zentraler Venen:

- wenn kein peripherer Zugang möglich ist, z. B. im Volumenmangelschock

NA

Zugangswege:

- Vena subclavia
- Vena jugularis interna/externa
- Vena basilica
- ausnahmsweise Vena femoralis (jeweils auf der rechten Seite günstiger)

Zubehör:

- Cavakatheter
- 10-ml-Spritze mit NaCl 0,9 %
- Desinfektionsspray
- sterile Handschuhe
- sterile Kompressen
- Pflaster
- vorbereitete Infusion

▶ **Merke**
Vorsicht bei Patienten mit Herzschrittmacher/AICD und Port (Sondenverletzung).

Intraossärer Zugang:

- bei Säuglingen, Kleinkindern und Erwachsenen »ohne Venen«
- Punktion mit 18- bzw. 16-G-Spezialnadel (Cook- bzw. B.I.G.-Nadel, EZ-IO®-Akkubohrer)
- nach Hautdesinfektion in die innenliegende Knochenfläche ohne Druck bohren (z. B. ca. 4 cm unterhalb des Schienbeinhöckers)
- Probeaspiration, freispülen, ggf. Lokalanästhesie, Nadel fixieren, Infusion mit Dreiwegehahn anschließen
- Anwendung und Dosierung aller Medikamente wie bei intravenöser Gabe
- Druckinfusion (100 ml/min möglich)

▶ **Merke**
Indikation bei Kreislaufstillstand, Kreislaufinstabilität durch Volumenmangel, wenn ≥ 3 Versuche (= 120 sec) für venösen Zugang verstrichen sind.

Maßnahmen bei Herz-Kreislauf-Störungen (C-Problem)

Infusionstherapie:

- *elektrolytfreie Lösungen:* z. B. Glucose 5 % (Trägerlösung, Wasserersatz)
- *Vollelektrolytlösungen:* z. B. kristalloide Lösung (Ersatz von Wasser und Elektrolyten, Volumenersatz)
- *Volumenersatzmittel:* z. B. Gelafundin® ISO 40 mg/ml (kolloidaler Volumenersatz)
- *korrigierende Lösungen:* z. B. Natriumbikarbonat – $NaHCO_3$ 8,4 % (Azidose)

Tropfgeschwindigkeit:

- Umrechnung: Tropfen pro min × 3 = ml pro h, z. B. 60 Trpf./min = 180 ml/h bzw. 150 Trpf./min = 450 ml/h

Herzbeutelpunktion:

Indikation: Herzbeuteltamponade durch Erguss (chronisch) oder Einblutung (Thoraxtrauma) im Herzbeutel behindert die diastolische Füllung des Herzens

Zeichen:

- Halsvenenstauung
- Blutdruckabfall/Schock trotz angemessener Volumentherapie
- leise Herztöne

Ort: unterer Rippenrand, Winkel links der Schwertfortsatzspitze

Material: 14-G-Venenverweilkanüle mit aufgesetzter 20-ml-Spritze

Vorgehen:

- langsam ca. 5–10 cm in Richtung rechter Schulter vorschieben
- nach Blutaspiration Stahlmandrin entfernen
- Kanüle stumpf vorschieben
- Blut aspirieren
- Verweilkanüle (offen) lassen, knickfrei befestigen

Maßnahmen bei Herz-Kreislauf-Störungen (C-Problem)

Vorgehen Ersthelfer:
Lebensrettende Sofortmaßnahmen und
Einsatz Automatischer Externer Defibrillator (AED)

Reaktion auf Ansprache / Schütteln? — ja ► Abklären der Beschwerden, Betreuung

nein ▼

Atemwege freimachen

▼

Normale Atmung? — ja ► Seitenlage, Überwachung

nein ▼

Hilfe herbeirufen

▼

AED herbeiholen (lassen)

▼

5-mal 30 : 2-Blöcke in 2 min Herzdruckmassage und Beatmung bis AED angeschlossen und in Funktion

▼

Angaben des AED befolgen

▼

typischerweise nach jeweils 2 min CPR (= 5 × 30 : 2-Blöcke): erneute EKG-Analyse

► **Merke**

- Herzdruckmassage nur ganz kurz zur Analyse des EKG und ggf. Schockabgabe unterbrechen
- Maßnahmen abbrechen, wenn Patient sich bewegt/Augen öffnet/normal atmet
- Herzdruckmassage-Durchführenden ggf. alle 2 min ablösen
- Sondersituationen: Ertrinkungsunfall, Neugeborene, Säuglinge: CPR-Beginn mit 5 Beatmungen
- Kein Beginn von Wiederbelebungsmaßnahmen bzw. sofortige Beendigung, wenn ein entsprechender, wirksamer Wunsch des Patienten (Verfügung) bekannt wird

Maßnahmen bei Herz-Kreislauf-Störungen (C-Problem)

Präkordialer Faustschlag:
- nur in den ersten 10 sec bei beobachtetem Kreislaufstillstand (Monitor) durch pulslose Kammertachykardie bzw. Kammerflimmern

Manueller Defibrillator:
- bei pulsloser Kammertachykardie/Kammerflimmern
- Elektroden mit ausreichend Gel versehen
- in der Herzachse aufsetzen, fest anpressen
- Energie bei Erwachsenen 150 – 200 J bi-/360 J monophasisch
- Gerät laden
- Eigen-/Fremdschutz beachten
- Energie abgeben
- Herzdruckmassage nur kurz zur Energieabgabe unterbrechen

Halbautomatischer Defibrillator:
- Gerät einschalten
- Elektroden nach Herstellerangaben aufkleben
- Anweisungen befolgen
- Sicherheitsbestimmungen beachten
- immer, wenn das Gerät es erlaubt: Basisreanimation (30 : 2)

Kardioversion:
- bei Tachykardie mit instabilem Kreislauf
- Synchronisation einschalten, R-Zacken-Steuerung
- Vorgehen ansonsten wie bei Defibrillation
- Sedierung, Analgesie, ggf. Kurznarkose
- Energie bei Erwachsenen 100 – 200 – 300 – 360 Joule

> ▶ **Merke**
> Defi-Elektroden mind. 10 cm entfernt von implantierten Herzschrittmachern/AICD-Geräten platzieren.

Externer Schrittmacher:
- bei Bradykardie mit Kreislaufinstabilität (AV-Block 2.°/3.°)
- transthorakale Stimulation (Klebeelektroden) auf linker Brust und linkem Rücken
- Energie (60 – 100 mA), Modus (Demand) und Frequenz (70/min) wählen
- Sedierung (z. B. Midazolam 2 – 3 mg-weise i. v.) + Analgesie (z. B. Morphin 2 – 3 mg-weise i. v.)

Vorsicht!
- Wirksamkeit der elektrischen Stimulation durch Tasten des Pulses bzw. Pulsoxymeter, RR-Messung überprüfen

AICD:
Automatischer implantierbarer Kardioverter-Defibrillator (AICD):
- implantiertes Gerät mit Doppelfunktion: Herzschrittmacher plus Kardioversion/Defibrillation (s. S. 65)

Maßnahmen bei Herz-Kreislauf-Störungen (C-Problem)

Herzdruckmassage:

	Erwachsene	Kinder	Neugeborene
Druckpunkt	untere Brustbeinhälfte	untere Brustbeinhälfte	unteres Brustbeindrittel
Drucktiefe	5–6 cm	4–5 cm	ca. 4 cm
Durchführung	senkrecht, mit 2 Händen	senkrecht, mit 1 oder 2 Händen	2 Daumen umfassen Brustkorb
Frequenz	100–120/min	100–120/min	100–120/min
Koordination Kompression : Beatmung	30 : 2, intubiert: HDM: 100–120/min Beatm.: ca. 10/min	5 Beatmungen, dann 15 : 2	5 Beatmungen, dann 3 : 1

Durchführung (Erwachsene):

- ersten Handballen aufsetzen, zweiten Handballen auf Handrücken der ersten Hand setzen, Finger verschränken
- Schulter über den Druckpunkt bringen
- Arme gestreckt halten
- Kompression senkrecht 5–6 cm tief!
- Druck- und Entlastungsphase sind gleich lang (1 : 1)
- Rhythmus: »Stayin' alive, stayin' alive«
- Brustkorb ganz entlasten, Hände nicht abheben
- Helferwechsel (möglichst) alle 2 Minuten

Wirkungskontrolle:

- Heben des Brustkorbs bei jeder Beatmung
- Rosigwerden der Haut
- Engerwerden der Pupillen
- Pulsoximeterkurve, Anstieg des $etCO_2$ > 25 mmHg, (ROSC?)

Komplikationen:

- Rippenfrakturen, Brustbeinfrakturen
- Pneumo- und/oder Hämatothorax
- Herzbeuteltamponade (s. S. 103)
- Leber- und Milzruptur
- Erbrechen und Aspiration

▶**Merke**

- Unterbrechungen der Herzdruckmassage (= No-Flow-Phase) minimieren, z. B. max. 5 sec für Intubation, Pulstasten, EKG-Analyse.
- Herzdruckmassage ausreichend tief, schnell und ohne Unterbrechungen durchführen.
- Einsatz von Thoraxkompressionsgeräten, z. B. beim Transport unter Reanimation (Unterkühlung, Thrombolyse), ggf. sinnvoll.

Transthorakaler Herzschrittmacher (C-Problem)

Indikation:

Atropin-/Epinephrintherapie-resistente Bradykardie, z. B. im Rahmen einer Reanimation oder bei Ausfall eines implantierten Herzschrittmachers

Grundsätze der Durchführung*:

- Patienten (und Angehörige) über die Maßnahme informieren
- über unangenehme Zuckungen bzw. Schmerzen bei der Stimulation aufklären
- »normale« EKG-Elektroden entfernen
- vordere (= anteriore) Defi-Stimulationselektrode horizontal in der Position V3 aufkleben (Brustwarze auslassen)
- hintere (= posteriore) Defi-Stimulationselektrode vertikal unterhalb des linken Schulterblatts aufkleben
- Gerät einschalten, Demand-Modus einstellen
- Ableitung mit dem höchsten R-Ausschlag auswählen
- prüfen: Werden alle R-Zacken erkannt (mit Symbol markiert)?
- Stimulationsfrequenz vorwählen (Eigenrhythmus + 50 %, z. B. 30 + 15 = 45/min)
- Stromstärke wählen (z. B. 10 mA)
- Stimulation »Pacing« einschalten
- Stimulation erfolgreich (= »Spike« im EKG sichtbar und peripherer Puls tastbar)?
- Stromstärke in 5-mA-Schritten steigern, bis Stimulation erfolgreich (= jedem Schrittmacher-Spike folgt ein QRS-Komplex und es wird ein peripher tastbarer Puls ausgelöst = »Capture«)
- Patienten überwachen (EKG-Monitoring, Puls tasten bzw. SpO_2-Kurve beobachten)

* Details sind abhängig vom jeweiligen Gerätetyp.

▶ Merke

- Neben den vom Schrittmacher ausgelösten Aktionen (erkennbar am Spike mit nachfolgendem großem deformiertem QRS-Komplex) können Eigenaktionen (mit und ohne tastbarem Puls) auftreten.
- Steigt die Eigenfrequenz über die Schrittmacherfrequenz an, werden im Demand-Modus die Schrittmacherimpulse unterdrückt; im starr-frequenten Modus stimuliert der Schrittmacher weiter.

Kardiopulmonale Reanimation (C-Problem)

Basismaßnahmen

ICD10: I46.9

Situation:

- leblose Person
- keine Reaktion auf Ansprache, Schütteln
- keine Lebenszeichen, keine Atembewegungen
- keine Mimik, keine Rumpf-, Arm-, Beinbewegungen
- Blauverfärbung der Haut, evtl. Blässe

Diagnose: Atem- und Kreislaufstillstand

Maßnahmen:

- Atmung prüfen (ca. 10 Sekunden): keine Atembewegungen, kein Atemgeräusch, kein Atemstoß
- stets: eigene Sicherheit beachten
- Uhrzeit registrieren
- Notarztalarmierung
- Defibrillator vorbereiten (lassen)
- Rückenlage, auf harter Unterlage
- Freimachen der Atemwege

Lagerung:

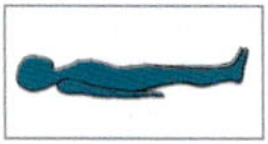

Maßnahmen:

- jeweils 30 Herzdruckmassagen (in ca. 20 sec) und 2 Beatmungen (in ca. 2 sec) im Wechsel bis EKG-Analyse/Defibrillation möglich
- 5 Zyklen zu je 30 Herzdruckmassagen + 2 Beatmungen (in ca. 2 min)

Beatmung:

- Beatmungsbeutel, -maske, Reservoir; O_2-Flow 15 l/min
- 500 – 600 ml in 1 sec, Heben des Brustkorbs beobachten
- ZIEL: ▶ SpO_2 94 – 98 %
  ▶ $etCO_2$ > 25 mmHg

▶ Merke

- Das Pulstasten zur Erfassung des Kreislaufstillstands ist unsicher.
- Die Pupillenprüfung ist zur Sicherung des Kreislaufstillstands nicht hilfreich.
- Schnappatmungen (beim Kreislaufstillstand anfangs häufig) entsprechen bereits einem Atemstillstand und dürfen den Beginn der Wiederbelebungsmaßnahmen nicht verzögern.
- Vorrangige Maßnahme beim Kreislaufstillstand ist die konsequente (= unterbrechungsarme) Herzdruckmassage (100 – 120/min).
- Indikation zur extrakorporalen CPR (eCPR) prüfen → Transport unter maschineller CPR (mCPR).

Kardiopulmonale Reanimation (C-Problem)

Erweiterte Maßnahmen

Maßnahmen:

- Herzdruckmassage und Beatmung bis EKG-Analyse/Defibrillation möglich
- EKG ableiten (Klebeelektroden bevorzugen)
- EKG analysieren (lassen)
- ggf. optische/akustische Anweisungen des AED befolgen

Schockbare Rhythmen:

- pulslose Kammertachykardie (VT, Kammerflattern, f > 180 – 200/min)

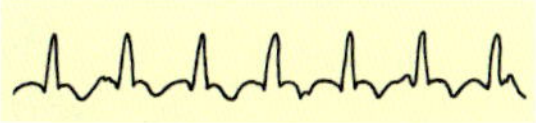

- Kammerflimmern (VF)

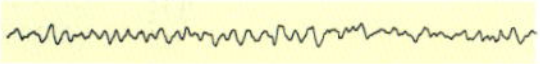

→ **Schock empfohlen**

- Gerät laden (biphasisch zunächst 120 - 150 J, dann 150 - 360 J, monophasisch 360 J), dabei Herzdruckmassage fortsetzen
- Sicherheit beachten, Schock auslösen
- sofortiger Wiederbeginn der Basismaßnahmen Herzdruckmassage und Beatmung über 2 Minuten (5 Zyklen 30 : 2)
- dann Rhythmusanalyse wiederholen
- nach jedem zweiten CPR-Block (= 5 Zyklen von 30 Herzdruckmassagen und 2 Beatmungen), entsprechend alle 3 – 5 min: Epinephrin 1 mg i. v./i. o.
- nach 3 erfolglosen Defibrillationen: Amiodaron 300 mg i. v./i. o., ggf. 150 mg Repetition
- ggf. Elektrodenposition verändern

Nicht schockbare Rhythmen:

- pulslose elektrische Aktivität (PEA)

- Asystolie

→ **Schock nicht empfohlen**

- sofortiger Wiederbeginn der Basismaßnahmen Herzdruckmassage und Beatmung über 2 Minuten (5 Zyklen 30 : 2)
- dann Rhythmusanalyse wiederholen
- nach jedem zweiten CPR-Block (= 5 Zyklen von 30 Herzdruckmassagen und 2 Beatmungen), entsprechend alle 3 – 5 min: Epinephrin 1 mg i. v./i. o.

Kardiopulmonale Reanimation (C-Problem)

Erweiterte Maßnahmen

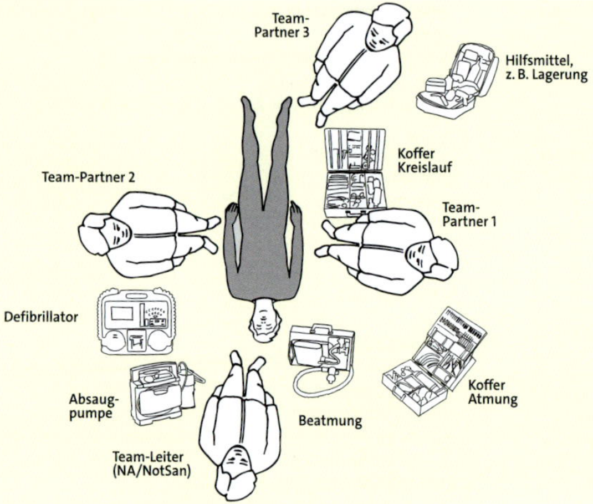

Sondersituation! Beobachtetes Kammerflimmern (z. B. auf dem Transport):

- Pulslosigkeit feststellen
- bis zu 3 Defibrillationsversuche ohne vorherige Herzdruckmassage und Beatmung
- anschließend Amiodaron 300 mg i. v.

▶Merke

- Vermeidung eines Atem- und/oder Kreislaufstillstands durch konsequentes Vorgehen, z. B. bei Hypoxie (z. B. O_2-Gabe, Beatmung, Intubation), Schock (z. B. Lagerung, Volumengabe, Epinephrin).
- Nach jedem Defibrillationsversuch sofortige Wiederaufnahme der Basismaßnahmen (30 : 2) **ohne** vorherige EKG- und Pulskontrolle.
- Fortsetzung der Reanimation grundsätzlich bei »schockbaren Rhythmen«.
- Einstellung der Reanimationsmaßnahmen typischerweise nach ca. 20 min anhaltender Asystolie, bei Erkennen eines Finalzustands (z. B. unheilbares Krebsleiden) oder bei Vorliegen einer gültigen Patientenverfügung (Patientenwille) zum Verzicht auf Wiederbelebungsmaßnahmen.
- Nach jeder Wiederbelebungsaktion: Nachbesprechung durchführen.

Kardiopulmonale Reanimation (C-Problem)

Erwachsene

Diagnose:
- keine Lebenszeichen
- Atemstillstand
- Kreislaufstillstand

Maßnahmen:

Uhrzeit registrieren

Lagerung → auf harter Unterlage

Freimachen, Freihalten der Atemwege → Fremdkörper entfernen, Kopf überstrecken, Unterkiefer vorziehen, ggf. absaugen

Herzdruckmassage → jeweils 5 Zyklen von 30 Herzdruckmassagen und 2 Beatmungen in 2 min

Beatmung → Beatmungsbeutel und -maske, 100 % O_2, (15 l/min) Reservoir anschließen, Volumen 6 ml/kg KG, z. B. 500 – 600 ml, 10/min, PEEP 0 – 5 mmHg

Frühestmögliche EKG-Ableitung!

Kammerflimmern → sofortige Defibrillation

Vorbereitung → venöser, ggf. i. o. Zugang, Infusion
→ Medikamente
→ Intubation, endotracheal, ggf. Larynxmaske/-tubus

Zugang → periphervenös, ggf. V. jugularis ext.; i. o. Punktion

Medikamente → Epinephrin, z. B. 1 mg in 10 ml; Amiodaron, z. B. 300 mg, mit ca. 20 ml einspülen

Intubation → durchführen, Tubus fixieren, Kapnografie anschließen

Beatmung → nach Intubation: ca. 10/min + kontinuierliche Herzdruckmassage, 100 – 120/min

> ▶ **Merke**
> Auf hohe Qualität der Herzdruckmassage achten: Druckpunkt, Druckrichtung, Drucktiefe korrekt? Minimale Unterbrechungen?

ROSC (Return of spontaneous circulation):
- SpO_2 > 95 %, $etCO_2$ 35 – 45 mmHg, RR_{MAP} > 65 mmHg
- 12-Kanal-EKG, Herzecho, ggf. CT

Kardiopulmonale Reanimation (C-Problem)

Sondersituationen

Behebbare Ursachen:

4H	– Hypoxie	→ Intubation, Beatmung, FiO_2: 1,0
	– Hypovolämie	→ Blutstillung, mehrere venöse Zugänge
	– Hyperkaliämie/	→ Kalzium 10 %: 10 ml langsam i. v., $NaHCO_3$: 50 mmol i. v.
	Hypoglykämie	→ Glucose 40 %: 10 – 20 ml langsam i. v.
	– Hypothermie	→ Epinephrin-Dosis halbieren, ggf. Transport unter mCPR
HITS	– Herzbeuteltamponade	→ Punktion, Entlastung
	– Intoxikation	→ ggf. Transport unter Reanimation
	– Thromboembolie (Lunge)	→ ggf. Thrombolyse
	– Spannungspneumothorax	→ Punktion, Drainage

Ertrinkungsunfall: *Vorrangig Atmung wiederherstellen!*

- Atemwege freimachen, 5 × beatmen
- dann Herzdruckmassage + Beatmung: 30 : 2
- frühestmögliche Intubation, PEEP-Beatmung 5 – 10 cm H_2O
- Magensonde
- Schutz vor Auskühlung

Trauma:

- Ausschluss HITS (s. o.)
- Volumenersatz ausreichend?
- PEA = Schein-PEA (Hypotonie) bei massiver Hypovolämie?
- massive Blutung: Tranexamsäure 1 g i. v. in 10 min

Asthma:

- Magenblähung durch hohe Atemwegsdrücke bei Masken- bzw. Larynxmasken/-tubus-Beatmung → frühestmögl. Intubation
- ausreichend lange Exspirationszeit (z. B. I : E = 1 : 3) einhalten (Lungenüberblähung vermeiden)
- Inhalation von Salbutamol/Ipratropiumbromid bzw. Epinephrin

▶ **Legende zum Algorithmus S. 113**

EKG
Rhythmusanalyse mit AED oder Monitor

O_2, i. v. Zugang, Intubat.
Installation: O_2, venöser Zugang, Intubation

Epinephrin, Amiodaron
Medikamente (i. v./i. o.)

CPR: 2 min
Basismaßnahmen CPR: 2 min, 30 : 2; HDM 100 – 120/min, Beatmung ca. 10/min

Geordneter Rhythmus? Puls tasten!
Geordneter EKG-Rhythmus: Kreislauf prüfen, ggf. stabilisieren

Defibrillation
Defibrillationsversuche 120 – 360 J biphasisch bzw. 360 J monophasisch

▲ An NotSan delegierbare Maßnahme

Kardiopulmonale Reanimation (C-Problem)

Algorithmus CPR Erwachsene

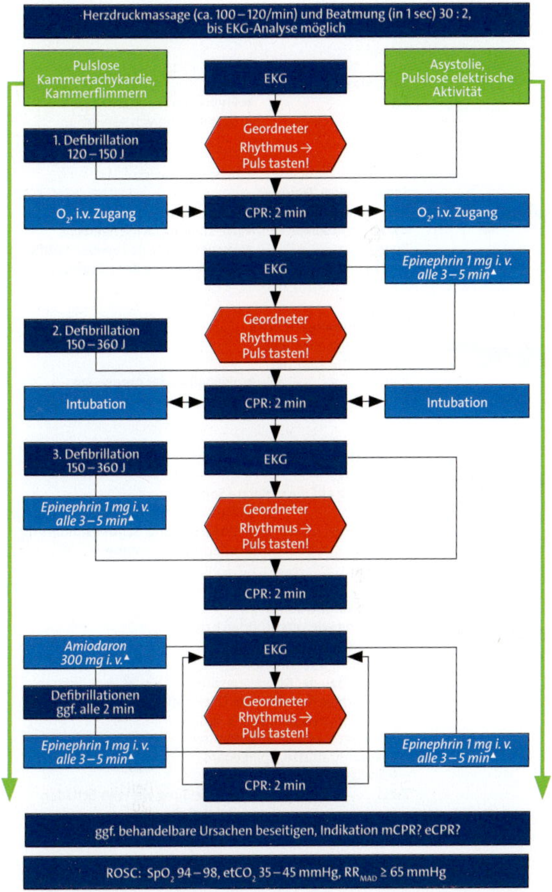

Lagerung bei Bewusstlosigkeit (D-Problem)

Voraussetzung: *ausreichende Spontanatmung*

Seitenlage

ZIEL:
- ▶ Freihalten der Atemwege
- ▶ Vermeidung von Aspiration

Schädel-Hirn-Trauma

– Seitenlage auf die unverletzte Seite
– Kopf nicht abknicken, Mittelstellung, achsengerecht

ZIEL:
- ▶ Verbesserung des venösen Abflusses
- ▶ Verminderung des Hirndruckes

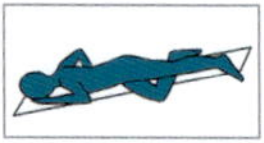

Volumenmangelschock

– Seitenlage auf Trage
– Trage 15° – Kopf tief

ZIEL:
- ▶ Freihalten der Atemwege
- ▶ verbesserter venöser Rückfluss

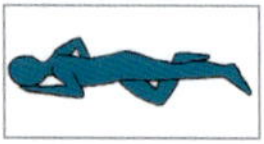

Thoraxtrauma

– Seitenlage
– Lagerung auf die verletzte Seite

ZIEL:
- ▶ Freihalten der Atemwege
- ▶ Ruhigstellung, Schmerzlinderung
- ▶ erleichterte Atmung

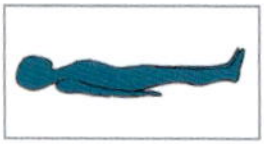

Wirbelsäulentrauma

– Lagerung wie vorgefunden bzw. Spineboard, Schaufeltrage
– Kopf nicht überstrecken
– Freimachen der Atemwege durch vorsichtiges Anheben des Unterkiefers
– ggf. Zervikalstützef, ▶ s. S. 188
– Flachlagerung auf vorgeformter Vakuummatratze, Spineboard
– ständige Überwachung

ZIEL:
- ▶ Vermeidung weiterer Schäden
- ▶ Ruhigstellung

Maßnahmen bei Bewusstseinsstörungen (D-Problem)

Intranasale Medikamentengabe (Off-Label-Use):

- bei Säuglingen, Kleinkindern und Erwachsenen bei fehlendem venösen Zugang
- z. B. bei Krampfanfall, unruhigen/aggressiven Patienten, Verbrennung, Opioidintoxikation, insbesondere zur Sedierung/Analgesie bei kleinen Kindern
- schneller und sicherer Wirkungseintritt, zuverlässiger als bei i. m. Gabe
- Verwendung hochkonzentrierter Medikamente
- Benutzung eines Zerstäubers, z. B. LMA® MAD Nasal™ (Mucosal Atomization Device)
- Gesamtdosis auf zwei Nasenlöcher verteilen, um eine größere Resorptionsfläche zu erreichen

Substanz Amp.-Inhalt	**Konzentr.** (mg/ml)	**Dosis in** (mg/kg KG)	**Dosis in** (ml/kg KG)	**Dosis Kind** (ml/10 kg KG)	**Dosis Erwachs.** (ml/70 kg KG)
Midazolam 15 mg/3 ml	5	0,25 – 0,5	0,05	0,5 (= 2 × 0,25)	3,5 (= 2 × 1,8)
Esketamin 50 mg/2 ml	25	0,5 – 1,0	0,002 - 0,004	0,2 – 0,4 (= 2 × 0,1 – 0,2)	1,4 – 2,8 (= 2 × 0,7 – 1,4)
Fentanyl 0,1 mg/2 ml	0,05	0,002	0,004	0,4 (= 2 × 0,2)	2,8 (= 2 × 1,4)
Sufentanil 10 µg/1 ml	0,005	0,0002	0,004	0,4 (= 2 × 0,2)	2,8 (= 2 × 1,4)
Morphin 10 mg/1 ml	10	0,2	0,02	0,2 (= 2 × 0,1)	1,4 (= 2 × 0,7)
Naloxon 0,4 mg/1 ml	0,4	0,002 – 0,1 ggf. wiederholen	0,05 – 0,1 ggf. wiederholen	0,5 – 2,5 (= 2 × 0,25 – 1,25)	3,5 (= 2 × 1,8)

▶ **Merke**

- Zur Minimierung des Volumens müssen die Medikamente – anders als bei der intravenösen Gabe – in hochkonzentrierter Form bzw. unverdünnt verwendet werden (Verwechslungsgefahr).
- Beim Einsatz von Ketamin (50 mg/ml) beträgt die Dosierung 1 mg/kg KG, was einer Menge von 0,02 ml/kg KG entspricht. Damit entspricht die zu verwendende Menge in ml (!) der Dosierung von Esketamin.
- Bei schmerzhaften Zuständen kann Esketamin mit Midazolam kombiniert und zusammen aufgezogen und eingebracht werden.

Maßnahmen bei Vergiftungen (D-Problem)

1. Rettung:
- in sichere Umgebung (z. B. Chemie-/Gasunfall) bringen bzw.
- Gifteinwirkung beenden (Dekontamination)
- Gift identifizieren: Gasspürgerät Fa. Dräger (Feuerwehr), z. B. CO, CO_2, Kohlenwasserstoffverbindungen, Blausäure, Chlor, Nitrosegas, Zyanid
- Eigensicherung und Selbstschutz (Kleidung, PPE-Maske, Atemschutz) beachten

2. Vitale Gefährdung:
- Notarztalarmierung

3. ABCDE:
- Sicherung der Vitalfunktionen, Überwachung

4. Anamnese:
- Was (Substanz)?
- Wie (Aufnahmeweg)?
- Wie viel (Menge)?
- Wann (Zeitpunkt)?
- Warum (Ursache)?

Alle erreichbaren Informationen sichern, z. B. Medikamentenverpackungen, Trinkgefäße, Erbrochenes, Informationsblätter in Betrieben!

5. Informationen:
- regionale Giftinformationszentren ▶ s. S. 348
- Giftnotruf: Vorwahl + 19240

6. Erstmaßnahmen:
- bei Säure-Laugen-Verätzung sofortige Verdünnung mit Leitungswasser (trinken lassen, übergießen, abspülen)

7. Antidota:
- nur in Einzelfällen möglich, dann nach spezifischer Ursache (s. u.)

8. Asservierung:
- Medikamentenverpackungen, Trinkgefäße, Essensreste, Erbrochenes, Blutproben, Urin, Stuhl etc.

▶ Merke
- Häufig führt die Einatmung (z. B. Unfall, Brand) bzw. Einnahme mehrerer Stoffe mit unterschiedlicher Wirkung (z. B. Suizid, Polytoxikomanie) und/oder mit Alkohol zu »untypischen« Zeichen bzw. Mischbildern.
- Bei Drogennotfall Überlagerung von Überdosierung und/oder Entzugserscheinungen.
- Keine Atemspende bei Zyaniden und Pflanzenschutzmitteln (Organophosphaten).

Maßnahmen bei Vergiftungen (D-Problem)

Merke

- Das Auslösen von Erbrechen und/oder Durchfällen, Magenspülungen und forcierte Ausscheidung durch Flüssigkeitsgabe + Diuretikum werden wegen Risiken/Nebenwirkungen und fehlendem Wirksamkeitsnachweis nicht mehr empfohlen. Ausnahmsweise kann bei einzelnen Situationen (z. B. Psychopharmaka, Retard-Präparate) eine gastroskopisch geführte Magenspülung in der Klinik sinnvoll sein.
- Vor Gabe eines Antidots ist die Asservierung einer Blutprobe (10 ml Nativblut, 10 ml EDTA-Blut) zur späteren Sicherung der Diagnose sinnvoll.
- Vor Transportbeginn unbedingt versuchen, Art des Giftstoffes zu klären.
- Patienten nach Einnahme möglicherweise gefährlicher Mengen von Frostschutzmittel (Ethylenglykol), Lithium, Methanol, Salicylaten, Theophyllin idealerweise in Klinik mit Dialyseeinrichtung bringen.

Syndrom	Ursache	Zeichen	Maßnahmen
Narkotisches Syndrom	z. B. Alkohol, Sedativa	Bewusstseinstrübung	Sicherung der Vitalfunktionen
Sympathisches Syndrom	Amphetamin, Kokain	Erregung, Hypertonie, Fieber	Sedierung, RR-Senkung, Kühlung
Cholinerges Syndrom	Organophosphate	Miosis, Bradykardie, Erbrechen	Atropin, Beatmung
Anticholinerges Syndrom	Antidepressiva, Atropin	Mydriasis, Tachykardie	Physostigmin (nur kurz wirksam)
Serotonin-Syndrom	Psychopharmaka	Unruhe, Zittern, Mydriasis	Sedierung, Betreuung
Neuroleptisches Syndrom	Neuroleptika	Sprech-/Bewegungsstörungen	Biperiden, Sedierung

Spezielle Vergiftungen (D-Problem)

Zentral wirksame Substanzen	Ursache	Zeichen	Maßnahmen
Antidepressiva Tri-/Tetrazyklika	häufige Tablettenvergiftung	Tachykardie, Arrhythmie, Bewusstseinsstörung	Physostigmin z. B. 2 mg, nicht bei Bradykardie (nur kurz wirksam)
Anregende Drogen	Ecstasy, Kokain, Speed, Amphetamine	Tachykardie, Hypertonie, Arrhythmie, Erregung	Sedierung, z. B. Midazolam 2–3 mg-weise; Arrhythmie: Lidocain z. B. 40 mg
Bewusstseinsverändernde Drogen	legale/illegale Substanzen, Spice, Legal Highs, »Kräuter«, »Badesalz«, Alkohol(-entzug)	Bewusstseinstrübungen, Halluzinationen, Delir, Erregung, Aggressivität	Sedierung, z. B. Midazolam 2–3 mg-weise; Kristalloide, z. B. 500 ml Ringer-Acetat/-Laktat-Lösung
Sedierende Drogen	Opioide, GHB (Liquid Ecstasy)	Bewusstseinsstörungen, Koma, Atemdepression	Opioide: Naloxon 0,1 mg-weise

Giftige Substanzen	Ursache	Zeichen	Maßnahmen
Brand-/Rauchgas	Inhalationstrauma	Atemnot, Husten, Ruß	Beclometason-, Salbutamolinhalation
Organophosphate, Carbamate	Pflanzenschutzmittel Typ E 605, Metasystox	Mydriasis, Bradykardie, Speichelfluss	Atropin 2–3 mg-weise, nach Wirkung
Zyanide (HCN, KCN)	Blausäure, Blockade der Zellatmung	Atemnot, rosige Haut, Bewusstseinsstörung	Natriumthiosulfat (immer), 4-DMAP, z. B. 250 mg

Gegengifte – Antidota (D-Problem)

Minimalausstattung Bremer Liste*

+ Empfohlene Zusatzausstattung

Substanz, Wirkung	Indikation	Dosierung
4-DMAP* (Dimethylaminophenol) 5-ml-Ampulle = 250 mg Wiederingangsetzung der inneren Atmung	bei schwerer Zyanidintoxikation (Bewusstlosigkeit), z. B. Blausäure, Schwefelwasserstoff; nicht bei CO; ab 6. Lebensjahr; alternativ Hydroxocobalamin	3 – 4 mg/kg KG i. v. (z. B. 250 mg); dann Natriumthiosulfat (s. o.); höchstmögliche Sauerstoffzufuhr
Aktivkohle* 50 g (in 400 ml lösen) Adsorption von Giftstoffen im Darm	Vergiftung mit wasserlöslichen Stoffen, z. B. Medikamente, innerhalb 1 h nach Einnahme	1 g/kg KG p. o., z. B. 70 g in 660 ml der Suspension; trinken lassen bzw. über Magensonde
Atropin* (Atropinsulfat) 10-ml-Ampulle = 100 mg Parasympathikuswirkung	Acetylcholinesterasehemmervergiftung, z. B. Organophosphate, Carbamate (Pflanzenschutzmittel, Risspilze, Betablocker)	2 – 3 mg-weise i. v.; nach Wirkung: Herzfrequenzanstieg, Speichel-, Bronchialsekretion; zusätzlich Beatmung erforderlich
Beclometason (Dosieraerosol) 0,1 mg pro Sprühstoß Glukokortikoid	Rauch-/Reizgasinhalation, toxisches Lungenödem	2 – 4 Sprühstöße p. o., ggf. alle 2 Stunden wiederholen; ggf. zusätzlich Salbutamolinhalation
Diazepam 2-ml-Ampulle = 10 mg Benzodiazepin	Chloroquin (Malaria- bzw. Rheumamedikament), unbek. Wirkmechanismus	1 – 2 mg/kg KG i. v., z. B. 100 mg in Beatmungs- bzw. Intubationsbereitschaft
Magnesiumsulfat 10 % 10-ml-Ampulle = 1 g Stabilisierung der Zellmembran	Herzrhythmusstörungen, Eklampsie, bei Flusssäureeinwirkung lokal (Fluorid-Antagonist)	30 mg/kg KG i. v., z. B. 2 g, doppelte Dosis bei Flusssäureeinwirkung
Naloxon* 1-ml-Ampulle = 0,4 mg Opiat-Antagonist (s. S. 115)	Opioidvergiftung, z. B. Heroin, Methadon, Morphium (kurze Wirkzeit!)	0,1 mg-weise i. v., nach Wirkung: Wiedereinsetzen der Atmung, Erwachen, Pupillenweitung
Toloniumchlorid* (Toluidinblau) 10-ml-Ampulle = 300 mg Hämoglobinregeneration	Vergiftung mit Methämoglobinbildnern, z. B. Nitrate, Nitrite, Anilin, org. Lösungsmittel	2 – 4 mg/kg KG i. v.; auch bei 4-DMAP-Überdosierung

Gegengifte – Antidota (D-Problem)

Erweiterte Liste

Substanz	Wirkweise	Indikation	Dosierung (70 kg KG)
Ascorbinsäure (Vitamin C)	Reduktionsmittel	Chrom, Anilin, Nitrobenzol	2–4 g i. v.
Biperiden	zentral wirksames Anticholinergikum	Neuroleptika, MCP	2,5–5 mg i. v.
Kalziumglukonat 10 %	Kalziumsubstitution	Kalziumantagonisten, Flusssäure	30–60 ml i. v.
Flumazenil	Benzodiazepinantagonist	Benzodiazepin, Zopiclon etc.	0,2 mg i. v.
Fomepizol	Alkoholdehydrogenasehemmer	Methanol, Polyethylenglykol	200 mg i. v.
Hydroxocobalamin	Zyanidkomplexbildner	Blausäuregas, Zyanide	5 g i. v.
Natriumthiosulfat (10 %)	Umwandlung Zyanid zu Thiozyanat	Blausäure, Zyanide	70 ml i. v.
Obidoxim	Acetylcholinesterasereaktivierung	Organophosphate	250 mg i. v.
Physostigmin	Acetylcholinesterasehemmer	Antidepressiva	2 mg i. v.
Simeticon	Entschäumung	Spül-/Waschmittel	10 ml p. o.

▶ Informationszentren für Vergiftungsfälle s. S. 348

▶ Merke

In der Klinik werden folgende Antidota eingesetzt:

- → bei Betablockern: Glucagon
- → bei Biss durch europ. Viper: ViperaTAb®
- → bei Biss durch Klapperschlange: CroFab®
- → bei Botulismus: Botulismus-Antitoxin
- → bei Digitalis/Maiglöckchen: Digitalis-Antitoxin
- → bei Kokain: Dexmedetomidin
- → bei Paracetamol: Acetylcystein
- → bei Vitamin-K-Antagonisten (Typ Marcumar®): Vitamin K

Lagerung bei Verletzungen (E-Problem)

Bei Bewusstlosigkeit:
– Seitenlage (s. S. 114)

Bei erhaltenem Bewusstsein:

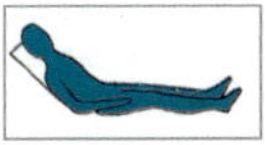

Schädel-Hirn-Trauma
– Oberkörper erhöht
– Kopf in Mittelstellung
ZIEL:
▶ Herabsetzung der Hirndurchblutung
▶ Verminderung des Hirndrucks

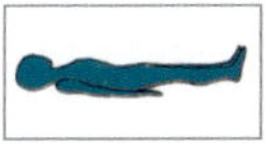

Wirbelsäulentrauma
– Lagerung wie vorgefunden
– Zervikalstütze
– Spineboard oder Schaufeltrage
– auf flach vorgeformter Vakuummatratze
ZIEL:
▶ Ruhigstellung
▶ Vermeidung weiterer Schäden

Thoraxtrauma
– Oberkörper erhöht
– möglichst auf die verletzte Seite
ZIEL:
▶ Ruhigstellung
▶ Schmerzlinderung
▶ bessere Belüftung des unverletzten Lungenflügels

Abdominaltrauma
– Rückenlage
– angezogene Beine mit Knierolle
– Kopfpolster
ZIEL:
▶ Entspannung der Bauchdecke
▶ Schmerzlinderung

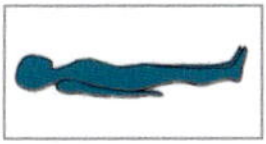

Extremitätentrauma
– Ruhigstellung
– Rückenlage
– Vakuummatratze, Vakuumschiene
– ggf. Schocklagerung
ZIEL:
▶ Blutstillung
▶ Schmerzlinderung
▶ Vermeidung weiterer Schäden

Maßnahmen bei Verletzungen (E-Problem)

Unfall-mechanismus:	erfragen, rekonstruieren (ergibt wichtige Hinweise auf Art und Umfang möglicher Verletzungen)
Lagerung:	auf Vakuummatratze
Blutstillung:	– starke Blutungen sofort stillen, Blutstillung vor Volumenersatz, evtl. abbinden (Tourniquet)
Ruhigstellung von Frakturen:	– Verdacht auf Fraktur der Halswirbelsäule (Zervikalstütze, Schaufeltrage, Spineboard, Vakuummatratze). – Extremitätenverletzung: Kontrolle der peripheren Durchblutung, Motorik und Sensibilität (DMS) – unter Längszug achsengerecht lagern – Reposition grober Fehlstellung zur Vermeidung weiterer Schäden, Schmerzlinderung

Distorsion / Kontusion:

PECH-Formel:

Pause:	Schonung
Eis:	Kühlung
Compression:	Kompressionsverband
Hochlagern:	über Herzniveau

▶ **Merke**

- Patient muss nüchtern bleiben (Ess-, Trink- und Rauchverbot).
- Sichere Immobilisation durch Verwendung von Zervikalstütze auf Vakuummatratze → überbrückend kontinuierliche manuelle Stabilisierung.

Verfahren zur Immobilisation:

A) Zervikalstütze
B) Vakuumschiene
C) Streckschiene
D) Sam® Splint
E) Beckenschlinge
F) Luftkammerschiene
G) Prosplint
H) Vakuummatratze
I) Spineboard
K) Kopffixierung
L) KED®-System

Maßnahmen bei Verletzungen (E-Problem)

Möglichkeiten der Immobilisation:

Schädelfraktur	Kopf erhöht: H
Wirbelfraktur	A – H – I – K – L (BWS – LWS)
Oberarmfraktur	B – D – H – G – F
Unterarmfraktur	B – D – G – F
Rippen-, Sternumfraktur	H – L
Beckenfraktur	E – H
Oberschenkelfraktur	C – H
Unterschenkelfraktur	B – D – G – F – H

Ziel:

- ▶ Verminderung des Blutverlustes
- ▶ Schmerzstillung
- ▶ Vermeidung weiterer Schäden

Umlagerung:

– Rippen-, Becken-, → Schaufeltrage
Wirbelfraktur → Spineboard

▶ Merke

– Stets die beiden der Fraktur benachbarten Gelenke mit ruhigstellen.
– Keine Luftkammerschienen bei offenen Frakturen.
– Zur Wärmeerhaltung Fahrzeug aufheizen, Türen geschlossen halten, Patienten ggf. abtrocknen, zudecken.

Amputationsverletzung:

– Blutstillung → Hochlagerung des Amputationsstumpfes; Druckverband; manuelle Kompression; Abbindung (Tourniquet)

– Amputatversorgung → Einwickeln in trockenen, sterilen Verbandmull; Replantatbeutel benutzen, Außenhülle mit Eiswasser füllen

▶ Merke

Amputat nicht direkt mit Eiswasser oder Kühlakkus in Kontakt kommen lassen.

Maßnahmen bei Verletzungen (E-Problem)

Narkoseeinleitung:

Indikation:

- akute Ateminsuffizienz, z. B. Atemfrequenz ≤ 5/≥ 30/min, SpO_2 ≤ 90 % trotz adäquater Behandlung
- Bewusstseinsstörung mit Verlust der Schutzreflexe und/oder Aspirationsgefahr
- Polytrauma mit GCS < 9, SpO_2 < 90 %, RR_{sys} ≤ 90 mmHg

Durchführung:

- als Schnelleinleitung (Rapid Sequence Induction, RSI) mit Injektion der Medikamente in kurzer Folge, ohne Zwischenbeatmung

Vorbereitung:

- Absprache des Vorgehens im Team
- bestmögliche Lagerung des Patienten ▶

- sicherer periphervenöser Zugang (ggf. sogar zwei), Infusionsvorlauf (Kristalloid, 100 – 250 ml)
- ständige Atem-, Puls-, RR- und EKG-Überwachung, SpO_2, anschl. $etCO_2$
- funktionsfähige Instrumente für Absaugung (Pumpe, Katheter), Intubation (Tubus, Blockerspritze, Führungsstab, Stethoskop, Fixierung, $etCO_2$-Messung, ggf. alternative Atemwege), Beatmung (Ambu®-Beutel, Reservoir), Videolaryngoskop
- Narkose- (z. B. Hypnotikum, Analgetikum, Muskelrelaxanzien) und Notfallmedikamente (z. B. Atropin, Epinephrin)

Vorgehen:

- O_2-Inhalation: hoher Fluss, Maske, 3 min normale Atemzüge, alternativ 8 max. tiefe Atemzüge in 1 min
- ggf. passagere Aufhebung der Zervikalstütze, manuelle Stabilisierung
- **keine** Zwischenbeatmung, Kieferrelaxation abwarten (z. B. 1 min)
- Intubation (≤ 10 sec)
- Beatmung FiO_2: 1,0
- Kontrolle der Tubuslage (Brustkorbbewegungen, Beschlagen der Tubusinnenwand; abhören: Magen, 4 × Lunge; $etCO_2$-, SpO_2-Messung)
- sichere Tubusfixierung
- evtl. Blutdrucksteigerung, z. B. Kristalloid, Cafedrin/Theodrenalin (0,5 – 1 ml)
- ggf. erneut Zervikalstütze

Verfahren A: z. B. bei älteren Patienten, Atem- und Kreislaufinsuffizienz, zerebraler Schädigung	**Verfahren B:** z. B. bei Schwerverletzten, Volumenmangelschock
• Analgetikum, z. B. Fentanyl 0,2 mg i. v. bzw. Sufentanil 20 µg i. v. • Hypnotikum, z. B. Propofol 60 – 100 mg i. v. • Muskelrelaxans, z. B. Suxamethonium 80 – 100 mg i. v. (oder Rocuronium, z. B. 60 – 100 mg i. v.)	• Hypnoanalgetikum, z. B. Esketamin 75 – 100 mg i. v. • Hypnotikum, z. B. Midazolam 10 – 15 mg i. v. • Muskelrelaxans, z. B. Suxamethonium 80 – 100 mg i. v. (oder Rocuronium, z. B. 60 – 100 mg i. v.)
spätere Aufrechterhaltung: • Fentanyl 0,1 mg i. v. • Propofol 30 – 40 mg i. v. alle 20 – 30 min • Rocuronium 20 mg i. v. alle 20 – 30 min	spätere Aufrechterhaltung: • Esketamin 25 mg i. v. • Midazolam 3 – 5 mg i. v. alle 20 – 30 min • Rocuronium 20 mg i. v. alle 20 – 30 min

Merke

– Äußere Faktoren (z. B. Einklemmung, Licht), patienten- (z. B. Gesichtsanatomie, kurzer Hals, verminderte HWS-Mobilität) und teambedingte (z. B. Intubationsroutine) Aspekte können die Indikation zur außerklinischen Narkoseeinleitung mitbestimmen.
– Narkoseeinleitung ist ärztliche Maßnahme!

Eigene Notizen

IV Spezielle Notfälle

Eigene Notizen

Spezielle Notfälle
Bewusstsein

Siehe auch

Akute Bewusstseinsstörung

Zunächst folgende **Ursachen** ausschließen:

- Atemstörungen s. S. 145
- Herz-Kreislauf-Störungen s .S. 155
- Schädel-Hirn-Trauma s. S. 189
- Blutung in das Schädelinnere s. S. 190

Weitere häufige **Ursachen**:

- Vergiftungen (z. B. Sedativa, Hypnotika, Alkohol, Opiate) s. S. 261
- Stoffwechselstörungen (z. B. Zuckerentgleisungen) s. S. 137
- zentrale Störungen (z. B. Schlaganfall) s. S. 134

▶Merke
Die selten vorkommenden Notfälle durch Störungen im Hormonhaushalt (Schilddrüse, Nebenschilddrüse, Nebenniere usw.) durch (teilweisen) Ausfall der Funktionen der Leber und Niere sowie durch Infektionskrankheiten werden außerhalb des Krankenhauses nicht spezifisch behandelt.

Skala zur Beurteilung der Bewusstseinslage Glasgow Coma Scale (GCS)

Augen öffnen:	spontan	4 Punkte
	auf Ansprache	3 Punkte
	auf Schmerzreiz	2 Punkte
	überhaupt nicht	1 Punkt
Worte:	spricht orientiert; Kinder: verständlich, angemessen	5 Punkte
	verwirrt; Kinder: schreien tröstbar	4 Punkte
	einzelne Worte	3 Punkte
	unpassende einzelne Worte; Kinder: schreien untröstbar	2 Punkte
	keine	1 Punkt
Bewegungen:	befolgt Anweisungen	6 Punkte
	gezielte Schmerzreaktion	5 Punkte
	ungezielte Schmerzreaktion	4 Punkte
	Beugemechanismen	3 Punkte
	Streckmechanismen	2 Punkte
	keine	1 Punkt
Beurteilung:	Summe der erreichten Punkte	

▶Merke
GCS < 13 → Notarztalarmierung, Stabilisierung, Überwachung
GCS < 9 → Beatmung, Intubation, unmittelbare vitale Bedrohung

Leitsymptom: Bewusstlosigkeit

- **Basistherapie:** freie Atemwege, O_2-Gabe, i.v. Zugang
- **kontinuierliches Monitoring:** Puls, RR, Neurostatus

Atem-Kreislauf-Stillstand?	▶ ja ▶	CPR
nein ▼		
Ateminsuffizienz? Schutzreflexe fehlen?	▶ ja ▶	Intubation, Beatmung
nein ▼		
Kreislaufinsuffizienz?	▶ ja ▶	Schock (s. S. 170–174, 386)
nein ▼		
Hypoglykämie?	▶ ja ▶	Glucose 40 % (4–8 g p. o./i. v.)
nein ▼		
Opioidintoxikation?	▶ ja ▶	Naloxon (0,1 mg-weise i. v.)
nein ▼		
Krampfanfall?	▶ ja ▶	Midazolam (2–3 mg-weise i. v.)
nein ▼		
Schlaganfall?	▶ ja ▶	Schlaganfall (s. S. 134–135, 389)
nein ▼		
Schädel-Hirn-Trauma?	▶ ja ▶	Verletzung (s. S. 188–189, 393)
nein ▼		
Hypo-/Hyperthermie?	▶ ja ▶	Normalisierung der Körpertemperatur
nein ▼		
Plötzlicher Beginn?	▶ ja ▶	Blutung im Hirnstammbereich? Intoxikation? Schlaganfall?
nein ▼		
Allmählicher Beginn?	▶ ja ▶	Blutung im Bereich der Großhirnrinde? Metabolische Störung? Intoxikation?

Differenzialdiagnosen: Akute Bewusstseinstrübung

Geschilderter Verlauf:	**Mögliche Ursache:**
plötzlicher Beginn, nach Kopfschmerz	intrakranielle Blutung, Subarachnoidalblutung
plötzlicher Beginn, nach Krampfanfall	Epilepsie, extrakranielle Ursachen
allmählicher Beginn (Stunden), nach Kopfschmerz	intrazerebrale Blutung, Infektion
allmählicher Beginn, nach Erregung	Intoxikation, Hypoglykämie
allmählicher Beginn (Tage), nach Kopfschmerz	Hirntumor, Subduralhämatom, metabolische Ursache
Aufmerksamkeitsstörung + zunehmende fluktuierende Bewusstseinsstörung bzw. unorganisiertes Denken	Delir, z. B. durch Alkohol-, Medikamentenentzug

Unklare Bewusstlosigkeit

ICD10: R40.2

▶ s. a. Erstuntersuchung S. 57, Schema zur Beurteilung der Bewusstseinslage S. 67

Angaben:

- Vorgeschichte, Fremdangaben, Entwicklung

- evtl. Krämpfe
- Pupillenstörungen (evtl. einseitig)
- Zyanose, Blässe
- abnormer Atemtyp (z. B. Kußmaul-, Cheyne-Stokes-, Biot-Atmung)
- evtl. Einstiche (Heroin)

- Puls evtl. tachykard, bradykard, arrhythmisch
- evtl. Lähmungen
- evtl. Nackensteifigkeit
- evtl. stehende Hautfalten (Flüssigkeitsmangel)

- Geruch (z. B. Aceton, Urin, Gifte)

- Sauerstoffsättigung vermindert
- Blutdruckabfall
- Blutzuckertest
- evtl. Körpertemperatur erniedrigt/erhöht

Basismaßnahmen:

- Lagerung ▶
- Freimachen/Freihalten der Atemwege
- Sauerstoffgabe, ggf. Beatmung
- Wärmeerhaltung
- ständige Atem-, Puls-, RR- und EKG-Überwachung, SpO_2
- venöser Zugang: Infusion (kristalloide Lösung)

Erweiterte Maßnahmen:

- körperliche und neurologische Untersuchung
- großzügige Indikation zur Intubation und Beatmung

- Medikamente:
  - ggf. Zuckergabe, z. B. Glucose 40 % (4 – 8 g i. v.)

▶ **Merke**
- Bei allen unklaren Bewusstlosigkeiten gezielt nach Tablettenröhrchen, Spritzen etc. suchen.
- Grundsätzlich bei jedem Bewusstlosen eine Blutzuckerbestimmung durchführen.

Schlaganfall – Stroke

Merke

- Bei Lähmungen: Lagerung und venöser Zugang immer auf nicht betroffener Körperseite.
- Die Indikation zur Intubation/Beatmung wird gestellt bei: verminderten Schutzreflexen, drohender Einklemmung (Streckkrämpfe, Pupillendifferenz) und Ateminsuffizienz.
- Blutdrucksenkung nur bei anhaltenden Werten über 220/120 mmHg (um 10 bis 20 % in 30 min).
- Besteht die Symptomatik weniger als 4,5 Stunden (ggf. 9 Std.), ist eventuell eine (klinische) Thrombolyse in einer Spezialklinik (Stroke Unit) möglich.
- Einen Krankheitszustand (akutes zentrales neurologisches Defizit), der einem Schlaganfall gleicht, sich aber innerhalb kurzer Zeit (völlig) zurückbildet, bezeichnet man auch als *transitorisch-ischämische Attacke (TIA)*, Ursache ist eine vorübergehende Durchblutungsstörung einzelner Gehirnabschnitte. Die Erstmaßnahmen entsprechen denen beim Schlaganfall.

▶ s. a. Hirnblutung S. 190

Angaben:

- plötzlich auftretende, einseitige Bewegungsstörungen, Schwindel, Seh- und Sensibilitätsstörungen, Übelkeit

- Störung der Orientierung (zeitlich, örtlich, zur Person, zur Situation), Delir s. S. 80
- evtl. Bewusstseinsstörung bis Bewusstlosigkeit
- Wortverständnis-, Wortfindungs-, Sprechstörungen
- Gangstörungen, Sensibilitätsstörungen, »Vernachlässigung« einer Extremität
- hängender Mundwinkel
- Bewegungsunfähigkeit einer Körperseite (Hemiparese)
- Blickabweichung, Patient »schaut« zu seinem Herd
- Sehstörungen
- Schluckstörungen
- evtl. Pupillendifferenz, Krämpfe

- Puls bradykard, evtl. arrhythmisch
- Arm-/Beinhalteversuche/Händedruckprobe – einseitig vermindert/aufgehoben
- evtl. Nackensteifigkeit

- Blutdruck: erhöht oder erniedrigt
- Blutzuckertest
- evtl. Körpertemperatur erhöht

Schlaganfall – Stroke

ICD10: I64

Symptome	Betroffen	Verschluss
– Bewusstseinsstörung – gekreuzte Schwäche / Gefühlsstörungen	Vordere Hirnhälfte: Bein	A. cerebri anterior
– Blickabweichung (zum Herd) – Lähmung, Taubheit	Mittl. Hirnhälfte li.: Parese re. Arm, Sprechstör.; Mittl. Hirnhälfte re.: Parese li. Arm, Sprachverständnis gestört	A. cerebri media
– Leseschwäche – Sehstörungen	Hintere Hirnhälfte	A. cerebri posterior
– Gangstörungen – Schwindel / Übelkeit	Hirnstamm	A. vertebralis

Basismaßnahmen:

- Beruhigung
- Lagerung ▶

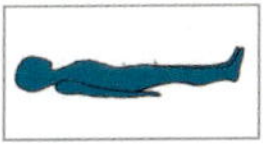

RR < 90/60

RR > 90/60

- Freimachen/Freihalten der Atemwege
- Sauerstoffgabe, ggf. Beatmung
- Wärmeerhaltung
- ständige Atem-, Puls-, EKG- und RR-Überwachung, SpO_2
- venöser Zugang: Infusion (kristalloide Lösung)

Erweiterte Maßnahmen:

- körperliche und neurologische Untersuchung
- evtl. Intubation und Beatmung
- Voranmeldung in der Klinik mit CT/MRT und Stroke-Unit
- Medikamente:
  - Ziel: RR ≥ 180/110 mmHg
  - Flüssigkeitsersatz, z. B. kristalloide Lösung (250 – 500 ml i. v.)
  - Blutdrucksenkung bei RR über 220/120 mmHg, z. B. Urapidil (5 – 25 mg i. v.)
  - Blutdrucksteigerung, z. B. Cafedrin/Theodrenalin (0,5 – 1 ml i. v.) nach Infusion kristalloider Lösung

▶ **Merke**

- Diagnostik: **BEFAST** → **B** Gleichgewicht, **E** Sehstörung, **F** Lächeln, **A**rmhalteversuch, **S**prachstörung, **T** Symptombeginn bzw. Zeitpunkt zuletzt ohne Symptome
- Lysebehandlung möglich in den ersten 4,5 Stunden, bei nicht multimorbiden, ansprechbaren Patienten, z. B. 18 – 80 Jahre alt, keine Sepsis, keine Krämpfe.
- Keine ASS-, Heparin-Gabe.
- Keine i. m. Injektionen.
- Unbedingt Telefonnummer der Angehörigen notieren und weitergeben.

Differenzialdiagnose: Hypoglykämie – Hyperglykämie

Hypoglykämischer Schock		Coma diabeticum
plötzlich (Stunden) ◀	Entwicklung	▶ langsam (Tage)
normal ◀	Hautturgor	▶ herabgesetzt
feucht ◀	Zunge	▶ trocken
normal tief, schnell ◀	Atmung	▶ evtl. tief (Kußmaul-Atmung)
Tachykardie ◀	Puls	▶ Tachykardie
normal bis erhöht ◀	Blutdruck	▶ normal bis erniedrigt
Unruhe, Zittern, Somnolenz ◀	Allgemeinzustand	▶ somnolent bis komatös
gesteigert ◀	Reflexe	▶ abgeschwächt
nein ◀	Durstgefühl	▶ ja
normal ◀	Ausatemluft	▶ evtl. Acetongeruch
erniedrigt (unter 45 mg/dl) ◀	Blutzucker	▶ hoch (über 400 mg/dl)

▶ **Merke**

Steht keine Blutzuckermessung zur Verfügung, so können zur Diagnostik (Abgrenzung der Hypoglykämie) 0,5 ml/kg KG (z. B. 30 – 50 ml) Glucose 40 % gegeben werden.

Hypoglykämischer »Schock«

ICD10: E11.61

▶ s. a. Krampfanfall S. 140, 231

- plötzlich auftretende Bewusstseinsstörung, meist bei (insulinpflichtigem) Diabetes oder Alkoholismus, Hypothermie

Angaben:

- Hungergefühl, Bauchschmerzen, Kopfschmerzen, Schwächegefühl

- Unruhe, Verwirrtheit
- Bewusstseinsstörung bis Bewusstlosigkeit
- Zittern
- evtl. Krämpfe
- evtl. Pupillendifferenz

- Puls tachykard
- Schwitzen
- schnelle Atmung

- Blutdruck normal bis erhöht
- Blutzuckertest
- evtl. Körpertemperatur erniedrigt

Basismaßnahmen:

- Beruhigung
- Lagerung ▶

- Freimachen/ Freihalten der Atemwege
- Sauerstoffgabe, ggf. Beatmung
- wenn ansprechbar: orale Zuckerzufuhr (z. B. 50 g)
- Wärmeerhaltung
- ständige Atem-, Puls-, EKG- und RR-Überwachung, SpO_2
- venöser Zugang – Glukoseinfusion (z. B. 5 Ampullen Glucose 40 % in 500 ml kristalloider Lösung)

Erweiterte Maßnahmen:

- körperliche und neurologische Untersuchung

- Medikamente
  - Zuckerzufuhr Glucose 40 % (4 – 8 g) p. o., wenn Pat. ansprechbar; i. v. unter laufender Infusion, wenn Pat. bewusstlos; evtl. wiederholen

▶ **Merke**

- Wegen der Gefahr von Hirnschädigungen durch länger dauernde Hypoglykämien ist frühestmöglich Glukose zuzuführen.
- 1 g Glukose (= 2,5 ml Glucose 40 %) steigert den Serumblutzucker beim Erwachsenen rein rechnerisch um ca. 10 mg/dl, er kann jedoch wieder schnell abfallen.

Differenzialdiagnose: Diabetes-Notfälle

Hyperosmolares Koma		Ketoazidotisches Koma
ältere Patienten ◀	Alter	▶ jüngere Patienten
relativer Insulinmangel ◀	Ursache	▶ absoluter Insulinmangel
Wasser-Elektrolyt-Mangel, Glukosurie ◀	Störung	▶ Ketonkörperproduktion
keine oder geringe Azidose ◀	Stoffwechsel	▶ ausgeprägte Azidose
600–1.200 mg/dl ◀	Blutzucker	▶ 400–700 mg/dl
ca. 30 % ◀	Letalität	▶ 5–15 %

▶ **Merke**
Die Unterscheidung in ketoazidotisches und hyperosmolares Koma ist vor allem für das weitere Vorgehen im Krankenhaus von Bedeutung. Primär steht die Beseitigung des Volumenmangels im Vordergrund.

Coma diabeticum

ICD10: E11.01

– Langsam einsetzende Bewusstseinstrübung mit Anstieg des Blutzuckers bei (meist bekannter) Zuckerkrankheit. Die Entwicklung geht über Stunden bis Tage.

Angaben:

– Durst, vermehrtes Wasserlassen, häufig Bauchschmerzen

– Bewusstseinsstörung bis Bewusstlosigkeit
– Kußmaul-Atmung
– trockene Haut und Schleimhäute

– Puls tachykard
– herabgesetzter Hautturgor
– evtl. Acetongeruch (wie Nagellackentferner) in der Ausatemluft

– Blutdruck normal bis erniedrigt
– Blutzuckertest
– Glasgow Coma Scale (GCS)
– evtl. Körpertemperatur erniedrigt

Basismaßnahmen:

– Lagerung ▶

– Freimachen/Freihalten der Atemwege
– Sauerstoffgabe, ggf. Beatmung
– Wärmeerhaltung
– ständige Atem-, Puls-, EKG- und RR-Überwachung, SpO_2
– venöser Zugang: zügige Infusion (kristalloide Lösung) (bei elektrolytarmen Lösungen: Gefahr der Hirnödembildung)

Erweiterte Maßnahmen:

– körperliche und neurologische Untersuchung
– ausreichende Kreislaufauffüllung
  • Kristalloid-Infusion (10 – 20 ml/kg KG i. v.), ggf. (mehrfach) wiederholen

▶ Merke
Wegen der Gefahr der Überkorrektur sowie der Hypokaliämie außerklinisch:
– keine Azidosekorrektur ($NaHCO_3$)
– keine Insulingabe.

Krampfanfall

ICD10: R56.8

▶ s. a. Hypoglykämie S. 136

– kurz dauernde Bewusstlosigkeit mit Krämpfen; Status epilepticus (selten): über 30 min anhaltender Krampfanfall oder Folge von Anfällen ohne zwischenzeitiges Erwachen

- plötzliches Hinstürzen, Schrei
- Bewusstlosigkeit
- weite, lichtstarre Pupillen, evtl. Seitendifferenz
- ca. 10 – 30 sec tonischer Krampf mit Atemstillstand
- Zyanose
- ca. 1 – 3 min klonische Zuckungen
- evtl. Zungenbiss
- evtl. Schaum vor dem Mund
- evtl. Einnässen (Säuglinge, Kleinkinder)
- evtl. Fieber

Nach dem Anfall:

- Benommenheit
- desorientiert
- meist Nachschlaf

Basismaßnahmen:

- Lagerung ▶

- Schutz vor Verletzung
- Beruhigung
- Freimachen/Freihalten der Atemwege
- Sauerstoffgabe, ggf. Beatmung
- Wärmeerhaltung
- ständige Atem-, Puls-, EKG- und RR-Überwachung, SpO_2
- venöser Zugang: Infusion (kristalloide Lösung)
- Blutzuckertest

Erweiterte Maßnahmen:

- körperliche und neurologische Untersuchung
- Medikamente:
  - Hypoglykämie: Glucose 40 % (4 – 8 g p. o./i. v.)
  - Krampfdurchbrechung: z. B. Diazepam rektal (5 – 10 mg), Midazolam (0,15 – 0,2 mg/kg KG i. v. bzw. 0,3 – 0,4 mg/kg KG nasal), ggf. wiederholen, Levetiracetam (60 mg/kg KG i. v.)
  - Narkoseeinleitung: z. B. Thiopental (3 – 5 mg/kg KG i. v.)
  - Fiebersenkung, z. B. Paracetamol Supp.
- Intubation/Beatmung

▶ **Merke**

- Während der einfache epileptische Anfall meist keiner medikamentösen Behandlung bedarf, muss ein Status epilepticus (Atemstillstand) durchbrochen werden (ggf. Narkoseeinleitung).
- Keine routinemäßige Medikation nach Ablauf eines Krampfanfalls.
- Epileptiker haben oft einen Notfallausweis mit Angabe der aktuellen Medikation.

Akuter Erregungszustand

ICD10: F23.0

– in Zusammenhang mit psychiatrischen Erkrankungen, Substanzwirkung bzw. Entzugsdelir bei Suchtmitteln (Medikamente, Drogen, Alkohol)

- Unruhe bis hin zur Tobsucht
- evtl. Euphorie
- evtl. Verwirrtheit
- Pupillenveränderungen

- Puls tachykard, evtl. arrhythmisch

- Blutdruckanstieg
- Blutzuckertest
- evtl. Körpertemperatur erhöht

Basismaßnahmen:

- Patient in Gespräch einbeziehen
- Ablenken
- Beruhigung
- Lagerung ▶
- Überwachung von Atmung und Kreislauf, SpO_2

Erweiterte Maßnahmen:

- Gespräch führen
- körperliche und neurologische Untersuchung
- venöser Zugang: kristalloide Infusion

- Medikamente:
  - Hypoglykämie, z. B. Glucose 40 % (4 – 8 g p. o./i. v.)
  - Sedierung, z. B. Midazolam (2 – 3 mg-weise i. v.)
  - Dämpfung, z. B. Haloperidol (5 – 10 mg i. m.), z. B. Clonidin (0,075 – 0,150 mg i. m.)
- ggf. Einweisung in psychiatrische Behandlung (s. S. 339)

▶ **Merke**

- Es besteht bei diesen Patienten stets die Gefahr gewalttätiger Handlungen gegen sich selbst (Suizid) wie auch gegen Mitmenschen.
- Neben dem »klassischen« Drogennotfall durch Opiate (Morphin, Heroin, s. S. 272) können Rauschmittelvergiftungen durch Kokain, Haschisch, Marihuana, LSD, Amphetamine, Ecstasy, Lösungsmittel u. Ä. (s. S. 271) bzw. ihre Kombination und/oder zusätzlichen Alkohol-Tabletten-Konsum bedingt sein.
- Die Behandlung des akuten Entzugsdelirs erfordert oft hohe Dosen sedierender und dämpfender Medikamente.

Akuter Kopfschmerz

ICD10: R51

▶ s. a. Hirnblutung S. 190

Alarmzeichen: – Fieber, Bewusstseinsstörung, Nackensteife

Migräne

Angaben:

- streng halbseitig, pulsierend-pochend
- Alltagsaktivitäten unmöglich, weil Beschwerden zunehmen
- Übelkeit/Erbrechen
- Licht- und Lärmempfindlichkeit

Basismaßnahmen:

- z. B. Metoclopramid (10 mg i. v.) + ASS (1.000 mg i. v.)
- z. B. Ibuprofen Tabl. (400 mg)
- z. B. Sumatriptan Tabl. (50 – 100 mg)

Spannungskopfschmerz

Angaben:

- beidseitig, dumpf-drückend, nicht pulsierend
- Alltagsaktivitäten möglich, weil keine Zunahme
- keine Übelkeit/Erbrechen
- Licht- oder Lärmempfindlichkeit, nicht beides

Basismaßnahmen:

- z. B. Ibuprofen Tabl. (400 mg)

Clusterkopfschmerz

Angaben:

- streng einseitig, hinter Auge/Schläfe
- gerötetes Auge und Tränen-Nasen-Laufen auf betroffener Seite
- Bewegungszwang
- Rötung/Schwellung im Gesicht

Basismaßnahmen:

- z. B. Sauerstoffinhalation
- z. B. Sumatriptan Tabl. (50 – 100 mg)

▶ **Merke**

- Plötzlicher, extrem starker, nie so erlebter Kopfschmerz: Hirnblutung?
- Keine ASS-Gabe (Gerinnungshemmung).
- Allmählicher Beginn, Fieber, Nackensteife: Hirnhautentzündung?
- Einseitiger Kopfschmerz mit gerötetem Auge und erweiterter Pupille: Glaukomanfall?!

Eigene Notizen

Eigene Notizen

Spezielle Notfälle
Atmung

Siehe auch

Akute Ateminsuffizienz
Atemnot, Zyanose, SpO_2 < 90 %

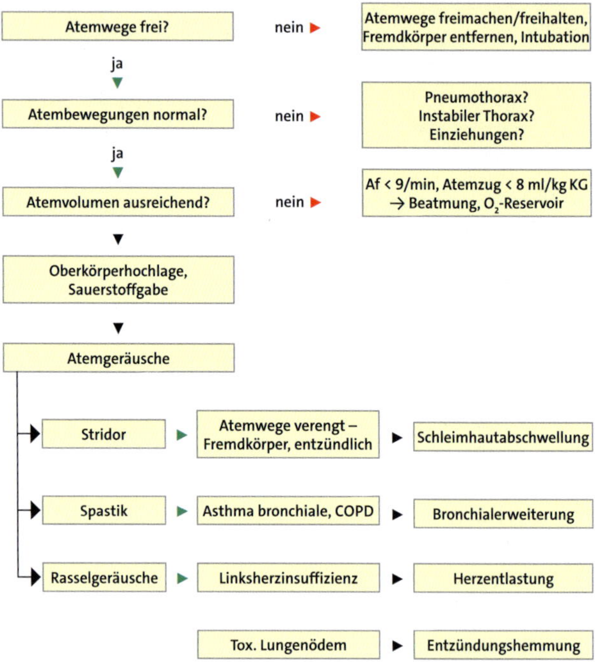

Leitsymptom: Atemnot

ICD10: R06.0

- **Basistherapie:** Lagerung, O_2-Gabe, i. v. Zugang
- **kontinuierliches Monitoring:** Puls, RR, EKG

Atemwege verlegt?	ja ▶	Atemwege freimachen ggf. Intubation, Beatmung
nein ▼		
Feuchte Rasselgeräusche?	ja ▶	Glyceroltrinitrat-Spray (2–4 Hübe) Furosemid (20–40 mg i. v.)
nein ▼		
Bronchospastik?	ja ▶	Salbutamol-/Ipratropiumbromid-Inhalation, ggf. NIV
nein ▼		
Halsvenenstauung durch Lungenembolie?	ja ▶	Kristalloid-Infusion Norepinephrin, Heparin
nein ▼		
Halsvenenstauung durch Pneumothorax?	ja ▶	Pleurapunktion
nein ▼		
Aspiration, Pneumonie, Pleuraerguss?	ja ▶	Sauerstoffgabe ggf. Intubation, Beatmung
nein ▼		
Erregungszustand?	ja ▶	Midazolam (2–3 mg-weise i. v.)

Bluthusten – Hämoptoe

ICD10: R04.2

Häufige Ursachen:
- Thoraxtrauma
- Bronchialkarzinom (Spätstadium)
- Linksherzinsuffizienz, Lungenödem
- Lungeninfarkt (nach Lungenembolie)
- Infektionen (Bronchitis, Pneumonie, Tuberkulose)

Basismaßnahmen: ▶ s. Aspiration S. 149

Bronchitis – Pneumonie

ICD10: J20.9 – J18.9

Häufige Ursachen:
- chronische Linksherzinsuffizienz
- Bronchialkarzinom
- Bettlägerigkeit
- allgemeine Schwäche

Basismaßnahmen:
- Fiebersenkung, z. B. Metamizol (1 g i. v.)
- Flüssigkeitszufuhr, z. B. kristalloide Lösung (300 – 500 ml i. v.)
- ggf. NIV

▶ s. Aspiration S. 149

Verdacht auf Lungenembolie

mod. »Genfer Score« ▶ s. a. Lungenembolie S. 177

Hinweise:		
	– Alter > 65 Jahre	1 Punkt
	– Anamnese: Thrombose/Embolie	3 Punkte
	– Operation an Beinen < 1 Monat	2 Punkte
	– Krebserkrankung	2 Punkte
	– Bluthusten	2 Punkte
	– Beinschmerzen	3 Punkte
	– Druckschmerzen Wade/Ödem	4 Punkte
	– Herzfrequenz 74 – 94/min	3 Punkte
	– Herzfrequenz > 95/min	5 Punkte

Bewertung: Wahrscheinlichkeit = Summe der Punkte

0 – 3 Punkte	gering
4 – 10 Punkte	mittel
≥ 11 Punkte	hoch

Aspiration

ICD10: T17.9

- Erlöschen der Schutzreflexe → Eindringen von Blut, Schleim, Erbrochenem, Fremdkörpern in die Atemwege; Gefahr: Verlegung der Atemwege, Ateminsuffizienz, schwerste Lungenentzündungen

- Atemnot
- evtl. Zyanose
- evtl. Atemstillstand (Atemwegsverlegung)
- evtl. inverse Atmung

- grob rasselndes oder pfeifendes Atemgeräusch
- evtl. Husten
- Puls tachykard

- Sauerstoffsättigung vermindert
- evtl. Blutdruckabfall
- evtl. Körpertemperatur erhöht

Basismaßnahmen:

- Beruhigung
- Lagerung ▶
- Freimachen/Freihalten der Atemwege

- Fremdkörper entfernen: Säuglinge: jeweils 5 Rückenschläge und 5 Brustkompressionen im Wechsel, Kinder/Erwachsene: jeweils 5 Rückenschläge und 5 abdominelle Kompressionen im Wechsel
- Sauerstoffgabe, ggf. Beatmung
- Wärmeerhaltung
- ständige Atem-, Puls-, EKG- und RR-Überwachung, SpO_2
- venöser Zugang: Infusion (kristalloide Lösung)

Erweiterte Maßnahmen:

- körperliche Untersuchung
- Intubation und Beatmung (100 % O_2, PEEP)
- Absaugung, sorgfältig, wiederholt
- Medikamente:
  - Bronchialerweiterung, z. B. Theophyllin (200 – 300 mg i. v.)
- Magensonde

▶ **Merke**

Durch Maskenbeatmung mit zu hohen Drücken (über 15 cm H_2O) kommt es zur Magenüberblähung. Durch Rückstrom (Regurgitation) gelangt Mageninhalt in den Rachenraum und mit der nächsten Beatmung in die Atemwege.

Differenzialdiagnose: Bronchospastik

Asthma bronchiale		COPD
Kindheit, Jugend ◄	Erkrankungsbeginn	► ≥ 50 Jahre
episodisch ◄	Entwicklung	► fortschreitend
keine ◄	Gewohnheiten	► Raucher
anfallsartig ◄	Atemnot	► bei Belastung
häufig ◄	Allergien	► selten
gut ◄	Ansprechen auf β-Mimetika	► gering
regelhaft ◄	Ansprechen auf Glukokortikoide	► gelegentlich

COPD: – Chronic Obstructive Pulmonary Disease
chronische Erkrankung mit enggestellten Atemwegen mit chron. Bronchitis und Lungenemphysem

Schweregradeinteilung Asthmaanfall	
leichter Anfall:	normales Sprechen möglich, Af < 20/min, Hf < 90/min
mäßiger Anfall:	erschwertes Sprechen, Af < 25/min, Hf < 110/min
schwerer Anfall:	Unfähigkeit, einen Satz auszusprechen, Af > 25/min, Hf > 110/min
lebensbedrohlicher Anfall:	Bewusstseinsstörung, Zyanose, SpO_2 < 92 %, Hf < 60/min, RR_{syst} < 100 mmHg

► Merke
Eine akute Verschlechterung einer chronischen Lungenerkrankung kann durch einen Lungeneinriss (Platzen einer Emphysemblase) mit nachfolgendem Pneumothorax eintreten.

Asthma bronchiale / COPD

ICD10: Asthma: J45.9, COPD: J44.99

▶ s. a. Hirnblutung S. 190

– durch eine Überempfindlichkeit (allergisches Asthma) bzw. durch Stresssituationen (psychogenes Asthma) ausgelöst

Angaben:
– Atemnot, Angst, Verschleimung

– Zyanose
– aufrechter Oberkörper, Einsatz der Atemhilfsmuskulatur
– Ausatemphase verlängert
– prall gefüllte Halsvenen

– bei Ausatmung Giemen und Brummen
– Husten

– Sauerstoffsättigung stark vermindert
– Blutdruck erhöht, später Kreislaufversagen
– Tachykardie

Basismaßnahmen:
– Beruhigung
– Lagerung ▶

– Freimachen/Freihalten der Atemwege
– Sauerstoffgabe
– Wärmeerhaltung
– ständige Atem-, Puls-, EKG- und RR-Überwachung, SpO_2
– venöser Zugang: kristalloide Lösung

Erweiterte Maßnahmen:
– körperliche Untersuchung
– ggf. CPAP/NIV

– Medikamente:
  - Bronchialerweiterung, z. B. Salbutamol- (1,25 – 2,5 mg)/Ipratropiumbromid-Inhalation (250 µg) (O_2-Flow 6 l/min)
  - Entzündungshemmung: z. B. Prednisolon (50 – 125 mg i. v.)
  - Sedierung, z. B. Midazolam (2 – 3 mg-weise i. v.)
  - Flüssigkeitszufuhr, z. B. kristalloide Lösung (300 – 500 ml i. v.)

– in Ausnahmefällen (Status asthmaticus) bei zunehmender Bewusstseinsstörung, Erschöpfung oder Bradykardie oder anhaltender O_2-Sättigung unter 80 %:
  - Intubation und Beatmung (Esketamin)
  - Epinephrin (0,1 mg i. v.)

▶ **Merke**
Bei einsetzender Narkose keine weitere Sedativa-Gabe!

Hyperventilation

ICD10: R06.4

▶ s. a. Stimulanzienvergiftung S. 271

– durch seelische Konflikte ausgelöste Hyperventilation (meist jüngere Patientinnen)

Angaben:
– Atemnot, Kribbeln in den Händen und Füßen

– Unruhe
– schnelle Atmung
– Blässe, Schwitzen
– sogenannte Pfötchenstellung der Hände
– evtl. »Karpfenmund«
– Reflexüberaktivität

– Puls tachykard

– Sauerstoffsättigung normal
– Blutdruck normal bis erhöht
– evtl. Körpertemperatur erhöht

Basismaßnahmen:
– Lagerung ▶

– beruhigender Zuspruch
– Rückatmung (Plastiktüte)
– ständige Atem-, Puls- und RR-Überwachung, SpO_2

Erweiterte Maßnahmen:
– Gespräch über mögliche Ursachen (Konflikte)
– körperliche und neurologische Untersuchung

– Medikamente (nur in schweren Fällen)
  • Sedierung, z. B. Midazolam (2–3 mg-weise i. v.)

▶ **Merke**

– Im Gegensatz zur echten Tetanie (Kalziummangel) kommt es bei der »Hyperventilationstetanie« durch Überatmung zur respiratorischen Alkalose. Dadurch ist der Anteil des freien (wirksamen) Kalziums im Blut vermindert. Durch Beseitung der Störung (z. B. Rückatmung mit folgendem CO_2-Anstieg und pH-Abfall) normalisiert sich die Situation.
– »Hyperventilationstetanie« ist eine Ausschlussdiagnose. Stets Sauerstoffstatus mittels SpO_2 prüfen.

Eigene Notizen

Spezielle Notfälle
Herz-Kreislauf

Siehe auch

Eigene Notizen

Synkope

ICD10: R55

▶ s. a. Hitzenotfälle S. 240 – 244

– kurzzeitige Bewusstlosigkeit aufgrund von Durchblutungsstörung des Gehirns durch Herzrhythmusstörungen, Gefäßveränderungen, Herzerkrankungen, neurologische Erkrankungen, Schwangerschaft, Schmerz, Angst

Angaben:

– Schwindel, Übelkeit, Schwarzwerden vor Augen

– Blässe
– Schweiß auf der Stirn
– evtl. Krämpfe, Einnässen

– Schwitzen
– Puls bradykard, unregelmäßig

– Blutdruckabfall
– evtl. EKG-Veränderungen (z. B. AV-Blockierung)
– Blutzuckertest
– evtl. Körpertemperatur erniedrigt/erhöht

Basismaßnahmen:

– Beruhigung
– Lagerung ▶
– evtl. Sauerstoffgabe
– Wärmeerhaltung
– ständige Puls-, RR- und EKG-Überwachung, SpO_2

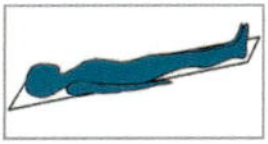

Erweiterte Maßnahmen:

– körperliche und neurologische Untersuchung
– venöser Zugang
– Medikamente:
  • Blutdrucksteigerung, z. B. Cafedrin/Theodrenalin (0,5 – 1 ml i. v.)
  • Herzfrequenzsteigerung, z. B. Atropin (0,5 – 1 mg i. v.)
  • evtl. Infusion, z. B. kristalloide Lösung (500 – 1.000 ml i. v.)

▶ **Merke**

– Zustand meist durch Lagerung und Aufklärung des Patienten allein beherrschbar.
– möglicherweise Krampfanfall, psychogenes Ereignis
– Während Synkopen bei jüngeren Patient(innen) meist harmlosere Ursachen haben, müssen bei Älteren schwerwiegendere Erkrankungen der Herzens (stationär) ausgeschlossen bzw. abgeklärt werden.

Leitsymptom: Herzrhythmusstörung

ICD10: I49.9

- **Basistherapie:** blutdruckabhängige Lagerung, O_2-Gabe, i. v. Zugang
- **kontinuierliches Monitoring:** Puls, RR, EKG, SpO_2
- **Diagnostik:** 12-Kanal-EKG, ersatzweise Rhythmusstreifen

Kreislaufstillstand? ► ja ► **kardiopulmonale Reanimation** ► s. S. 108 – 113

nein ▼

Kreislauf instabil, Schockzeichen?* ► ja ► **Kardioversion** 70 – 100 – 200 J, ggf. Amiodaron 150 – 300 mg i.v.

* Schockzeichen: Bewusstseinstrübung/-störung, Schwindel, Atemnot, Brustschmerz, Zentralisation, $SpO_2 < 90\,\%$, $RR_{sys} < 90$ mmHg

nein ▼

Kreislauf stabil? ► ja ► **Überwachung, andere Ursachen suchen**

nein ▼

Bradykardie? ► ja ►

Atropin	bis 3 mg i. v.
Schrittmacher	Beginn: 0,5 mA/kg KG
überbrückend	Epinephrin 0,05 mg-weise i. v.

nein ▼

Tachykardie? ► ja ►

1. **QRS schmal, regelmäßig:** Vagusmanöver, Adenosin 6, ggf. 12, ggf. 18 mg i. v., Metoprolol 3 – 5 mg i. v.
2. **QRS schmal, unregelmäßig:** Metoprolol 3 – 5 mg i. v., Amiodaron 150 – 300 mg i. v.
3. **QRS breit, regelmäßig:** Adenosin 6, ggf. 12, ggf. 18 mg i. v., Amiodaron 150 – 300 mg i. v.
4. **QRS breit, unregelmäßig:** Metoprolol 3 – 5 mg i. v., ggf. Magnesium 1 – 2 g i. v., Kardioversion.

nein ▼

Arrhythmie? ► ja ►

Herzfrequenz < 60/min ► Bradykardie, s. S. 161
Herzfrequenz > 100/min ► Tachykardie, s. S. 162

nein ▼

Überwachung, ggf. weitere Abklärung, Klinikanmeldung

Basismaßnahmen bei Herzrhythmusstörungen

Basismaßnahmen:

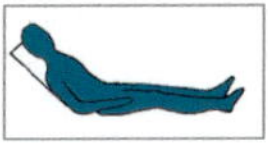

- Beruhigung
- Lagerung ▶
  Patient darf nicht umhergehen
- Sauerstoffgabe, ggf. Beatmung
- Wärmeerhaltung
- ständige Puls-, RR- und EKG-Überwachung
- venöser Zugang: langsame Infusion (kristalloide Lösung)
- Notarztruf
- 12-Kanal-EKG-Ableitung, SpO_2

Erweiterte Maßnahmen:

- ▶ s. unter den jeweiligen Rhythmusstörungen S. 161–163

▶**Merke**
- Jede neu aufgetretene Herzrhythmusstörung stellt die Indikation zum Notarztruf dar (Patienten, Angehörige befragen; Medikamentenanamnese).
- Herzrhythmusstörungen werden nur behandelt, wenn sie zu Kreislaufinstabilität führen: Bewusstseinsstörungen, Atemnot, Brustschmerz bzw. Pulsfrequenz unter 40/min, RR_{sys} unter 90 mmHg.

Antiarrhythmika

Klasse	Bezeichnung	Substanz	Wirkprofil
I	Natriumantagonisten		
a		Ajmalin	Depolarisationshemmung
b		Lidocain	Repolarisationshemmung
c			Depolarisationshemmung
II	Betarezeptorenblocker	Metoprolol	Sympathikusverminderung
III	Kaliumantagonisten	Amiodaron	Repolarisationsverminderung
IV	Kalziumantagonisten	Verapamil	Hemmung der Na-Ca-Kanäle
–	Digitalis	Metildigoxin	AV-Überleitungshemmung
–	Vagolytika	Atropin	Parasympathikusverminderung
–	Sympathomimetika	Epinephrin	Sympathikussteigerung
–	Adenosin	Adenosin	AV-Überleitungshemmung

Eigene Notizen

Bradykarde Herzrhythmusstörungen

Regelmäßig:

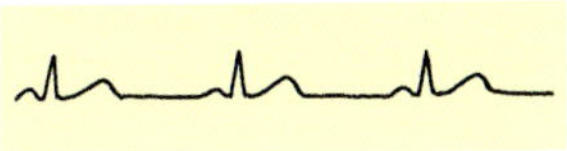

QRS-Komplexe: schmal

- **Sinus-(Vorhof-)Bradykardie (< 50/min)**
  Angaben: Schwindel, Atemnot
  EKG: normales Bild, niedrige Frequenz
  Bewertung: selten Therapie notwendig
  Medikamente: Atropin (0,5 – 3,0 mg i. v.)

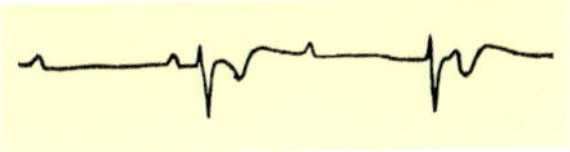

QRS-Komplexe: breit

- **(Totaler) AV-Block 3. Grades (< 30 – 40/min)**
  Angaben: Herzstolpern, Schwindel, evtl. Bewusstlosigkeit (Adams-Stokes-Anfall)
  EKG: unregelmäßige P-QRS-Koppelung
  Bewertung: Asystolierisiko
  Medikamente: Epinephrin (0,05 – 0,1 mg i. v.), Schrittmacher

Unregelmäßig:

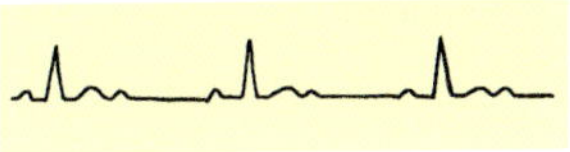

QRS-Komplexe: schmal

- **AV-Block 2. Grades (50 – 60/min)**
  Angaben: Herzstolpern, Schwindel
  EKG: unregelmäßige P-QRS-Koppelung
  Bewertung: selten Therapie notwendig
  Medikamente: Atropin (0,5 – 3 mg i. v.), Epinephrin (0,05 – 0,1 mg i. v.), evtl. Schrittmacher

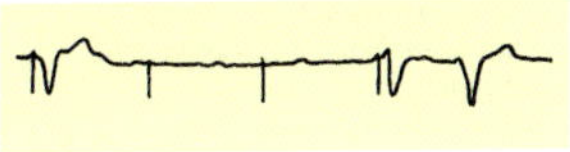

QRS-Komplexe: breit

- **Schrittmacherfehlfunktion (< 60/min)** ► s. S. 65, 105
  Angaben: Schrittmacherträger, Schwindel, Herzstolpern
  EKG: Schrittmacherimpulse ohne QRS-Koppelung
  Medikamente: Atropin (0,5 – 3 mg i. v.), Epinephrin (0,05 – 0,1 mg i. v.)
  Basismaßnahmen: Magnetauflage bei falscher/nicht angebrachter Stimulation

► Merke

- Sonderfall: Linksschenkelblock
  Typisch sind: breiter QRS-Komplex (> 0,12 sec); hohes R in aVL, I; tiefes S in V_1/V_2.
- Sonderfall: Rechtsschenkelblock
  Typisch sind: breiter (> 0,12 sec), gespaltener QRS-Komplex (»M«-förmig) in V_1/V_2; tiefes S in V_5/V_6.

Tachykarde Herzrhythmusstörungen

Regelmäßig:

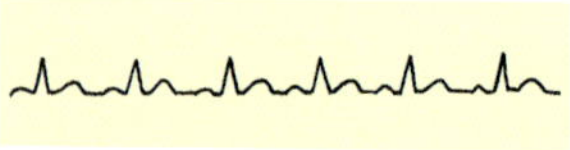

QRS-Komplexe: schmal

– **Sinus-(Vorhof-)Tachykardie (> 100/min)**
Angaben: Herzklopfen
EKG: normales Bild, hohe Frequenz
Bewertung: selten Therapie notwendig
Maßnahmen: Valsalva-Manöver, Karotissinusdruckversuch (einseitig)
Medikamente: Midazolam (2 – 3 mg-weise i. v.), Adenosin (6 mg, ggf. 12 mg i. v.), Metoprolol (3 – 5 mg i. v.)

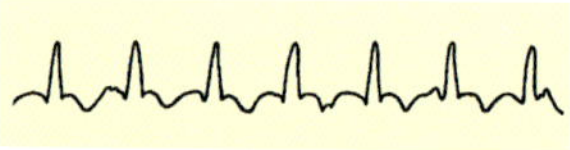

QRS-Komplexe: breit

– **Kammertachykardie (> 150 – 200/min)**
Angaben: Herzrasen, Schwindel
EKG: breite Kammerkomplexe
Gefahr: Übergang in Kammerflimmern
Medikamente: Amiodaron (150 – 300 mg i. v.)
Kardioversion (2 J/kg KG) bei Kreislaufinstabilität
Sondersituation: regelmäßige, spindelförmige Ab- und Zunahme der Höhe der QRS-Komplexe: Torsade de pointes: Therapie: Magnesium (1 – 2 g i. v.)

Unregelmäßig:

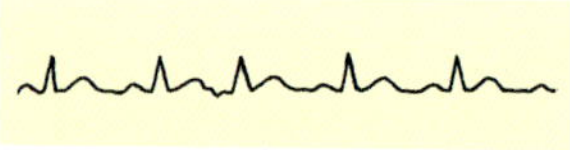

QRS-Komplexe: schmal

– **Vorhofextrasystolie (supraventrikuläre Extrasystolen)**
Angaben: Herzklopfen
EKG: Vorhofextraschläge
Bewertung: selten Therapie notwendig
Medikamente: evtl. Midazolam (2 – 3 mg-weise i. v.)

► **Merke**

- Grundsätzlich ist die Unterscheidung zwischen stabiler und instabiler Kreislaufsituation wichtig.
- Bei allen tachykarden Herzrhythmusstörungen mit Kreislaufinstabilität (Bewusstseinsstörungen, Atemnot, Brustschmerzen) sofortige Kardioversion (s. S. 105).

Tachykarde Herzrhythmusstörungen

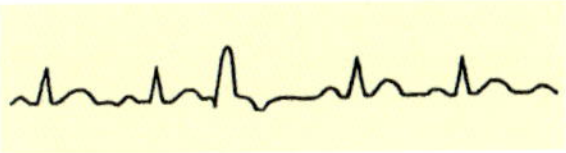

QRS-Komplexe: schmal mit einzelnen breiten QRS-Komplexen

– Kammerextrasystolie (ventrikuläre Extrasystolen)
Angaben: Herzstolpern
EKG: breiter QRS-Komplex ohne P-Welle
Unterscheidung: monomorph, polymorph, Bigeminus, 1 : 2/1 : 3-Extrasystolie, Salven, Anzahl pro Minute
Gefahr: Übergang in Kammertachykardie, -flimmern
Medikamente: Lidocain 2 % (100 mg i. v.)

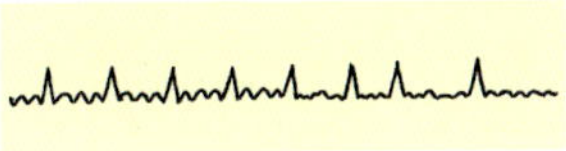

QRS-Komplexe: schmal

– Vorhofflattern, -flimmern
Angaben: Herzrasen, Herzdrücken
EKG: schnelle Vorhofaktion mit unregelmäßiger Überleitung (2 – 4 : 1)
Gefahr: Übergang in Kammertachykardie, -flimmern
Medikamente: Metoprolol (3 – 5 mg i. v.) Kardioversion/Defibrillation, bei Kreislaufinstabilität Heparin (5.000 I. E. i. v.)

Kreislaufstillstand

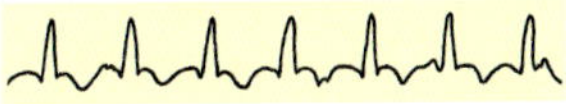

– pulslose Kammertachykardie (KT, VT)
QRS-Komplexe: breit

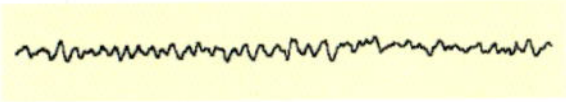

– Kammerflimmern (Kafli, VF)
QRS-Komplexe: unregelmäßig breit

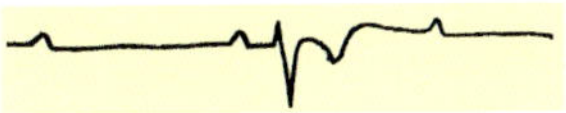

– pulslose elektrische Aktivität (PEA)
QRS-Komplexe: vereinzelt breit

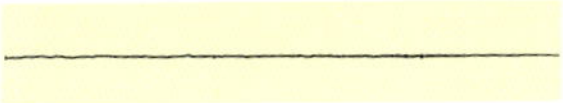

– Asystolie

▶ s. Kardiopulmonale Reanimation S. 108 – 113

Leitsymptom: Brustschmerz

ICD10: R07.4

- **Basistherapie:** Lagerung, O_2-Gabe, i. v. Zugang
- **kontinuierliches Monitoring**: Puls, RR, EKG, SpO_2

Symptom	Verdacht	Maßnahme
retrosternales Engegefühl – Atemnot	Akutes Koronarsyndrom?	Glyceroltrinitrat, ASS Heparin, Morphin
Rücken-/Bauchschmerzen	Aortenaneurysma?	Stabilisierung Transport
einseitig aufgehob. Atemgeräusch	Pneumothorax?	Punktion
Zyanose	Lugenembolie?	Stabilisierung Transport
Fieber	Entzündliche Herzerkrankung?	Stabilisierung Transport
atemabhängiger Schmerz	Pleuritis?	Analgesie
Oberbauchschmerz	Speiseröhren-Magen-Erkrankung?	Abklärung
Leistungsverlust	Muskuläre Herzerkrankung? Ödeme?	Diuretika Katecholamine
Wirbelsäulen-/Rückenschmerz	Muskel-Skelett-Apparat?	Analgesie
atypische Beschwerden	Psychovegetative Erregung?	Sedierung

Merke

Definitive Diagnosestellung meist außerhalb der Klinik nicht möglich. Vorrangig sind die Sicherung der Vitalfunktionen und der baldmögliche Transport in bestgeeignete Klinik (z. B. CT, MRT, PTCA).

Aortenaneurysma

ICD10: I71.8

▶ s. a. akutes Koronarsyndrom S. 167, akutes Abdomen S. 199

– Gefäßeinriss (offen/gedeckt) im Bereich des Bogens, der aufsteigenden oder der absteigenden Brust- bzw. Bauchschlagader

Ursache:
- Artherosklerose, Trauma (Fahrzeugaufprall, Sturz)

Angaben:
- »messerstichartiger« Brustschmerz nach vorn, in den Hals bzw. Rücken (zwischen die Schulterblätter) ausstrahlend

- Unwohlsein
- Schwindel
- Sehstörungen
- Bewusstseinstrübung

- Blässe,
- Puls tachykard
- kaltschweißig
- evtl. Lähmung der Beine
- evtl. fehlender Puls in den Leisten
- evtl. pulsierender Tumor im Bauchraum

- zunächst Blutdruckanstieg
- später Blutdruckabfall (Ruptur)
- ggf. Blutdruckdifferenz rechter Arm > linker Arm

Maßnahmen:
- Beruhigung
- Lagerung ▶

- Sauerstoffgabe
- ggf. Beatmung
- Wärmeerhaltung
- ständige Puls-, RR-, und EKG-Überwachung, SpO_2
- venöser Zugang: langsame Infusion (kristalloide Lösung)

Erweiterte Maßnahmen:
- körperliche Untersuchung
- mehrere großlumige Zugänge
- ggf. Intubation und Beatmung
- Blutdruckeinstellung ~ 100 mmHg syst.
- Medikamente:
  - ggf. Blutdrucksenkung, z. B. Urapidil (10 – 30 mg i. v.)
  - ggf. Volumenzufuhr, z. B. kristalloide Lösung (100 – 250 ml i. v.)
  - evtl. Sedierung, z. B. Midazolam (2 – 3 mg-weise i. v.)
  - evtl. Analgesie, z .B. Morphin (2 – 3 mg-weise i. v.)

▶ **Merke**

– Die wesentliche Gefahr ist die offene Ruptur (inneres Verbluten).

– Frühestmöglicher schonender Transport, bei Ruptur mit Sondersignal.

– intravenöse Gabe von Medikamenten (z. B. Alteplase, Tenecteplase) zum Auflösen von Blutgerinnseln in den Herzkranzgefäßen

– Durchführung:

- z. B. Heparin 5.000 I. E. (60 I. E./kg KG i. v.)
- z. B. ASS (125 – 250 mg i. v.)
- z. B. Alteplase 15 mg als Bolus, dann 85 mg über 90 min

– Indikation: STEMI

1. typische Symptomatik
2. typische Veränderungen im 12-Kanal-EKG:
    - ST-Hebung in mindestens 2 benachbarten Extremitätenableitungen > 1 mm,
    - in 2 benachbarten Brustwandableitungen > 2 mm oder
    - neu aufgetretener Linksschenkelblock
3. Beginn der Beschwerden in den letzten 3 bis 6 (bis 12) Stunden
4. Alter unter 75 Jahre
5. PTCA-Verzögerung über 90 min
6. Reanimation bzw. Verdacht auf Lungenembolie

– Kontraindikationen

absolut:

- Verdacht auf Aortendissektion
- Schlaganfall innerhalb der letzten 6 Monate
- Unfall, Operation, Entbindung (in den letzten 3 Wochen)
- Magen-, Zwölffingerdarmgeschwür (im letzten Monat)
- kardiopulmonale Reanimation in der letzten Zeit mit Verdacht auf Verletzungen

relativ:

- transitorisch-ischämische Attacke (in den letzten 6 Monaten)
- Blutungsneigung, z. B. Kumarin-Behandlung
- Schwangerschaft
- Blutdruck trotz Behandlung über 180/115 mmHg

► Merke

Eine Behandlung im Herzkatheterlabor (PCI) sollte innerhalb von 90 (– 120) min nach Symptombeginn erfolgen.

Akutes Koronarsyndrom

ICD10: I21.9

▶ s. a. Aortenaneurysma S. 165, akutes Abdomen S. 199

Angaben:

- Atemnot, Angst, Übelkeit, Engegefühl in der Brust, drückender Schmerz in der Herzgegend, ausstrahlend in Arm, Hals, Rücken oder Bauch über 20 min Dauer

- Unruhe
- fahle, blasse Haut
- evtl. Zyanose
- evtl. gestaute Halsvenen (kardiogener Schock)

- kühle, feuchte Extremitäten
- Puls bradykard, tachykard und/oder arrhythmisch
- Schwitzen

- Sauerstoffsättigung vermindert
- evtl. Blutdruckabfall
- 12-Kanal-EKG-Veränderungen (STEMI, NSTEMI)

Basismaßnahmen:

- Beruhigung
- Lagerung ▶

- Sauerstoffgabe, ggf. Beatmung
- Wärmeerhaltung
- ständige Puls-, RR- und EKG-Überwachung, SpO_2
- venöser Zugang: langsame Infusion (kristalloide Lösung)

Erweiterte Maßnahmen:

- körperliche Untersuchung
- Voranmeldung Klinik mit PCI, Koronarintervention < 1 Std., insbesondere bei STEMI, neuem LSB

- Medikamente:
  - Herzentlastung (RR_{sys} > 90 mmHg), z. B. Glyceroltrinitrat-Spray (2 – 4 Hübe)
  - Sedierung, z. B. Midazolam (2 – 3 mg-weise i. v.)
  - Schmerzbekämpfung (NRS ≥ 4), z. B. Morphin (2,5 – 5 mg i. v.)
  - Thrombozytenaggregationshemmung, z. B. ASS (125 – 250 mg i. v.)
  - Blutgerinnungshemmung, z. B. Heparin 5.000 I. E
  - evtl. Betablockade, z. B. Metoprolol (2 – 5 mg i. v.)
  - evtl. Thrombolyse, z. B. Alteplase (s. S. 166)
  - Herzfrequenzsteigerung, z. B. Atropin (0,5 – 1 mg i. v.)
  - Extrasystolie (mehr als 6/min, polymorph), z. B. Lidocain (50 mg i. v.)

▶ Merke

- Die Befunde sind bei jüngeren und sehr alten Patienten, Frauen und Diabetikern oft untypisch und vage.
- STEMI bleibt ggf. bei Schenkelblock, PM-Aktivität, Hinterwandlokalisation verborgen (→ Ableitung von $V_7 – V_9$).

(Kardiales) Lungenödem

ICD10: I50.14

– durch akute Minderleistung der linken Herzkammer Austritt von Flüssigkeit aus den Gefäßen der Lungenstrombahn, sogenanntes Rückwärtsversagen

Angaben:

- Angst, Atemnot
- Unruhe
- Blässe, evtl. Zyanose
- aufrechter Oberkörper
- Einsatz der Atemhilfsmuskulatur
- evtl. Austritt von fleischwasserfarbenem Schaum aus dem Mund (schwerste Form)
- Brodeln und feine Rasselgeräusche bei Ein- und Ausatmung
- evtl. spastische Atemgeräusche
- Sauerstoffsättigung vermindert
- Blutdruckanstieg, später Blutdruckabfall
- Puls tachykard, evtl. arrhythmisch

Basismaßnahmen:

- Beruhigung
- Lagerung ▶

- Sauerstoffgabe, ggf. Beatmung
- Wärmeerhaltung
- ständige Puls-, RR- und EKG-Überwachung, SpO_2
- venöser Zugang: langsame Infusion (kristalloide Lösung)

Erweiterte Maßnahmen:

- körperliche Untersuchung
- ggf. CPAP/NIV
- evtl. Intubation + PEEP-Beatmung (5 cm H_2O)
- Medikamente:
  - Herzentlastung, z. B. Glyceroltrinitrat-Spray (2 – 4 Hübe)
  - Ausschwemmung, z. B. Furosemid (20 – 40 mg i. v.)
  - Sedierung, z. B. Midazolam (2 – 3 mg-weise i. v.)
  - evtl. Analgesie, z. B. Morphin (2 – 3 mg-weise i. v.)

▶ Merke

Während das (häufige) kardiale Lungenödem durch eine akute (Links-)Herzinsuffizienz bedingt ist, tritt das (seltene) toxische Lungenödem nach Inhalation von Reizgasen auf (s. S. 267).

(Links-)Herzinsuffizienz

ICD10: I50.19

– akute Leistungsminderung des Herzens mit drohendem Vorwärtsversagen (Blutdruckabfall, Schockzeichen) und drohendem Rückwärtsversagen (Lungenödem)

Angaben:

– Atemnot, Angst, Schwächegefühl

– Unruhe
– schnelle Atmung
– gestaute Halsvenen
– Blässe, evtl. Zyanose

– feine Rasselgeräusche (Lungenödem), mit dem Stethoskop hörbar

– kühle, evtl. feuchte Extremitäten
– evtl. Ödeme

– Sauerstoffsättigung vermindert
– evtl. Blutdruckabfall
– Puls evtl. tachykard, bradykard, arrhythmisch

Basismaßnahmen:

– Beruhigung
– Lagerung ▶

– Sauerstoffgabe, ggf. Beatmung
– evtl. »unblutiger Aderlass«
– Wärmeerhaltung
– ständige Puls-, RR- und EKG-Überwachung, SpO_2
– venöser Zugang: langsame Infusion (kristalloide Lösung)

Erweiterte Maßnahmen:

– körperliche Untersuchung

– Medikamente:
  - Herzentlastung, z. B. Glyceroltrinitrat-Spray (2 – 4 Hübe)
  - Ausschwemmung, z. B. Furosemid (20 – 40 mg i. v.)
  - evtl. Sedierung, z. B. Midazolam (2 – 3 mg-weise i. v.)
  - evtl. Analgesie, z. B. Morphin (2 – 3 mg-weise i. v.)
  - ggf. Behandlung der Rhythmusstörungen ▶ s. S. 161 – 163
  - evtl. Flüssigkeitszufuhr, z. B. kristalloide Lösung (Vorsicht!) (100 – 250 ml i. v.)

▶ **Merke**
Abgesehen von der Lungenembolie und dem Rechtsherzinfarkt (ggf. Volumengabe indiziert) spielt die Rechtsherzinsuffizienz in der Notfallmedizin keine Rolle.

Schock – Grundlagen

Ursachen und Formen:

- *absoluter Volumenmangel:* Blutmenge vermindert durch Blut-, Plasma-, Flüssigkeitsverluste
- *relativer Volumenmangel:* Blutverteilung gestört durch anaphylaktisches, toxisches, septisches Geschehen
- *kardiogener Schock:* Pumpversagen durch Herzrhythmusstörungen, Herzmuskelinsuffizienz
- *Sonderformen:* Herzbeuteltamponade, Lungenembolie

Ablauf:

- Abfall des Herzzeitvolumens
  → kompensatorische Gegenregulation
  → Störung der Makro- und Mikrozirkulation
  → Dekompensation des Kreislaufs in Abschnitten, später insgesamt
  → Organversagen, Tod

Basismaßnahmen: allgemein:

- Lagerung, Sauerstoffgabe, ggf. Intubation, Beatmung
- (mehrere) venöse Zugänge, Wärmeerhaltung, Sedierung
- Überwachung: Bewusstseinslage, Puls, Blutdruck, EKG, neurologischer Status

Spezifisch:

- *absoluter Volumenmangel:* Blutstillung, Schocklage, Volumenersatz, typischer Fehler der Infusionstherapie: zu wenig, zu spät
- *relativer Volumenmangel:* Volumengabe, Epinephrin
- *Pumpversagen:* Normalisierung des Herzrhythmus, Ausschluss eines Volumenmangels, Norepinephrin, evtl. Glyceroltrinitrat-Spray
- *Toxineinwirkung:* Beseitigung des relativen Volumenmangels, evtl. Prednisolon
- *Lungenembolie:* Heparin, evtl. Thrombolyse
- *Hämorrhagischer Schock:* Tranexamsäure (TxA) 1 g Bolus i. v. (über 10 min)

▶Merke
Notfallsonografie (▶ POCUS, s. S. 83) kann hilfreich sein bei der Unterscheidung unterschiedlicher Schockursachen und kann die Diagnostik vor Ort und die Auswahl der Zielklinik unterstützen.

Anaphylaktischer Schock

ICD10: T78.2

<table>
<tr><th>Schweregrad</th><th>Klinische Symptome</th><th>Basismaßnahmen</th><th>Erweiterte Maßnahmen</th></tr>
<tr><td>Stadium I
Hautreaktionen</td><td>– Ödeme
– Quaddeln
– Rötung
– Juckreiz, Brennen</td><td>– Infusionswechsel (falls Ursache)
– Beruhigung
– Sauerstoffgabe</td><td>– venöser Zugang, Infusion Antihistaminika, z. B. Dimetinden (8 mg i. v.)</td></tr>
<tr><td>Stadium II
leichte Kreislaufreaktionen</td><td>– Tachykardie (Puls: +20)
– Blutdruckabfall (RR: -20)
– Übelkeit, Erbrechen, Durchfall
– Atemnot</td><td>– Schocklagerung
– Hilfe beim Erbrechen
– venöser Zugang
– Infusion: kristall. Lösg.</td><td>zusätzlich:
– Kortikosteroide, z. B. Prednisolon (125 mg i. v.)</td></tr>
<tr><td>Stadium III
Schock</td><td>– Schock
– Bronchospasmus</td><td>– evtl. Beatmung, Intubation</td><td rowspan="2">– Epinephrin 0,5 mg i. m. bzw. 0,05–0,1 mg i. v., evtl. wiederholen
– Bronchialerweiterung, z. B. Salbutamol-/Ipratropiumbromid-Inhalation
– Infusion kristalloider Lösung
– Intubation
– Epinephrininfusion, ggf. wiederholte Bolus-Gabe</td></tr>
<tr><td>Stadium IV
Atem- und Kreislaufstillstand</td><td>– Bewusstlosigkeit
– Atemstillstand
– kein Karotispuls</td><td>– kardiopulmonale Reanimation
– Vorbereiten der Medikamente und Hilfsmittel</td></tr>
<tr><td>Prophylaxe</td><td>bei Hinweisen auf Überempfindlichkeiten</td><td>mindestens 30 min vor Exposition</td><td>– Dimetinden (0,1 mg/kg KG i. v.)
– Ranitidin (5 mg/kg KG i. v.)
– Prednisolon (125 mg i. v.)</td></tr>
</table>

Sepsis (Blutvergiftung)

ICD10: A41.9

– lebensbedrohliche Störung der Organfunktionen durch fehlgesteuerte Körperreaktion auf eine Infektion

Angaben:
- Schwächegefühl, Atemnot, Gliederschmerzen
- Unruhe, Desorientiertheit
- Bewusstseinsstörung bis Bewusstlosigkeit (GCS < 15)
- schnelle, flache Atmung (> 20/min)
- gerötete, später blasse Haut
- Puls tachykard, kaum tastbar, Rekapillarisierung > 2 sec
- Temperatur ≥ 38 °C oder ≤ 36 °C
- Herzfrequenz > 90/min
- SpO_2 < 93 %
- RR_{sys} < 100 mmHg

Basismaßnahmen:
- Beruhigung
- Lagerung ▶
- Freimachen/Freihalten der Atemwege
- Sauerstoffgabe, ggf. Beatmung
- Wärmeerhaltung
- ständige Puls-, RR- und EKG-Überwachung, SpO_2
- Schaffung mehrerer venöser Zugänge, kristalloide Lösung (z. B. 1.000–1.500 ml, ggf. wiederholen)

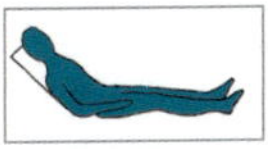

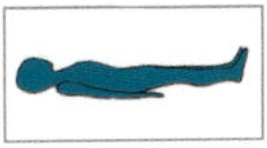

Erweiterte Maßnahmen:
- körperliche Untersuchung
- Maßnahmen:
  - ggf. Intubation und Beatmung (bei Af > 35/min, SpO_2 < 90 % trotz O_2-Zufuhr)
  - Bradyarrhythmie, z. B. Atropin (0,5–1 mg i. v.)
  - Blutdrucksteigerung, z. B. Norepinephrin (Ziel RR_{sys} > 65 mmHg) (0,1–0,8 µg/kg KG/min i. v.)
  - Kreislaufstützung, z. B. Epinephrin (0,1–0,8 µg/kg KG/min i. v.)
  - Sedierung, z. B. Midazolam (2–3 mg-weise i. v.)

▶ **Merke**
- ggf. Früherkennung von kritischen Patienten durch qSOFA-Score (GCS < 15, Af ≥ 22/min, RR_{sys} ≤ 100 mmHg).
- Septischer Schock: Sepsis mit RR_{sys} < 90 mmHg (MAD < 65 mmHg) trotz ausreichender Volumenzufuhr; Katecholaminzufuhr erforderlich (und Laktatspiegel > 2 mmol/l).

Hypertensiver Notfall

ICD10: I10.01

► s. a. Schlaganfall S. 134–135, akutes Koronarsyndrom S. 167, Lungenödem S. 168, (Links-)Herzinsuffizienz S. 169

– Blutdruckanstieg über 220/115 mmHg diastolisch bei meist bekannter Hypertonie mit Zeichen der Organschädigung (Gehirn, Herz, Niere)

Angaben:

- Kopfschmerzen, Sehstörungen, Schwindel, Ohrensausen, Übelkeit, Herzklopfen, Atemnot, Brustschmerz

- Unruhe
- Bewusstseinsstörung bis Bewusstlosigkeit
- Kopf gerötet, Schwitzen
- evtl. Krämpfe

- Blutdruckerhöhung
- Puls tachykard
- evtl. Rasselgeräusche
- evtl. EKG-Veränderungen

Basismaßnahmen:

- Beruhigung
- Lagerung ►
- Freimachen/Freihalten der Atemwege
- Sauerstoffgabe, ggf. Beatmung
- Wärmeerhaltung
- ständige Puls-, RR- und EKG-Überwachung, SpO_2
- venöser Zugang: langsame Infusion (kristalloide Lösung)

Erweiterte Maßnahmen:

- körperliche und neurologische Untersuchung
- Medikamente:
  - Blutdrucksenkung,
    z. B. Nitrendipin (5 mg p. o.),
    z. B. Furosemid (10–20 mg i. v.),
    z. B. Urapidil (10–50 mg i. v.)
  - Sedierung, z. B. Midazolam (2–3 mg-weise i. v.)
  - Ausschwemmung, z. B. Furosemid (20–40 mg i. v.)

►**Merke**

- Blutdruckmessung jeweils dreimal an beiden Armen, innerhalb von ca. 5 min, ggf. auch Messung nach Aufstehen.
- Die Gefahr der hypertonen Krise liegt in der Möglichkeit von Hirnblutungen, akutem Herzversagen (Linksherzinsuffizienz, Lungenödem) und akutem Koronarsyndrom.
- Ziel der Erstbehandlung ist die Vermeidung hypertensiver Komplikationen in den Organen.
- Blutdruck nicht abrupt senken: max. 50 mmHg in 30 min; nicht unter 150/100 mmHg.

Lungenembolie

ICD10: I26.9

▶ S. A. AKUTES KORONARSYNDROM S. 167, (LINKS-)HERZINSUFFIZIENZ S. 169

– Verschluss der Lungenschlagader oder ihrer Äste durch einen Thrombus

Angaben:

– Schmerz und Engegefühl im Brustkorb, plötzliche Atemnot, Schwindel, Hustenreiz, evtl. Bluthusten, evtl. kürzliche Operation (Hüft-, Knie-TEP), Thrombose/Embolie in der Vorgeschichte, Alter > 80 Jahre, Tumorleiden, Herzinsuffizienz

– Bewusstseinsstörung bis Bewusstlosigkeit
– Zyanose, evtl. Blässe
– schnelle, flache Atmung
– evtl. gestaute Halsvenen

– feuchte, kühle Extremitäten
– Schwellung, Druckschmerz Wade
– Schweißausbruch
– Puls tachykard, unregelmäßig, evtl. Kreislaufstillstand (PEA)

– Sauerstoffsättigung stark vermindert
– Blutdruckabfall
– EKG-Veränderungen (RSB, T neg. in V_{1-2}, III)

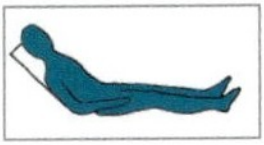

Basismaßnahmen:

– Beruhigung
– Lagerung ▶
– Freimachen/Freihalten der Atemwege
– Sauerstoffgabe, ggf. Beatmung
– Wärmeerhaltung
– ständige Puls-, RR- und EKG-Überwachung, SpO_2
– venöser Zugang: langsame Infusion (kristalloide Lösung)

Erweiterte Maßnahmen:

– körperliche Untersuchung
– Ausschluss Volumenmangel

– Medikamente:
  • Sedierung, z. B. Midazolam (2 – 3 mg-weise i. v.)
  • Schmerzbekämpfung, z. B. Morphin (2 – 3 mg-weise i. v.)
  • Blutgerinnungshemmung, z. B. Heparin (5.000 – 10.000 I. E. i. v.)
  • evtl. Thrombolyse, z. B. Alteplase (100 mg i. v.) (s. S. 166)
– ggf. Intubation und Beatmung (100 % O_2), evtl. PEEP (5 cm H_2O)

▶**Merke**

– Bei ausgeprägter Zyanose, die sich trotz einwandfreier Beatmung (100 % O_2) nicht bessert: immer Verdacht auf Lungenembolie.
– Die Symptome und Beschwerden sind oft untypisch, vage und wechselnd (s. S. 148).
– Typische EKG-Veränderungen: (inkompl.) Rechtsschenkelblock (RSB), ST-Hebungen/T neg. in V_{1-2}, III.

Thrombose: Akuter Venenverschluss

ICD10: I80.9

– plötzlicher Verschluss einer Extremitätenvene bzw. im Becken-/Hohlvenenbereich durch einen Thrombus, meist Beine betroffen

Angaben:

– plötzliche Schmerzen, Druckgefühl, Schmerzlinderung bei Hochlagerung

– Rötung
– Schwellung
– Zyanose
– pralle Venenfüllung

– Druckschmerzhaftigkeit
– Fußsohlendruckschmerz
– Puls an der Extremität tastbar
– warme Haut
– evtl. Lähmungserscheinungen

Basismaßnahmen:

– Beruhigung
– Lagerung ▶

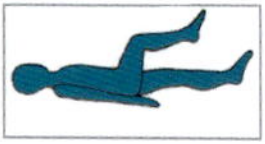

– Ruhigstellung
– Wärmeerhaltung
– ständige Puls-, RR- und EKG-Überwachung, SpO_2
– venöser Zugang: kristalloide Lösung

Erweiterte Maßnahmen:

– körperliche Untersuchung

– Medikamente:
  • Schmerzbekämpfung,
    z. B. Morphin (2 – 3 mg-weise i. v.),
    z. B. ASS (125 – 250 mg i. v.)
  • Sedierung, z. B. Midazolam (2 – 3 mg-weise i. v.)
  • Blutgerinnungshemmung, z. B. Heparin (10.000 – 15.000 I. E. i. v.)

▶ **Merke**

– Sind beide Beine betroffen, besteht der dringende Verdacht auf eine Beckenvenenthrombose → Flachlagerung.
– Während der Verschluss einer oberflächlichen Vene (z. B. eines Beins) meist folgenlos bleibt, droht bei Thrombosen tiefer venöser Gefäße im Oberschenkelbereich und im Bauchraum eine Thrombusverschleppung (▶ LUNGENEMBOLIE, s. S. 148, 177).

Akuter peripherer Arterienverschluss (Embolie / Thrombose) ICD10: I74.9

– Verschluss einer Extremitätenarterie durch einen Embolus (z. B. aus dem Herzen)
Sonderfälle: Im Bereich der Hirnarterien kommt es zum Bild des Schlaganfalls oder zum Zentralarterienverschluss (am Auge) mit akuter Erblindung.

Angaben:

- plötzliche Schmerzen, Gefühlsstörungen, Lähmungserscheinungen, Schmerzlinderung bei Tieflagerung

- evtl. Bewusstseinsstörung bis Bewusstlosigkeit
- Blässe, später marmoriert
- fehlende Venenfüllung bei Tieflagerung

- Puls tachykard, evtl. arrhythmisch
- Fehlen des peripheren Pulses an der betroffenen Extremität
- Lähmungen
- kühle Haut
- Pulsoxymeter zeigt kein Signal

Basismaßnahmen:

- Beruhigung
- Lagerung ▶

- Ruhigstellung
- Extremität umpolstern
- Wärmeerhaltung
- ständige Puls-, RR- und EKG-Überwachung, SpO_2
- venöser Zugang: kristalloide Lösung

Erweiterte Maßnahmen:

- körperliche und neurologische Untersuchung

- Medikamente:
  - Sedierung, z. B. Midazolam (2 – 3 mg-weise i. v.)
  - Schmerzbekämpfung, z. B. Morphin (2 – 3 mg-weise i. v.)
  - evtl. Gerinnungshemmung,
    z. B. Heparin (5.000 – 10.000 I. E. i. v.)
    z. B. ASS (125 – 250 mg i. v.)

▶ Merke
Kein venöser Zugang an der betroffenen Extremität!

Spezielle Notfälle
Wasser-Elektrolyt-/ Säure-Basen-Haushalt

Siehe auch

	Ursache	Blutvolumen	Elektrolyte im Serum*	Hk	ZVD	Basismaßnahmen
normal	–	–	siehe unten	40–50	3–6 cm H_2O	–
hypotone Dehydratation	z. B. Medikamente	↓	↓	↑	↓	Infusion, z. B. kristalloide Lösung
isotone Dehydratation	z. B. Durchfall	↓	normal	↑	↓	Infusion, z. B. kristalloide Lösung
hypertone Dehydratation	z. B. Erbrechen	↓	↑	↑	↓	Infusion, z. B. kristalloide Lösung
hypotone Hyperhydratation	z. B. Süßwasserertrinken	↑	↓	↓	↑	Infusion, z. B. kristalloide Lösung, und Diuretika, z. B. Furosemid
isotone Hyperhydratation	z. B. Herzinsuffizienz	↑	normal	↓	↑	Diuretika, z. B. Furosemid
hypertone Hyperhydratation	z. B. im Meer Ertrinkender (Salzwasserertrinken)	↑	↑	↓	↑	Diuretika, z. B. Furosemid und kristalloide Lösung

hypoton: Elektrolytkonzentration erniedrigt · *isoton:* Elektrolytkonzentration normal · *hyperton:* Elektrolytkonzentration erhöht · *Dehydratation:* Wassergehalt erniedrigt · *Hyperhydratation:* Wassergehalt erhöht

Hk: Hämatokrit (Anteil der Blutzellen am Gesamtblut)
ZVD: Zentraler Venendruck (»Venenfüllung«)

* Natrium, Kalium, Kalzium, Magnesium, Chlor

Störungen im Wasser-Elektrolyt-Haushalt

ICD10: E87.8

▶ s. a. Coma diabeticum S. 139, Störungen Säure-Basen-Haushalt S. 185, Krampfanfall S. 231

– Insbesondere sind Säuglinge, Kinder sowie alte Menschen gefährdet.
– Wasser- und Elektrolytmangelzustände durch:
  • Erbrechen, Durchfälle (z. B. Magen-Darm-Infektionen)
  • verstärktes Schwitzen (z. B. Hitze, Fieber)
  • Verschiebung im Körper (z. B. Darmverschluss)
  • überschießende Ausscheidung (z. B. Medikamente, Diabetes mellitus/insipidus)

Angaben:
– Schwächegefühl, Durst, Übelkeit

– Unruhe
– evtl. Bewusstseinsstörung bis Bewusstlosigkeit
– trockene Haut und Schleimhäute
– fehlende Halsvenenfüllung

– Puls tachykard, kaum tastbar
– herabgesetzter Hautturgor

– evtl. Blutdruckabfall
– Blutzuckertest
– evtl. Fieber

Basismaßnahmen:
– Beruhigung
– Lagerung ▶

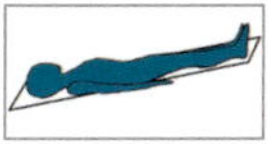

– Freimachen/Freihalten der Atemwege
– Sauerstoffgabe, ggf. Beatmung
– Wärmeerhaltung
– ständige Puls-, RR- und EKG-Überwachung, SpO_2
– venöser Zugang: kristalloide Lösung

Erweiterte Maßnahmen:
– körperliche Untersuchung
– ggf. Flüssigkeitsersatz, z. B. kristalloide Lösung (500 – 1.000 ml i. v.)

▶ Merke

Hyperkaliämie: AV-Blockierung, flache/fehlende P-Welle, hohe T-Welle (>R), PR-Intervall verlängert, AV-Blockierungen, QRS > 0,12 sec

Medikamente:
– Salbutamol (bis 5 Hübe)
– $NaHCO_3$ (z. B. 50 mmol i. v. in 2 min)
– Calcium 10 % (z. B. 10 ml i. v. in 2 min), nicht zusammen mit $NaHCO_3$ (Ausfällung)

Hypokaliämie: Herzrhythmusstörungen, ST-Senkung, flache T-Wellen

Medikamente:
– Kalium (z. B. 20 mmol i. v. in 10 min)
– Magnesium (0,1 mmol/kg KG i. v., z. B. Mg 50 %: 4 ml in 15 min)

Störungen des Säure-Basen-Haushaltes

	Ursache	pH	pCO_2	BE	Maßnahmen
normal	–	7,35–7,45	35–45	(-3)–(+3)	–
respiratorische Alkalose	z. B. Hyperventilation	normal bis ↑	↓	normal bis ↑	Atemvolumen senken
respiratorische Azidose	z. B. Ateminsuffizienz	normal bis ↓	↑	normal bis ↓	Atemvolumen steigern
metabolische Alkalose	z. B. Erbrechen	normal bis ↑	normal bis ↑	↑	chlorhaltige Infusion
metabolische Azidose	z. B. Coma diabeticum, Schock	normal bis ↓	normal bis ↓	↓	Klinik: Gabe von $NaHCO_3$

pH-Wert:	Säurewert (»Wasserstoff-(H)-Ionenkonzentration«)
Alkalose:	Blut-pH über 7,45
Azidose:	Blut-pH unter 7,35
respiratorisch:	durch Atemstörung bedingt
pCO_2:	Kohlendioxid-Partialdruck (»Menge«) im Blut
BE (Base Excess):	Basenüberschuss (»alkalische Pufferreserve«)

In der Klinik: gezielte Korrektur der Störung (nach Laborwerten)

→ respiratorische Störungen:
Atemvolumeneinstellung (Atemzugvolumen, -frequenz)

→ metabolische Störungen:
- Alkalosen: Arginin-Hydrochlorid (Arg-HCl)
- Azidosen: Natriumbikarbonat ($NaHCO_3$)

Ausgleich: Jeweils nach der Formel:
ml Bedarf = kg KG × (-BE) × 0,3, wobei initial die Hälfte des berechneten Bedarfs zugeführt wird.

Störungen des Säure-Basen-Haushaltes – Azidose

ICD10: E87.2

▶ s. a. Störungen Wasser-Elektrolyt-Haushalt S. 182–183, kardiopulmonale Reanimation S. 108–113

– Azidose: Blut-pH < 7,35

Ursachen:

▶ Atemstörung (s. S. 145), Herz-Kreislauf-Störung (s. S. 155)
▶ Nierenfunktionsstörung
▶ diabetische Entgleisung (s. S. 139)
▶ Vergiftungen (s. S. 261)

– Unruhe
– Atemnot
– Bewusstseinsstörung bis Bewusstlosigkeit
– Blässe, evtl. Zyanose
– evtl. vertiefte (Azidose-)Atmung (Kußmaul-Atmung)
– evtl. Krämpfe
– evtl. zusätzliche Störungen im Wasser-Elektrolyt-Haushalt

– Puls evtl. tachykard, bradykard, arrhythmisch
– Schwitzen
– evtl. Acetongeruch der Ausatemluft

– Blutdruckabfall
– Blutzuckertest

Basismaßnahmen:

– Beruhigung
– Lagerung ▶
– Freimachen/Freihalten der Atemwege
– Sauerstoffgabe, ggf. Beatmung
– Wärmeerhaltung
– ständige Puls-, RR- und EKG-Überwachung, SpO_2
– venöser Zugang: kristalloide Lösung

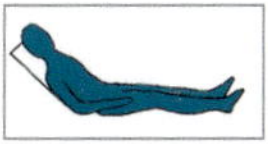

Erweiterte Maßnahmen:

– körperliche Untersuchung

– Medikamente:
  • ggf. Volumenersatz, z. B. kristalloide Lösung (500–1.000 ml i. v.)
  • Sedierung, z. B. Midazolam (2–3 mg-weise i. v.)
  • Azidoseausgleich (außerklinisch): nur bei Kreislaufstillstand

▶ **Merke**
Abgesehen von der »Hyperventilationstetanie« und sehr seltenen Krankheitszuständen (z. B. langwierigem, massivem Erbrechen bei Kleinkindern) spielen Alkalosen (Blut-pH über 7,45) in der Notfallmedizin keine Rolle.

Eigene Notizen

Spezielle Notfälle
Verletzung / Chirurgie

Siehe auch

Schweregrade des Schädel-Hirn-Traumas

SHT 1. Grades (Commotio cerebri):	Gehirnerschütterung, GCS 14–15 Bewusstlosigkeit unter 15 Minuten, keine Spätschäden
SHT 2. Grades (Contusio cerebri):	Gehirnprellung, GCS 9–13 vorübergehende Bewusstlosigkeit, kaum Spätschäden
SHT 3. Grades (Compressio cerebri):	Gehirnquetschung, GCS 3–8 Bewusstlosigkeit über 24 Stunden, Spätschäden

Indikationen zur Zervikalstütze

NEXUS-Kriterien	Immo-Regel
• Druckschmerz über der Mittellinie der HWS	• schwerverletzt
• fokales neurologisches Defizit	• SHT mit GCS ≤12
• gestörte Vigilanz (GCS)	• Peripher-neurolog. Defizite
• Verdacht auf Intoxikation	• Starke Wirbelsäulenschmerzen (NRS ≥5)
• weiteres schweres Trauma	

Schädel-Hirn-Trauma (SHT)

ICD10: S06.9

Angaben:

- Kopfschmerz, Schwindel, Erinnerungslücke (vor/nach Ereignis), evtl. Sehstörungen, Übelkeit, Unfallmechanis, z. B. Sturz > 3 m Höhe

- Unruhe
- Bewusstseinsstörungen bis Bewusstlosigkeit
- evtl. Streck-, Beugekrämpfe
- Atemstörung bis Atemstillstand
- Pupillendifferenz, -erweiterung, Bulbusstellung
- Blutung/Liquor aus Nase, Ohren und Mund
- Orientierung: zeitlich, örtlich, zur Person, zur Situation

- Sprachstörungen

- Puls tachykard, evtl. arrhythmisch, bradykard (Druckpuls)
- evtl. Lähmungen

- Blutdruckanstieg
- Glasgow Coma Scale < 13: Notarztindikation, < 9: Intubation
- Blutzuckertest

Basismaßnahmen:

- Beruhigung
- ggf. Zervikalstütze, s. S. 188
- Lagerung ▶
- Freimachen/Freihalten der Atemwege
- Sauerstoffgabe, ggf. Beatmung
- Blutstillung
- sterile Wundabdeckung, Verband
- Wärmeerhaltung
- ständige Atem-, Puls-, RR- und EKG-Überwachung, SpO_2
- venöser Zugang: langsame Infusion (kristalloide Lösung)

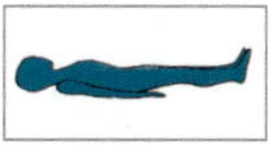

RR < 90/60

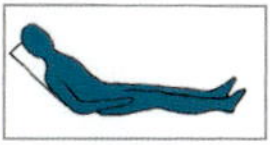

RR > 90/60

Erweiterte Maßnahmen:

- körperliche und neurologische Untersuchung
- großzügige Indikation zur Intubation und Beatmung
- Voranmeldung in der Klinik

- Medikamente:
  - Schmerzbekämpfung, z. B. Fentanyl (0,1 – 0,2 mg i. v.)
  - Sedierung, z. B. Midazolam (2 – 3 mg-weise i. v.)
  - Krampfdurchbrechung, z. B. Midazolam (0,15 – 0,2 mg/kg KG i. v.)
  - Blutdrucksteigerung, z. B. Cafedrin/Theodrenalin 0,5 – 1 ml i. v.
  - Narkoseeinleitung ▶ s. S. 124 – 125

Blutung in das Schädelinnere

ICD10: S06.8

- durch äußere Gewalteinwirkung (z. B. SHT) oder ohne äußere Gewalteinwirkung (z. B. angeborene Gefäßmissbildung)
- Einteilung in epidurale, subdurale, subarachnoidale, intrazerebrale Blutung

Angaben:

- Kopfschmerzen, Schwindel, Übelkeit, Nackensteifigkeit
- Bewusstseinsstörung bis Bewusstlosigkeit (evtl. nach anfänglicher Ansprechbarkeit)
- Atemstörung bis Atemstillstand
- Pupillenveränderungen (weit, Seitenunterschied, keine Lichtreaktion)
- evtl. Beuge-/Streckkrämpfe
- evtl. Einnässen

- evtl. Lähmungen
- Puls tachykard, bradykard (Druckpuls)

- evtl. Blutdrucksteigerung
- Blutzuckertest
- ggf. infarkttypische Veränderungen

Basismaßnahmen:

- Beruhigung
- Lagerung ▶
- Freimachen/Freihalten der Atemwege
- Sauerstoffgabe, ggf. Beatmung
- evtl. Wundverband
- Wärmeerhaltung
- ständige Atem-, Puls-, RR- und EKG-Überwachung, SpO_2
- venöser Zugang: kristalloide Lösung

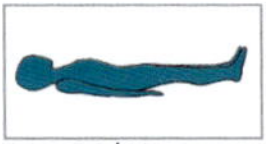

RR < 90/60

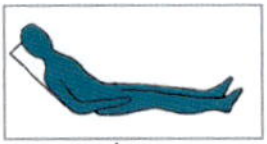

RR > 90/60

Erweiterte Maßnahmen:

- körperliche und neurologische Untersuchung
- evtl. Intubation und Beatmung
- Voranmeldung in der Klinik mit CT/MRT
- Medikamente:
  - Schmerzbekämpfung, z. B. Fentanyl (0,1 – 0,2 mg i. v.)
  - Sedierung, z. B. Midazolam (2 – 3 mg-weise i. v.)
  - Blutdrucksenkung (RR < 180/110 mmHg), z. B. Urapidil (5 – 25 mg i. v.)
  - Krampfdurchbrechung, z. B. Midazolam (0,15 – 0,2 mg/kg KG i. v.)
  - Narkoseeinleitung ▶ s. S. 124 – 125

> ▶ **Merke**
> Die Gefahr der intrakraniellen Blutung liegt in der Hirneinklemmung mit endgültigem Atem- und Herz-Kreislauf-Stillstand.

Gesichtsschädeltrauma

ICD10: S01.7

▶ s. a. Schädel-Hirn-Trauma S. 189, Augenverletzung S. 252

– Verletzungen von Weichteilen und Knochen im Gesichtsbereich

Angaben:

– Schmerzen, evtl. Gefühlsstörungen, Unfallmechanismus

– evtl. Bewusstseinsstörung bis Bewusstlosigkeit
– Atemstörung
– Verletzungen im Stirn-, Schläfen-, Nasenbein-, Augenbereich, Mund, Kiefer: Asymmetrie, Einblutungen
– evtl. Knochensplitter
– evtl. lockere, ausgebrochene Zähne
– kein Zahn-/Kieferschluss

– evtl. Atemnebengeräusch

– Puls tachykard
– Blutdruckabfall
– Blutzuckertest

Basismaßnahmen:

– Beruhigung
– ggf. Zervikalstütze, s. S. 188
– Lagerung ▶

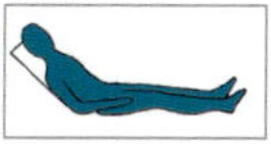

– Freimachen/Freihalten der Atemwege
– Sauerstoffgabe, ggf. Beatmung
– Blutstillung
– sterile Wundabdeckung, Verband
– Wärmeerhaltung
– ständige Atem-, Puls- und RR-Überwachung, SpO_2
– venöser Zugang: kristalloide Lösung

Erweiterte Maßnahmen:

– großzügige Indikation zur Intubation und Beatmung (Aspirationsprophylaxe)
– ggf. kristalloider Volumenersatz, z. B. Ringer-Laktat (500 – 1.000 ml)

– Medikamente:
  • Schmerzbekämpfung, z. B. Fentanyl (0,1 – 0,2 mg i. v.)
  • Sedierung, z. B. Midazolam (2 – 3 mg-weise i. v.)
  • ggf. Narkoseeinleitung ▶ s. S. 124 – 125

▶ Merke
– Bei Gesichtsverletzungen keine Magensonde, Absaugkatheter oder Wendl-Tubus durch die Nase einführen: Verletzungsgefahr durch Abgleiten auf einen falschen Weg (Schädelinneres).
– Intubation womöglich schwierig (Blutung).

Starke Blutung aus der Nase

ICD10: R04.0

- meist Gefäßverletzung an der vorderen Nasenscheidewand
- meist unter Einnahme von Blutverdünnern

Basismaßnahmen:

- Beruhigung
- Lagerung ▶
- nach vorn beugen
- Nasenflügel zusammendrücken (lassen)
- nasse, kalte Wickel im Nacken
- ständige Atem-, Puls- und RR-Überwachung, SpO_2
- venöser Zugang: Infusion (kristalloide Lösung)

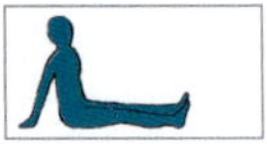

Erweiterte Maßnahmen:

- körperliche Untersuchung: Blutungsstärke?
- Nasentamponade: kleine Kompresse mit 2 ml Epinephrin (1:10.000)
- ggf. kristalloider Volumenersatz, z. B. Ringer-Laktat (500 – 1.000 ml)
- im Extremfall: Ballontamponade (Bellocq), Blasenkatheter durch die Nase einführen, im Rachen blocken, zurückziehen
- Medikamente:
  - Nasenspray, z. B. Xylometazolin
  - ggf. Blutdrucksenkung, z. B. Urapidil (10 – 50 mg i. v.)
  - Sedierung, z. B. Midazolam (2 – 3 mg-weise i. v.)

▶ **Merke**

- Kopf nicht in den Nacken wenden (lassen), sondern nach vorn oder unten, damit Blut nicht in den Rachen einlaufen kann (Aspirationsgefahr).
- Nasenbluten nicht unterschätzen.

Wirbelsäulentrauma

ICD10: T09.3

- durch äußere Gewalteinwirkung (teilweise) vordere/mittlere/hintere Rückenmarksquetschung oder Durchtrennung mit unvollständigem bzw. vollständigem Querschnitt

Angaben:

- Schmerz, Empfindungsstörungen, Ausfall der Fähigkeit zur aktiven Bewegung, meist der Beine (tiefer Querschnitt); Unfallmechanismus, z. B. Sturz > 3 m Höhe

- evtl. Bewusstseinsstörung bis Bewusstlosigkeit
- Störungen der Atembewegungen
- unwillkürlicher Harn- und Stuhlabgang
- keine Reaktion auf Schmerzreiz, keine Abwehrbewegungen
- Bewegungsstörungen (Arme, Beine; halb-/beidseitig)

- Puls tachykard, evtl. bradykard (spinaler Schock)
- schlaffe Extremitäten (Lähmung)
- Blutdruckabfall (spinaler Schock)

Basismaßnahmen:

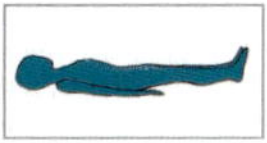

- Beruhigung
- keine unnötige Umlagerung ▶
- Freimachen/Freihalten der Atemwege (keine Kopfüberstreckung)
- Sauerstoffgabe, ggf. Beatmung
- Ruhigstellung der HWS mit exakt passender Manschette
- Umlagerung mit Schaufeltrage oder Spineboard, auf vorgeformte Vakuummatratze
- Wärmeerhaltung
- ständige Atem-, Puls-, RR- und EKG-Überwachung, SpO_2
- venöser Zugang: kristalloide Lösung
- besonders schonender Transport (z. B. Hubschrauber)

Erweiterte Maßnahmen:

- körperliche und neurologische Untersuchung
- ggf. Intubation und Beatmung
- ggf. kristalloider Volumenersatz, z. B. Ringer-Laktat (500 – 1.000 ml)
- Voranmeldung in der Klinik

- Medikamente:
  - Schmerzbekämpfung, z. B. Fentanyl (0,1 – 0,2 mg i. v.)
  - Sedierung, z. B. Midazolam (2 – 3 mg-weise i. v.)
  - ggf. Narkoseeinleitung ▶ s. S. 124 – 125

▶ Merke

- Jeder Bewusstlose und Unfallverletzte muss so behandelt und transportiert werden, als ob ein Wirbelsäulentrauma vorliegt (Zervikalstütze, Schaufeltrage).
- Bei »hohem Querschnitt«: Ateminsuffizienz → Beatmung.

Differenzialdiagnose: Pneumothorax

Pneumothorax		Spannungspneumothorax
Atemnot Schmerzen beim Atmen	◄ Angaben ►	Zunahme von Schmerzen und Atemnot
Lufteintritt in den Pleuraraum von innen oder außen	◄ Ursache ►	zunehmende Luftmenge im Pleuraraum mit Kompression der Restlunge und Verschiebung des Mittelfellraums
aufrechter Oberkörper, Blässe → Zyanose, evtl. Thoraxwunde, blutiger Auswurf, paradoxe Atmung	◄ ►	unter Beatmung (100 % O_2) Zunahme der Zyanose, Halsvenenstauung
Husten, einseitig fehlendes Atemgeräusch beim Abhören, evtl. Hautknistern (Hautemphysem), Puls beschleunigt	◄ ►	einseitig fehlendes Atemgeräusch, evtl. Hautknistern (Hautemphysem), Puls tachykard kaum tastbar, Haut kaltschweißig und feucht
Blutdruck normal bis ▼	◄ ►	Blutdruck ▼▼▼
Lagerung	◄ Basismaßnahmen ►	Punktion, Wundspreizung

▶ **Merke**
Steigt unter Beatmung, z. B. eines Thoraxverletzten, der Beatmungsdruck kontinuierlich an, immer an einen Spannungspneumothorax denken.

▶ **Merke**
Erkennen und Unterscheiden des Pneumothorax durch POCUS.

Pneumothorax

ICD10: S27.0

- Kollabieren eines Lungenflügels nach Verletzung der Lunge und/oder der Brustwand (z. B. Thoraxtrauma, Alveolarruptur)

Angaben:

- atemabhängige, einseitige Brustschmerzen, Atemnot

- Unruhe
- veränderte Atembewegungen (Seitendifferenz)
- Blässe bis Zyanose
- evtl. Abhusten von blutig-schaumigem Sekret
- Prellmarken, Verletzung
- Halsvenenstauung

- Husten
- beim Abhören: einseitig fehlendes Atemgeräusch
- evtl. Hautknistern (Hautemphysem)
- Klopfschalldifferenz

- Puls tachykard
- Sauerstoffsättigung vermindert
- evtl. Blutdruckabfall
- POCUS-Befund

Basismaßnahmen:

- Beruhigung
- Lagerung ▶, möglichst auf verletzter Seite
- Freimachen/Freihalten der Atemwege
- Sauerstoffgabe, ggf. Beatmung
- »schlürfende« Wunde: Kompressen
- Wärmeerhaltung
- ständige Atem-, Puls-, EKG- und RR-Überwachung, SpO_2
- venöser Zugang: kristalloide Lösung

Erweiterte Maßnahmen:

- körperliche Untersuchung
- Thoraxwunde offen lassen
- Intubation und Beatmung
- bei Spannungspneumothorax: Punktion

- Medikamente:
  - Schmerzbekämpfung, z. B. Fentanyl (0,1 – 0,2 mg i. v.)
  - Sedierung, z. B. Midazolam (2 – 3 mg-weise i. v.)

▶ Merke

- Zur Verminderung des Pneumothoraxvolumens: höchstmögliche Sauerstoffzufuhr (Auswaschung von Stickstoff).
- Bei offenem Pneumothorax kein luftdichter Verband, da insbesondere beim beatmeten Patienten daraus ein Spannungspneumothorax entstehen kann.
- Bei Hinweis auf Verletzungen der Lunge und/oder des Herzens: Transport in Traumazentrum.

Thoraxtrauma

ICD10: S22.9

– stumpfe (geschlossene) oder penetrierende (offene) Verletzung des Thorax und seiner Organe mit (Spannungs-)Pneumothorax (s. S. 194 – 195), Hämatothorax, Herzbeuteltamponade (s. S. 103), Tracheal- oder Bronchusabriss, Aorteneinriss, Herzkontusion; frühestmöglicher Transport mit Sondersignal

Angaben:
- Atemnot, atemabhängiger Schmerz, ggf. Herzschmerz, Unfallmechanismus, z. B. Sturz > 3 m Höhe

- schnelle, flache, evtl. paradoxe Atmung
- (Blut-)Husten
- evtl. prall gefüllte Halsvenen
- Prellmarken, ggf. Wunde

- evtl. Hautknistern
- evtl. einseitig fehlendes Atemgeräusch
- evtl. Rasselgeräusche

- Puls tachykard, kaum tastbar
- evtl. Herzrhythmusstörungen (Herzkontusion)
- Schmerz beim Abtasten des Thorax

- Blutdruckabfall
- evtl. Sauerstoffsättigung vermindert trotz O_2-Gabe
- POCUS-Befund

Basismaßnahmen:
- Beruhigung
- Lagerung ▶ möglichst auf verletzte Seite

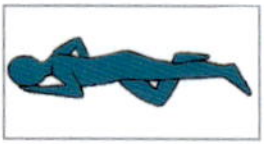

- Freimachen/Freihalten der Atemwege
- Sauerstoffgabe, ggf. Beatmung
- Thoraxwunde locker steril abdecken
- Wärmeerhaltung
- ständige Atem-, Puls-, EKG- und RR-Überwachung, SpO_2
- venöser Zugang: kristalloide Lösung

Erweiterte Maßnahmen:
- körperliche Untersuchung
- großzügige Indikation zur Intubation und Beatmung
- ggf. kristall. Volumenersatz, z. B. Ringer-Laktat (500 – 1.000 ml)
- ggf. Punktion bei Spannungspneumothorax
- ggf. Herzbeutelpunktion

- Medikamente:
  - Schmerzbekämpfung, z. B. Fentanyl (0,1 – 0,2 mg i. v.)
  - Sedierung, z. B. Midazolam (2 – 3 mg-weise i. v.)
  - ggf. Narkoseeinleitung

▶ Merke
- Bei Brustkorbverletzungen kein luftdichter Verband, sonst Druckanstieg.
- Fremdkörper in der Wunde belassen.

Abdominaltrauma

ICD10: S39.9

- geschlossenes (stumpfes) Bauchtrauma, z. B. Milz-/Leberverletzung, oder offenes (perforierendes) Bauchtrauma, z. B. Schuss-, Stich-, Pfählungsverletzung

Angaben:

- Unfallmechanismus, Schmerzen, Übelkeit

- offene Verletzung, Austreten von Darmschlingen
- Fremdkörper
- Prellmarken
- schnelle, flache Atmung
- Blässe

- Puls tachykard, kaum tastbar
- kalter Schweiß
- harte Bauchdecke (Abwehrspannung)

- Blutdruckabfall
- POCUS-Befund

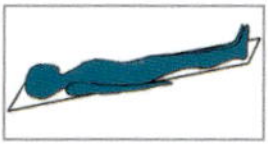

Basismaßnahmen:

- Beruhigung
- Lagerung ▶
- Freimachen/Freihalten der Atemwege
- Sauerstoffgabe, ggf. Beatmung
- sterile Wundabdeckung, zusätzlich Ringpolster
- ausgetretene Darmschlingen nicht zurückstopfen
- evtl. eingedrungene Fremdkörper (Pfählung) belassen
- Wärmeerhaltung
- ständige Atem-, Puls-, EKG- und RR-Überwachung, SpO_2
- venöser Zugang: kristalloide Lösung

Erweiterte Maßnahmen:

- Vorabinformation der Klinik
- ggf. Transport mit Sondersignal
- körperliche Untersuchung
- ggf. kristall. Volumenersatz, z. B. Ringer-Laktat (500 – 1.000 ml)
- ggf. Intubation und Beatmung
- Magensonde

- Medikamente:
  - Schmerzbekämpfung, z. B. Metamizol (1 g i. v.), z. B. Fentanyl (0,1 – 0,2 mg i. v.)
  - Sedierung, z. B. Midazolam (2 – 3 mg-weise i. v.)
  - ggf. Narkoseeinleitung ▶ s. S. 124 – 125
- Kreuzblutabnahme

▶ **Merke**

Gefahr: innerhalb kurzer Zeit große, schwer abschätzbare Blutverluste in die freie Bauchhöhle. Daher: »Load and Go« (Vor-Ort-Zeit < 10 min)! Transport mit Sondersignal in Traumazentrum.

Rechter Oberbauch:
- Leber und Gallenblase
- Magenausgang
- Duodenum
- rechte Nebenniere
- Pankreaskopf
- Teil der rechten Niere
- Teil des aufsteigenden und querliegenden Dickdarms

Linker Oberbauch:
- Milz
- Teil des Magens
- Pankreasschwanz
- linke Nebenniere
- Teil der linken Niere
- Teil des querliegenden und absteigenden Dickdarms

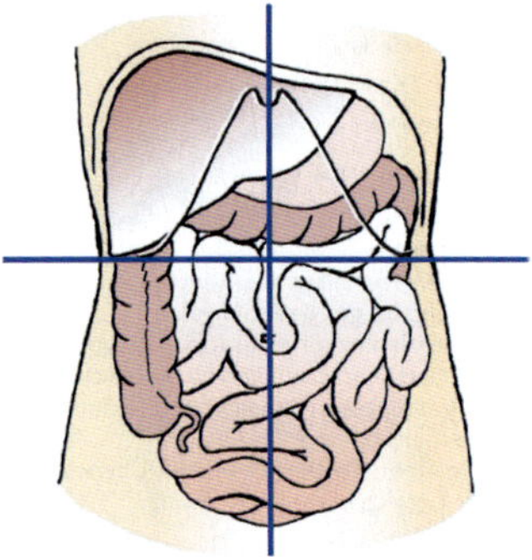

Rechter Unterbauch:
- Blinddarm und Wurmfortsatz
- Teil des aufsteigenden Dickdarms
- (volle) Blase
- rechter Eierstock
- rechter Eileiter
- Teil der Gebärmutter
- rechter Harnleiter

Linker Unterbauch:
- Teil des absteigenden Dickdarms
- (volle) Blase
- linker Eierstock
- linker Eileiter
- Teil der Gebärmutter
- linker Harnleiter

Akutes Abdomen

ICD10: R10.0

Ursachen:

- Durchbruch von Geschwüren (Magen, Darm)
- Verschluss von Blutgefäßen (Mesenterialinfarkt)
- Entzündung (Bauchspeicheldrüse, Blinddarm, Hoden)
- Einklemmung von Darmschlingen (Hernien)
- Verschlüsse in Hohlorganen, Darm (Ileus), Gallenwegen; Gallensteine
- gynäkologische Erkrankungen (Gebärmutter, Eierstöcke, Bauchhöhlenschwangerschaft)
- urologische Erkrankungen (Nierenstein, -abszess, Harnleiterstein, Harnverhaltung)

Angaben:

- plötzliche (kolikartige) Bauchschmerzen, Übelkeit

- Blässe
- flache, schnelle Atmung
- typische Haltung (gekrümmt)

- Puls tachykard, kaum tastbar
- kalter Schweiß
- harte Bauchdecke (Abwehrspannung)
- Druckschmerz

- evtl. Blutdruckabfall
- evtl. Fieber
- Blutzuckertest
- POCUS-Befund

Basismaßnahmen:

- Beruhigung
- Lagerung ▶

- Sauerstoffgabe, ggf. Beatmung
- Ess-, Trink- und Rauchverbot
- Wärmeerhaltung
- ständige Puls-, EKG- und RR-Überwachung, SpO_2
- venöser Zugang: kristalloide Lösung

Erweiterte Maßnahmen:

- körperliche Untersuchung
- Magensonde

- Medikamente:
  - ggf. Volumenersatz, z. B. Kristalloid-Infusion (10 – 20 ml/kg KG)
  - Kolikunterbrechung, z. B. Butylscopolamin (20 – 40 mg i. v.)
  - Übelkeit/Erbrechen, z. B. Granisetron (1 mg i. v.)
  - Sedierung, z. B. Midazolam (2 – 3 mg-weise i. v.)
  - Schmerzbekämpfung, z. B. Metamizol (1 g i. v.), z. B. Fentanyl (0,1 – 0,2 mg i. v.)

▶ **Merke**

Auch Erkrankungen außerhalb des Bauchraums (z. B. Herzinfarkt) können das Bild des akuten Abdomens imitieren.

Akute Magen-Darm-Blutung

ICD10: K92.2

– meist durch Ösophagus- und Magenfundusvarizen, Geschwüre (Magen, Dünndarm), Tumoren (Magen, Darm), Entzündungen (Magen), Medikamente (z. B. Rheumamittel, gerinnungshemmende Substanzen) bedingt (obere GI-Blutung)

Angaben:

- Übelkeit, Schmerzen, Schwächegefühl, Schwindel, Atemnot, evtl. Teerstuhl

- Unruhe
- Bewusstseinsstörung bis Bewusstlosigkeit
- Bluterbrechen (hellrot oder kaffeesatzartig)
- evtl. Teerstuhl

- evtl. Gelbsucht
- kalter Schweiß
- Puls tachykard, kaum tastbar

- Blutdruckabfall

Basismaßnahmen:

- Beruhigung
- Lagerung ▶ Oberkörper hoch bei Magenblutung, evtl. zusätzlich Beine hochlagern

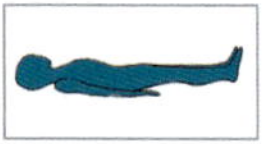

- Freimachen/Freihalten der Atemwege
- Sauerstoffgabe, ggf. Beatmung
- Wärmeerhaltung
- ständige Puls-, EKG- und RR-Überwachung, SpO_2
- venöser Zugang: kristalloide Lösung

Erweiterte Maßnahmen:

- körperliche Untersuchung
- ggf. kristalloider Volumenersatz, z. B. Ringer-Laktat (500 – 1.000 ml)
- ggf. Intubation und Beatmung (Aspirationsgefahr)
- Magensonde

- Medikamente:
  - Sedierung, z. B. Midazolam (2 – 3 mg-weise i. v.)
  - Schmerzbekämpfung, z. B. Butylscopolamin (20 – 40 mg i. v.), z. B. Metamizol (1 g i. v.)

▶ **Merke**
Neben der oberen GI-Blutung aus Ösophagus, Magen und Dünndarm können im Dickdarm untere GI-Blutungen mit hellrot-blutigen Darmentleerungen auftreten.

Eigene Notizen

Harnverhaltung

ICD10: R33

▶ s. a. Abdominaltrauma S. 197, akutes Abdomen, Kolik S. 199

Angaben:

- Unterbauchschmerzen, Harndrang, kein Wasserlassen seit über 6 Stunden
- Abwehrspannung
- prall gefüllte Blase

Basismaßnahmen:

- Beruhigung
- Lagerung ▶

- Sauerstoffgabe
- Wärmeerhaltung
- ständige Puls- und RR-Überwachung, SpO_2
- venöser Zugang: kristalloide Lösung

Erweiterte Maßnahmen:

- körperliche Untersuchung
- Blasenkatheter
- Medikamente:
  - Sedierung, z. B. Midazolam (2 – 3 mg-weise i. v.)
  - Schmerzbekämpfung, z. B. Butylscopolamin (20 – 40 mg i. v.), z. B. Metamizol (1 g i. v.)

Vorgehen bei verstopftem Blasenkatheter

Ursachen:

- Schleimbildung, Ausflockungen, Kristallbildung, Blutgerinnsel, Harnwegsinfektionen

Vorgehen:

- Ausschluss eines akuten Abdomens aus anderer Ursache
- Ausschluss einer stärkeren Blutung
- Information des Patienten über anstehende Maßnahme
- Steriles Vorgehen
- Verwendung eines Katheter-Sets, einschl. steriler Handschuhe
- Vorsichtiges Anspülen mit 5 – 10 ml NaCl 0,9 %, Konus verwenden
- Überprüfung des freien Urinflusses
- Entscheidung über Notwendigkeit einer (fach-)ärztlichen Vorstellung

▶ Merke

Eine erstmalige Blasenkatheterisierung oder die Platzierung eines zuvor herausgerutschten Blasenkatheters bleibt besonders Erfahrenen vorbehalten.

Hodenschmerzen

ICD10: N44/N45

Ursachen:
- Entzündung bzw. Verdrehung des Hodens/Nebenhodens, Trauma

Angaben:
- in Unterbauch und Leiste ausstrahlende, dumpfe Schmerzen
- Rötung
- Schwellung
- Seitendifferenz
- evtl. Fieber

Basismaßnahmen:
- Beruhigung
- Lagerung ▶ evtl. Hochlagerung des Hodens
- Ess-, Trink- und Rauchverbot
- ständige Puls-, EKG- und RR-Überwachung, SpO_2
- venöser Zugang: kristalloide Lösung

Erweiterte Maßnahmen:
- körperliche Untersuchung
- Repositionsversuch bei Verdacht auf Verdrehung (Hodentorsion): Hoden nach außen drehen
- Medikamente:
  - Sedierung, z. B. Midazolam (2 – 3 mg-weise i. v.)
  - Schmerzbekämpfung, z. B. Metamizol (1 g i. v.), z. B. Fentanyl (0,1 – 0,2 mg i. v.)

▶ **Merke**
- Bei Hochlagerung des Hodens: typischerweise Besserung bei Entzündung; Zunahme der Schmerzen bei Verdrehung.
- Typischerweise dreht sich der Hoden von außen nach innen; Notfallmaßnahme: deshalb bei Verdacht auf Hodendrehung »Drehung zurück« von innen nach außen.

Einteilung der Frakturen

geschlossen:
– die Haut im Frakturbereich ist unversehrt; der Knochen hat keine Verbindung zur Außenwelt

erstgradig offen:
– Durchspießung der Haut von innen durch ein Knochenbruchstück; zusätzlich minimale Weichteilverletzung

zweitgradig offen:
– größere Wunde und Weichteilverletzung; zusätzlich (eventuell) Fremdkörper eingedrungen

drittgradig offen:
– ausgedehnte Weichteilverletzung und Verschmutzung der Wunde; zusätzlich (eventuell) Gefäß- und/oder Nervenverletzung

viertgradig offen:
– (fast) vollständige Amputation, Zerstörung wichtiger Strukturen, Durchblutungsstörung

Blutverlust bei geschlossenen Frakturen

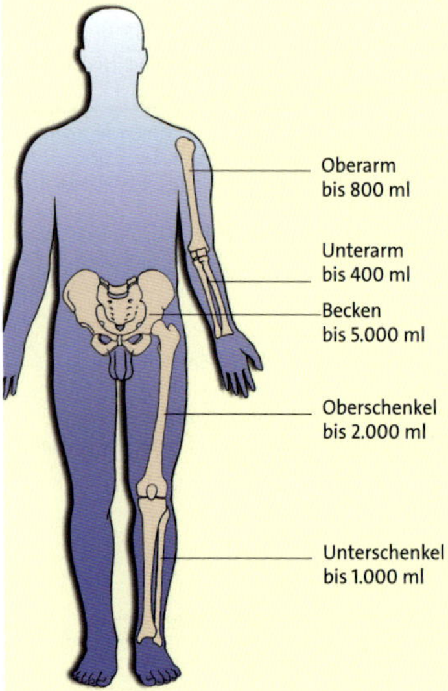

Abschätzung der Schwere eines Traumas	
–	Sturz aus • ≥ 2 Stockwerken (Erwachsene) • ≥ 1 Stockwerk (Kinder)
–	Fahrzeug Deformierung > 30 cm in Patientennähe
–	Herausschleuderung aus Fahrzeug
–	Tod eines Mitinsassen
–	Kollision mit > 35 km/h

Extremitätentrauma

ICD10: T11.9/T13.9

– Weichteilverletzungen, Verrenkungen, Knochenbrüche (offene/geschlossene Frakturen), Gefäß- und Nervenverletzung durch äußere Gewalteinwirkung

Angaben:
- Schmerzen, Bewegungs-, Gefühlsstörungen, Unfallmechanismus

- Schwellung, Prellmarken
- Wunde, Blutung, Knochenbruchstücke
- abnorme Lage und/oder Beweglichkeit
- evtl. Bewegungsunfähigkeit
- Amputationsverletzung

- kalte, blasse Extremitäten
- Puls tachykard, kaum tastbar
- evtl. kein Puls, keine Motorik, keine Sensibilität (DMS) unterhalb der Bruchstelle

- Blutdruckabfall
- evtl. kein Pulsoxymetriesignal distal der Bruchstelle

Basismaßnahmen:
- Beruhigung
- Lagerung ▶

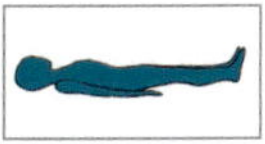

- Blutstillung
- Freimachen/Freihalten der Atemwege
- Sauerstoffgabe, ggf. Beatmung
- Ruhigstellung der Fraktur
- Fremdkörper belassen
- sterile Wundabdeckung, Verband
- amputierte Körperteile kühlen
- Wärmeerhaltung
- ständige Puls-, EKG- und RR-Überwachung, SpO_2
- venöser Zugang: kristalloide Lösung

Erweiterte Maßnahmen:
- körperliche Untersuchung
- ggf. kristalloider Volumenersatz, z. B. Ringer-Laktat (500 – 1.000 ml)

- Medikamente:
  - Schmerzbekämpfung, z. B. Esketamin (0,1 – 0,25 mg/kg KG i. v.), z. B. Fentanyl (0,1 – 0,2 mg i. v.)
  - Sedierung, z. B. Midazolam (2 – 3 mg-weise i. v.)

▶ **Merke**
- Grobe Fehlstellungen vorsichtig unter Längszug achsengerecht reponieren.
- Zunahme des Oberschenkelumfangs um 2 cm: Blutverlust ca. 2 l.
- Primär und nach Lagerung: **D**urchblutung, **M**otorik, **S**ensibilität (**DMS**) prüfen.
- Amputate (Finger, Großzehe) auf feuchter, steriler Kompresse in Plastikbeutel; in zweitem mit Eiswasser gefüllten Plastikbeutel transportieren.

Prioritäten bei Erstversorgung eines Polytraumatisierten

Störung der Vitalfunktionen?	ja ▶	**Atemstörung?**	▶	Freimachen der Atemwege, Sauerstoffzufuhr, Intubation, Beatmung
		Kreislaufstörung?	▶	Blutstillung, Lagerung, venöser Zugang, Volumenersatz
		Atem-Kreislauf-Stillstand?	▶	kardiopulmonale Reanimation
nein ▼				
Thoraxtrauma?	ja ▶	**instabiler Thorax?**	▶	Intubation, Beatmung, Volumenersatz
		Spannungspneumothorax?	▶	Entlastungspunktion
		Herzbeuteltamponade?	▶	Punktion
nein ▼				
Abdominaltrauma?	ja ▶	**geschlossen?**	▶	Lagerung, Volumenersatz
		offen?	▶	Verband
nein ▼				
Schädel-Hirn-Trauma?	ja ▶	**geschlossen?**	▶	Lagerung, Blutstillung, Volumenersatz
		offen?	▶	Verband
nein ▼				
Wirbelsäulentrauma?	ja ▶	**neurologische Ausfälle?**	▶	Lagerung, Ruhigstellung, Volumenersatz
nein ▼				
Extremitätentrauma?	ja ▶	**geschlossen?**	▶	Lagerung, Blutstillung
		offen?	▶	Volumenersatz, Verband

Polytrauma

ICD10: T07

- lebensbedrohliche Mehrfachverletzungen
- frühestmöglicher Transport (vor-Ort-Zeit < 15 min), Sondersignal

Angaben:
- Schmerzen, Unfallmechanismus, z. B. Sturz > 3 m Höhe

- Bewusstseinsstörung bis Bewusstlosigkeit
- Atemstörung bis Atemstillstand
- Anzeichen von Schädel-Hirn-, Wirbelsäulen-, Thorax-, Abdominal- und/oder Extremitätentrauma

- Puls tachykard, kaum tastbar (evtl. Kreislaufstillstand)

- Sauerstoffsättigung vermindert
- Blutdruckabfall
- evtl. Körpertemperatur erniedrigt
- POCUS-Befund

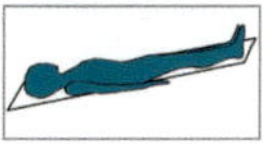

Basismaßnahmen:
- Beruhigung
- Lagerung ▶
- Freimachen/Freihalten der Atemwege
- Sauerstoffgabe, ggf. Beatmung
- Blutstillung, Wundpackung, Tourniquet
- Beckenschlinge
- Ruhigstellung von Frakturen
- sterile Wundabdeckung, Verband
- Wärmeerhaltung
- ständige Atem-, Puls-, RR- und EKG-Überwachung, SpO_2
- venöser Zugang: zügige Infusion (kristalloide Lösung)

Erweiterte Maßnahmen:
- körperliche Untersuchung
- großzügige Indikation zur Intubation und Beatmung
- Schaffung großlumiger venöser Zugänge
- Infusion kristalloide Lösung, z. B 1.000 – 3.000 ml
- ggf. kolloidaler Volumenersatz, z. B. Gelafundin® ISO 40 mg/ml
- ggf. Punktion: Spannungspneumothorax
- Voranmeldung in der Klinik

- Medikamente:
  - Schmerzbekämpfung, z. B. Fentanyl (0,1 – 0,2 mg i. v.)
  - Sedierung, z. B. Midazolam (2 – 3 mg-weise i. v.)
  - ggf. Narkoseeinleitung, z. B. Esketamin (0,5 mg/kg KG i. v.)

▶ Merke
- Im Vordergrund stehen Sicherung und Stabilisierung der Vitalfunktionen.
- Ziel der Behandlung: RR_{sys} > 80 mmHg.
- Erhöhte Bewertung im Schweregrad: Alter > 55 Jahre, Einnahme gerinnungshemmender Medikamente, Verbrennungen, Dialysepatient, Schwangerschaft > 20. SSW.

Sportverletzung

Typische Verletzungsformen:
- Muskel: Prellung, Zerrung, Muskel(faser)riss, Muskelkrampf, Muskelkater
- Gelenk: Verstauchung, Verrenkung, Gelenkfraktur
- Sehne/Band: Überdehnung, Bandeinriss, Bandabriss

Angaben:
- Unfallmechanismus

Allgemeinsymptome:
- Muskelkrampf: Muskel zieht sich zusammen, verhärtet, dumpfer Schmerz bei Belastung
- Muskelzerrung: Spannungsgefühl, zunehmender krampfartiger Schmerz
- Muskelfaserriss: nadel- oder messerstichartiger Schmerz bei Belastung
- Bänderriss: instabiler Bandapparat, starkes Anschwellen, vergrößerte Gelenkbeweglichkeit
- Gelenkverrenkung: veränderte Gelenkform, heftiger Ruhe- und Bewegungsschmerz

Basismaßnahmen:
- Beruhigung
- Ruhigstellung
- Hochlagerung ▶

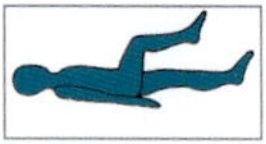

- **PECH**-Regel:
  - **P**ause (Ruhigstellung)
  - **E**is (Kältetherapie)
  - **C**ompression (Verband)
  - **H**ochlagern (Abschwellung)

Erweiterte Maßnahmen:
- körperliche Untersuchung
- Medikamente:
  - Schmerzbekämpfung, z. B. Fentanyl (0,1 – 0,2 mg i. v.)
  - Sedierung, z. B. Midazolam (2 – 3 mg-weise i. v.)

Schulterluxation

Zeichen:
- meist vordere Luxation, wiederholtes Ereignis
- wenn keine Frakturhinweise bestehen, sofortige Reposition möglich

Maßnahmen:
- Alternativen:
  - Rückenlage: gebeugten Arm über Kopf ablegen, Humeruskopf in Achselhöhle in Gelenkpfanne drücken
  - Bauchlage (auf Tisch o. Ä.): gebeugten Arm am Ellenbogen ergreifen und behutsam Richtung Boden ziehen

Akute Rückenschmerzen

Gefahrenzeichen:

- Alter < 18 Jahre, z. B. bakt. Entzündung bzw.
- Alter > 50 Jahre, z. B. Tumor, Aortenaneurysma
- Trauma, z. B. Fraktur
- bek. Tumorleiden, z. B. Metastase
- neurolog. Ausfälle, z. B. Bandscheibenvorfall

Untersuchung:

- Rückenlage → Anheben des gleich- und gegenseitigen (gestreckten) Beines → Schmerzen?
- Heben und Senken der Großzehe möglich?
- Zehen-/Fersenstand möglich?

Maßnahmen:

- zum Herumlaufen anleiten
- Wärme- (oder Kälte-)anwendung
- lokale Salben- und Gelbehandlung
- Entzündungshemmende Schmerzmittel, z. B. Ibuprofen 600 mg p. o., Diclofenac 50 mg p. o.
- mittelstarke Schmerzmittel, z. B. Metamizol 15 mg/kg KG p. o./i. v.
- ggf. Opioide, z. B. Morphin 2–3 mg i. v.

▶ **Merke**

- Bei Vorliegen von Gefahrenzeichen: Fachärztliche Vorstellung

Eigene Notizen

Spezielle Notfälle
Gynäkologie – Geburtshilfe

Siehe auch

▶ Merke
Nach Unfällen oder bei akuten Erkrankungen in der Schwangerschaft: vorrangig geburtshilfliche Abklärung. Daher: Wenn keine vitale (chirurgische) Indikation besteht: Transport in eine gynäkologisch-geburtshilfliche Abteilung.

Eigene Notizen

Genitale Blutung

ICD10: N93.9

- während oder außerhalb einer Schwangerschaft
- durch Plazentastörung (z. B. vorzeitige Lösung), Fehlgeburt (Abort), Hormonstörung, Tumor, Verletzung (kriminelles Delikt, Fremdkörper)

Angaben:

- Abgang von Blut, evtl. Gewebsteilen, Fruchtwasser, evtl. Wehenschmerzen

- Blutung aus der Scheide
- evtl. Blässe, schlechte Venenfüllung
- Rekapillarisierung verzögert (Nagelbettprobe)

- Puls tachykard
- kalter Schweiß

- evtl. Blutdruckabfall
- evtl. Temperaturanstieg

Basismaßnahmen:

- Beruhigung
- Lagerung ▶

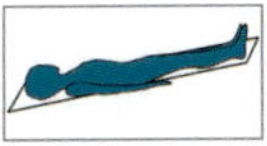

- Freimachen/Freihalten der Atemwege
- Sauerstoffgabe, ggf. Beatmung
- Wärmeerhaltung
- ständige Puls-, RR- und EKG-Überwachung, SpO_2
- venöser Zugang: Infusion (kristalloide Lösung)

Erweiterte Maßnahmen:

- körperliche Untersuchung
- ggf. kristalloider Volumenersatz, z. B. Ringer-Laktat (500 – 1.000 ml)

- Medikamente:
  - Sedierung, z. B. Midazolam (2 – 3 mg-weise i. v.)
  - Schmerzbekämpfung, z. B. Butylscopolamin (20 – 40 mg i. v.), z. B. Metamizol (1 g i. v.)
  - Wehenhemmung, z. B. Fenoterol-/Ipratropium-Spray (5 Hübe)

▶ **Merke**

- Bei drohendem oder inkomplettem Abort kann eine vital bedrohliche Blutung durch Oxytocin (10 I. E.) i. v. behandelt werden.
- Bei »merkwürdigen Umständen« im Rahmen von gynäkologischen Notfällen immer an die Möglichkeit von sexualisierter Gewalt denken (s. a. S. 345).

EPH-Gestose

ICD10: O14.9

- E = Edema = Ödeme
- P = Proteinuria = Eiweiß im Urin
- H = Hypertension = hoher Blutdruck nach der 20. Schwangerschaftswoche

Angaben:

- Kopfschmerzen, Übelkeit, Bauchschmerzen
- Augenflimmern
- Unruhe
- geschwollene Beine

- Puls tachykard
- Ödeme

- Blutdruck erhöht
- Eiweiß im Urin
- Blutzuckertest
- evtl. Temperatur erhöht

Basismaßnahmen:

- Beruhigung
- Lagerung (Linkshalbseitenlage) ▶

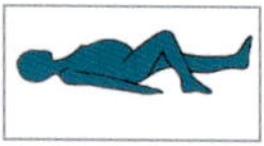

- Sauerstoffgabe, evtl. Beatmung
- Wärmeerhaltung
- ständige Puls-, RR- und EKG-Überwachung, SpO_2
- ruhige Atmosphäre schaffen, abdunkeln
- venöser Zugang: Infusion (kristalloide Lösung)
- schonender Transport *ohne Sondersignal*

Erweiterte Maßnahmen:

- körperliche Untersuchung
- Medikamente:
  - Sedierung, z. B. Midazolam (2 – 3 mg-weise i. v.)
  - Blutdrucksenkung, z. B. Urapidil (10 – 50 mg i. v.)
  - Ausschwemmung, z. B. Furosemid (10 – 40 mg i. v.)

Eklampsie

ICD10: O15.0

- plötzlich einsetzender Krampfanfall im Verlauf der (Spät-)Schwangerschaft in Verbindung mit Ödemen und Hypertonie (EPH-Gestose)
- akute Lebensgefahr für Mutter und Kind

Vorzeichen:
- Unruhe, Kopfschmerzen, Augenflimmern
- Ohrensausen
- Übelkeit, Erbrechen
- Bauchschmerzen
- Ödeme

- tonisch-klonische Krämpfe (wie epileptischer Anfall)
- Bewusstlosigkeit
- Atmung unregelmäßig, evtl. Atemstillstand

- Puls tachykard, gut tastbar
- Blutdruck erhöht
- Blutzuckertest
- evtl. Temperatur erhöht

Basismaßnahmen:
- Beruhigung
- Lagerung (Linkshalbseitenlage) ▶

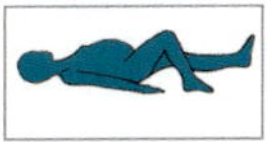

- Freimachen/Freihalten der Atemwege
- Sauerstoffgabe, ggf. Beatmung
- Schutz vor Verletzungen
- Reizabschirmung, evtl. abdunkeln
- venöser Zugang: langsame Infusion (kristalloide Lösung)
- Wärmeerhaltung
- ständige Puls-, RR- und EKG-Überwachung, SpO_2
- schonender Transport *ohne Sondersignal*

Erweiterte Maßnahmen:
- körperliche Untersuchung
- ggf. Intubation und Beatmung

- Medikamente:
  - Sedierung, z. B. Midazolam (2 – 3 mg-weise i. v.), Magnesium (1 – 2 g i. v.)
  - Krampfdurchbrechung, z. B. Midazolam (0,15 – 0,2 mg/kg KG i. v.)
  - evtl. Narkoseeinleitung, z. B. Thiopental (3 – 5 mg/kg KG i. v.)
  - Ausschwemmung, z. B. Furosemid (10 – 40 mg i. v.)

▶ **Merke**
- Licht und akustische Reize können jederzeit einen (weiteren) Krampfanfall auslösen.
- Behandlung einer Magnesiumüberdosierung (Atemstörung, schlaffer Muskeltonus, Müdigkeit): Kalziumglukonat 10 % (30 – 60 ml).

Vena-cava-Kompressionssyndrom

ICD10: O26.5

- Schockzustand (in der Schwangerschaft) durch Druck der Gebärmutter auf die untere Hohlvene (Vena cava inf.) mit Behinderung des venösen Rückstroms zum Herzen

Angaben:

- Schwindel, Schwächegefühl, Übelkeit

- Bewusstseinsstörung bis Bewusstlosigkeit
- Blässe bis Zyanose
- Halsvenen nicht sichtbar

- Puls tachykard, kaum tastbar
- kalter Schweiß
- kühle Extremitäten
- Rekapillarisierung verzögert (Nagelbettprobe)

- Blutdruckabfall

Basismaßnahmen:

- Beruhigung
- Lagerung (Linkshalbseitenlage) ▶

- Sauerstoffgabe
- Wärmeerhaltung
- ständige Puls-, RR- und EKG-Überwachung, SpO_2
- venöser Zugang: Infusion (kristalloide Lösung)
- schonender Transport, Lagerung in Fahrtrichtung

Erweiterte Maßnahmen:

- körperliche Untersuchung
- selten: Volumenersatz, z. B. Kristalloid-Infusion (10 ml/kG KG i. v.)

▶ **Merke**

- Präziser als die allgemein verbreitete Bezeichnung Vena-cava-Kompressionssyndrom ist der Name »aortokavales Kompressionssyndrom«.
- Auch wenn sich der Zustand nach Linksseitenlagerung normalisiert, sollte unbedingt eine geburtshilfliche Abklärung erfolgen (Schädigung des Fetus?).

Bevorstehende Geburt

ICD10: O63.9

– ≤ 36. Schwangerschaftswoche (SSW): Frühgeburt (unreifes Neugeborenes), 37. – 41. SSW: termingerechte Geburt, ≥ 42. SSW: Übertragung (Mangelzustand)

Angaben:
- fortgeschrittene Schwangerschaft, regelmäßige Wehen alle 5 – 10 min, Dauer: ca. 30 – 60 sec
- Abgang von Blut/Schleim/Fruchtwasser

Basismaßnahmen:
- Beruhigung
- Patientin darf nicht umhergehen
- Lagerung ▶, Becken rechts erhöht (Kissen)

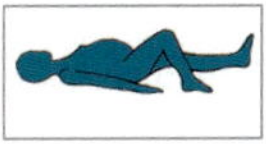

Erweiterte Maßnahmen:
- Inspektion des Genitales
- sterile Vorlage
- venöser Zugang: Infusion (kristalloide Lösung)
- evtl. Wehenhemmung, z. B. Fenoterol-/Ipratropium-Spray (5 Hübe)
- Wärmeerhaltung
- ständige Puls-, RR- und EKG-Überwachung, SpO_2
- Voranmeldung in der Klinik (Kreißsaal)
- schonender Transport in Fahrtrichtung

Vorsicht!
- vor der 37. Schwangerschaftswoche ist vor allem mit Atemproblemen beim Neugeboreren zu rechnen → dringlicher Transport

▶ Merke

- Folgende Angaben sind dem Mutterpass zu entnehmen:
  - Anzahl der Schwangerschaften (Gravida)
  - Anzahl der Geburten (Para)
  - Schwangerschaftswochen
  - Kindslage: Schädel-, Beckenend-, Querlage
  - Erst- oder Mehrgebärende
  - voraussichtlicher Geburtstermin
  - Schwangerschaftsverlauf
  - zu erwartende Komplikationen
- Vor Beginn des Transports sollte das Notgeburtsbesteck bereitgelegt werden:
  - sterile Unterlage
  - sterile Handschuhe
  - sterile Kompressen
  - sterile Schere
  - sterile Nabelklemmen
  - dünne Einmalabsauger
  - Wärmeschutzfolie
  - Kindernotfallkoffer bereithalten
- Wenn der **kindliche Kopf** (Haare) in der Scheide **sichtbar** ist bzw. Wehen alle 2 min erfolgen und/oder > 1 min anhalten, steht die Geburt unmittelbar bevor (**keine Wehenhemmung**).

Geburt

ICD10: O80

▶ s. a. Reanimation von Neugeborenen S. 232 – 233

– bei Wehenabstand < 2 min, Wehendauer > 1 min, Reife des Neugeborenen (≥ 37. SSW), geburtsfähige Lage: Schädel(Pfeil-)naht quer, d. h. Kind »schaut« nach links oder rechts

Angaben:
- errechneter Geburtstermin
- Informationen im Mutterpass
- alle 2 min Wehen, Dauer: 60 – 90 sec
- kindlicher Kopf in der Scheide sichtbar
- Fruchtwasserabgang; Farbe? Blutbeimengung?

Basismaßnahmen:
- Beruhigung (aller Anwesenden)

Erweiterte Maßnahmen:
- Verständigung eines Geburtshelfers
- Lagerung ▶

- sterile Unterlage
- zur Unterstützung beim Pressen Kopf anheben, Kinn auf die Brust
- Dammschutz
- Kopf langsam austreten lassen
- ggf. Nabelschnur befreien
- erst obere (mütterlich bauchseitige) Schulter durch Absenken des kindlichen Kopfes entwickeln, dann untere (mütterlich rückseitige) Schulter durch vorsichtiges Anheben des Kopfes entwickeln, ggf. dazu jeweils Druck oberhalb des Schambeins
- Kind seitlich auf den Bauch der Mutter legen
- absaugen (Mund, Rachen, zuletzt Nase)
- Sauerstoffgabe, ggf. Beatmung
- lang abnabeln (2 Klemmen, mind. handbreit vom Nabel mit [steriler] Schere zwischen den Klemmen Nabelschnur durchschneiden)
- Kind abtrocknen
- APGAR bestimmen (s. S. 219)
- Wärmeschutz (Folie)
- Mutter: Fritsch-Lagerung ▶

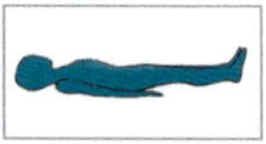

- Voranmeldung in der Klinik (Kreißsaal)
- Nachgeburt mit in die Klinik bringen
- schonender Transport und Lagerung in Fahrtrichtung
- Gratulieren nicht vergessen

▶ **Merke**
- Geburtszeitpunkt festhalten.
- Notfall-Kaiserschnitt, z. B. bei Kreislaufstillstand in der Schwangerschaft, ab der 20., vor allem ab der 24. Schwangerschaftswoche möglich, dringender Transport.
- Nabelschnur (zum Kind hin) ausstreichen, frühestens nach 1 min abnabeln.

APGAR-Schema

– zur Beurteilung von Neugeborenen:

Punkte	**0**	**1**	**2**
A **Aussehen und Hautfarbe**	blau oder blass	Stamm rosig, Extremitäten blau	ganz rosig
P **Puls oder Herzfrequenz**	keiner	unter 100/min	über 100/min
G **Grimassen, Reflexe beim Absaugen**	keine	Verziehen des Gesichts	Schreien, Husten, Niesen
A **Aktivität, Muskeltonus**	schlaff	träge Bewegungen	lebhafte Bewegungen
R **Respiration oder Atmung**	keine	unregelmäßig, schwach	regelmäßig, kräftig

Bewertung: nach 1/5/10 Minuten

10 – 7 Punkte	= (sehr) gut (lebensfrisch) → Wärmeerhaltung, Überwachung
6 – 4 Punkte	= (mittel-)schwere Störung → Sauerstoffgabe, Stimulation, ggf. Beatmung, Herzmassage bei Herzfrequenz < 60/min, erneutes Absaugen, Wärmeerhaltung, Überwachung
unter 4 Punkte	= schwerste Störung (Asphyxie) → Reanimation ► s. S. 232 – 233

► **Merke**

- Ständige Überwachung (Atmung, Herzaktion) durch Stethoskop, das im Bereich der linken Brustwarze des Kindes aufgeklebt wird.
- Eine alternative Darstellung des APGAR-Schemas prüft die gleichen Kriterien mit den Bezeichnungen: A = Atmung, P = Puls, G = Grundtonus, A = Aussehen, R = Reflexe.

Nabelschnurvorfall

ICD10: O69.0

– nach Abgang von Fruchtwasser Vorfall der Nabelschnur, die dann durch den tiefertretenden Kopf abgedrückt werden kann; dadurch akute Minderversorgung des Kindes

Angaben:
- fortgeschrittene Schwangerschaft, evtl. Wehen, Abgang von Blut/Schleim/Fruchtwasser
- evtl. aus dem Muttermund heraushängende Nabelschnur

Basismaßnahmen:
- Beruhigung
- Lagerung ▶ (Linkshalbseitenlage)

Erweiterte Maßnahmen:
- vaginales Hochdrücken des Kopfes (Notarzt)
- Wehenhemmung mit Fenoterol-/Ipratropium-Spray (5 Hübe)
- ständige Puls-, RR- und EKG-Überwachung, SpO_2
- venöser Zugang: Infusion (kristalloide Lösung)
- Wärmeerhaltung
- Voranmeldung in der Klinik
- zügiger Transport

▶ **Merke**
- Die Gefahr des Nabelschnurvorfalls besteht besonders bei herumlaufenden Patientinnen nach erfolgtem Blasensprung. Daher Schwangere stets liegend (Linkshalbseitenlagerung) transportieren.
- Eine Plazenta praevia ist ein Mutterkuchen, der bis an den inneren Muttermund heranreicht und vor/unter der Geburt (massive) Blutungen auf mütterlicher und/oder kindlicher Seite auslösen kann.

Intrauterine Reanimation

– nach Abgang von grünem Fruchtwasser, wenn die Geburt noch nicht weit in Gang gekommen ist

Basismaßnahmen:
- rechtsseitige Beckenhochlagerung
- Sauerstoffgabe
- Wärmeerhaltung
- Fenoterol-/Ipratropium-Spray (3 Hübe, ggf. wiederholen)
- venöser Zugang: Infusion (kristalloide Lösung)
- Hochschieben des vorangehenden Kindsteils
- Voranmeldung in der Klinik

Eigene Notizen

Eigene Notizen

Spezielle Notfälle
Kinder

Siehe auch

▶ **Merke**
Kinder sind keine kleinen Erwachsenen, sonst wären sie Zwerge.

Schmerzeinschätzung – Kinder bis zum 4. Lebensjahr

KUSS – Kindliche Unbehagens- und Schmerzskala (auch für sedierte Patienten verwendbar)

Weinen	Gesichtsausdruck	Rumpfhaltung	Beinhaltung	Motorische Unruhe	Punkte
gar nicht	entspannt, lächeln	neutral	neutral	keine	0
Stöhnen Jammern	Mund verzerrt	unstet	Strampeln	mäßig	1
Schreien	Mund/Augen Grimassieren	Krümmen Aufbäumen	angezogen	ruhelos	2

Jedes der 5 Kriterien über 15 Sekunden beobachten und eindeutig bewerten; ggf. regelmäßig (z. B. nach Analgesie/Sedierung) wiederholen.

Beurteilung: max. 10 Punkte; 0 – 3 Punkte: kein Schmerz, ≥ 4 Punkte: Schmerz

Schmerzeinschätzung – Kinder ab dem 4. Lebensjahr

Visuelle Analogskala (VAS)
Einschätzung durch den Patienten selbst: »Wie stark sind deine Schmerzen auf einer Skala von 0 (= kein Schmerz) bis 10 (= stärkste vorstellbare Schmerzen)?«

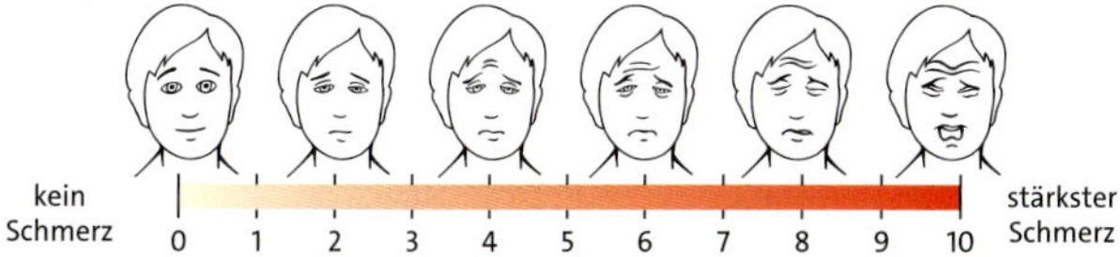

	1	3	5	7	9
Bewertung:	kein Schmerz	geringer Schmerz	mäßiger Schmerz	starker Schmerz	Schmerz unerträglich
Maßnahmen:	einfühlen, erklären	lagern, ablenken	z. B. Metamizol (+ Sedierung)	z. B. Fentanyl (+ Sedierung)	ggf. Narkoseeinleitung

► **Merke**
- Schmerzen und insbesondere deren Stärke werden ganz individuell empfunden. Sie müssen deshalb auch individuell behandelt werden.
- Gerade bei Kindern sollte immer versucht werden, Angehörige (zur Beruhigung aller) mit in das Geschehen einzubeziehen, z. B. Kind der Mutter auf den Schoß setzen, beiden das Vorgehen erklären und »gemeinsam« behandeln/betreuen.
- Regelmäßige Wiederholung der Schmerzeinschätzung (und deren Dokumentation) erlaubt (analog der Glasgow Coma Scale) eine Verlaufsbeurteilung und Anpassung an den aktuellen Bedarf bzw. die Indikationsstellung für weitere Maßnahmen.

»Normalwerte« Kinder

Alter	Anhaltspunkte	Größe [cm]	Gewicht* [kg]	Puls [1/min]
Neugeb.	< 28 Tage	50	4	140
V Jahr	keine Zähne	70	7	130
1 Jahr	offene Fontanelle	80	10	120
2 Jahre	Milchgebiss	90	12	110
4 Jahre	keine Windeln	100	16	100
6 Jahre	1. Zahnlücken	120	20	95
9 Jahre	1. Geschlechtsmerkmale	140	30	90
12 Jahre	Pubertät	150	40	85
14 Jahre	Erwachsenengebiss	155	50	80

* Gewicht = (Alter + 4) × 2

Alter	Atemfrequenz [1/min]	Atemzugvolumen [ml]	Tubusgröße [mm]	Einführtiefe Tubus [cm]	Blutdruck [mmHg]
Neugeb.	40	30	3,0	8	60/40
V Jahr	35	50	3,5	11	65/50
1 Jahr	30	80	4,0	12	70/55
2 Jahre	26	100	4,5	13	75/60
4 Jahre	24	150	5,0	15	80/60
6 Jahre	20	200	5,5	17	85/60
9 Jahre	16	300	6,0	19	90/65
12 Jahre	14	350	6,0	20	95/65
14 Jahre	12	400	6,5	20	100/70

Hinweise: Atemstörung	Hinweise: Kreislaufstörung
Unruhe, Schwitzen	Unruhe, Schwitzen
Nasenflügeln	beschleunigte Atmung
Einziehungen, Rippen/Brustbein	Zentralisation
Atemhilfsmuskulatur	kein peripherer Puls tastbar
Tachykardie	Bewusstseinsstörung
später Bradykardie (Lebensgefahr)	Tachykardie

Medikamentendosierungen: Richtwerte Kinder

Alter	Größe [cm]	Gewicht [kg]	Defibril-lation [J]	Epinephrin 1+9 verd. = 0,1 mg/ml [ml]	Amiodaron 1+4 verd. = 10 mg/ml [ml]	$NaHCO_3$ 1+1 verd. = 0,5 mmol/ml [ml]
Neugeb.	50	4	16	0,4	2,0	4
V Jahr	70	7	28	0,7	3,5	7
1 Jahr	80	10	40	1,0	5,0	10
2 Jahre	90	12	48	1,2	6,0	12
4 Jahre	100	16	64	1,6	8,0	16
6 Jahre	120	20	80	2,0	10,0	20
9 Jahre	140	30	120	3,0	15,0	30
12 Jahre	150	40	150	4,0	20	40
14 Jahre	155	50	200	5,0	25,0	50

Alter	Fentanyl 2+8 verd. = 0,01 mg/ml [ml]	Morphin 1+9 verd. = 1 mg/ml [ml]	Midazolam 1 mg/ml [ml]	Glucose 40 % 0,4 g/ml [ml]	Infusion Bolus krist. Lösg. [ml]
Neugeb.	0,8	0,4	0,4	4	80
V Jahr	1,4	0,7	0,7	7	140
1 Jahr	2,0	1,0	1,0	10	200
2 Jahre	2,4	1,2	1,2	12	240
4 Jahre	3,2	1,6	1,6	16	320
6 Jahre	4,0	2,0	2,0	20	400
9 Jahre	6,0	3,0	2,5	30	600
12 Jahre	8,0	4,0	3,0	40	800
14 Jahre	10	5,0	3,0	50	1.000

▶ **Merke**

- Die angegebenen Richtwerte können nur zur Orientierung dienen.
- Die **tatsächliche Dosierung** ist jeweils den aktuellen Bedingungen (Größe, Gewicht) entsprechend zu wählen.
- Alternativ zu Fentanyl (0,1 mg in 2 ml) kann in gleicher Weise Sufentanil (10 µg = 0,01 mg in 2 ml) 2+8 verd. = 0,001 mg/ml eingesetzt werden.

Differenzialdiagnose: Atemnot

Croup/Krupp				Epiglottitis
Viren	◀	Ursache	▶	Bakterien
6 Monate bis 3 Jahre	◀	typ. Alter	▶	2–6 Jahre
inspiratorisch Stridor + Einziehen	◀	Atemgeräusch	▶	inspiratorisch Stridor + Einziehen
befriedigend	◀	Allgemeinzustand	▶	schwer krank
langsam	◀	Beginn	▶	schnell
liegend	◀	Haltung im Bett	▶	sitzend nach vorn gebeugt
geschlossen	◀	Mundstellung	▶	offen
heiser bis aphonisch	◀	Stimme	▶	kloßig, nicht heiser
bellend	◀	Husten	▶	keiner
keine Beschwerden	◀	Schlucken	▶	Beschwerden
normal	◀	Speichelfluss	▶	verstärkt
entzündliche Schwellung unterhalb des Kehlkopfes	◀	Lokalbefund	▶	Schwellung des Kehldeckels
in 1 % der Fälle	◀	Intubation erforderlich	▶	in 50–85 % der Fälle
mäßig	◀	Atemnot	▶	deutlich
mäßig	◀	Fieber	▶	hoch

Atemnot

ICD10: R06.0

- Infektion der oberen Luftwege, z. B. Kruppsyndrom, Epiglottitis, Laryngotracheobronchitis
- Fremdkörper, z. B. Spielzeug, Nahrungsmittel
- Insektenstich im Mund-/Rachenraum

Angaben:
- der Eltern: Atemnot, Unruhe, Schwäche, Trinkunlust

- evtl. Bewusstseinsstörung
- grau-fahles Aussehen, evtl. Zyanose
- schnelle, flache Atmung
- evtl. inverse Atmung, Nasenflügeln, Brustkorbeinziehungen

- Husten/Heiserkeit
- ziehendes (Ein-)Atemgeräusch (Stridor)
- evtl. einseitig vermindertes/aufgehobenes Atemgeräusch

- Puls tachykard

- Sauerstoffsättigung vermindert
- evtl. Fieber

Basismaßnahmen:
- Beruhigung
- Lagerung ▶

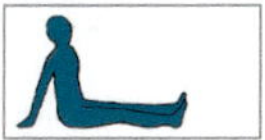

- Freimachen/Freihalten der Atemwege
- beengende, durchgeschwitzte Kleidung entfernen
- Sauerstoffgabe, ggf. Beatmung
- offenes Fenster, kühle Luft
- ständige Atem-, Pulsüberwachung, SpO_2

Erweiterte Maßnahmen:
- körperliche Untersuchung
- ggf. Fremdkörper entfernen (Magill-Zange)
- ggf. Intubation (schwierig), kleinen Tubus wählen
- venöser Zugang: Infusion (kristalloide Lösung)

- Medikamente:
  - Sedierung, z. B. Midazolam (0,1 mg/kg KG i. v.) bzw. Diazepam rektal (5 mg/10 kg KG)
  - Entzündungshemmung, z. B. Rectodelt (100 mg Supp), Prednisolon (5 mg/kg KG i. v.)
  - Bronchialerweiterung, z. B. Salbutamol-Inhalation (1,25 mg), Epinephrin-Inhalation (2,5 – 5 mg unverd.)
  - evtl. Fiebersenkung, z. B. Paracetamol Supp. (125 – 500 mg)

▶ Merke
- Unerkannt verschluckte/eingeatmete Fremdkörper können akut oder verzögert Atemnot erzeugen.
- Erstmaßnahme bei Insektenstich im Mund-/Rachenraum: eiskalte Getränke, Eiswürfel lutschen lassen, kalte Halsumschläge.

Säuglings-Fieber-Toxikose

ICD10: R50.88

– durch bakterielle und virale Darminfektionen, evtl. durch Medikamentenunverträglichkeiten bedingte Flüssigkeitsverluste; bei Gewichtsverlusten (= Flüssigkeitsverlusten) über 10 % des Körpergewichtes: akute Schockgefahr!

Angaben:

- Erbrechen, Durchfall, allgemeine Schwäche, Trinkunlust
- meist Kinder im ersten und zweiten Lebensjahr betroffen

- Unruhe, Erregung, evtl. Krämpfe
- Bewusstseinstrübung bis Bewusstlosigkeit
- tief liegende, weit offene (halonierte) Augen
- Blässe, evtl. Zyanose
- Zentralisation
- schnelle, flache Atmung
- trockene, welke, marmorierte Haut
- stehende Hautfalten
- eingesunkene Fontanelle

- schneller, flacher Puls
- Fieber
- Blutzuckertest

Basismaßnahmen:

- Beruhigung
- Lagerung ▶
- Freimachen/Freihalten der Atemwege

- Sauerstoffgabe, ggf. Beatmung (Kindermaske)
- Kleidung öffnen, bei Fieber, z. B. kalte Wadenwickel
- Infusion vorbereiten, z. B. kristalloide Lösung mit Glukosezusatz
- ständige Atem- und Pulsüberwachung, SpO_2

Erweiterte Maßnahmen:

- körperliche und neurologische Untersuchung
- venöser Zugang: Infusion (kristalloide Lösung) (10 – 20 ml Glucose 40 % je 500 ml Lösung)
- evtl. intraossäre Infusion

- Medikamente:
  - Sedierung, z. B. Midazolam (0,1 mg mg/kg KG i. v.)
  - Krampfdurchbrechung, z. B. Diazepam Rectiole (5 – 10 mg), Midazolam (0,2 mg/kg KG i. v.)
  - Hypoglykämie, z. B. Glucose 40 % 1 : 1 verd. (2 – 3 ml/kg KG i. v.)
  - Exsikkose, z. B. kristalloide Lösung (anfangs 10 – 20 ml/kg KG/h i. v.)
  - Fiebersenkung, z. B. Paracetamol Supp. (125 – 500 mg)

Akuter Krampfanfall

ICD10: R56.8

– vieldeutiges Krankheitszeichen bei Fieber, Flüssigkeitsmangel, Entzündung (Hirnhaut, Gehirn), Vergiftung, Stoffwechselstörung, Epilepsie und Tumor

Angaben:
- zunächst tonische, später klonische Krämpfe

- Bewusstseinsstörung bis Bewusstlosigkeit (evtl. bereits Nachschlaf)
- grau-fahles Aussehen, evtl. Zyanose
- evtl. Hautturgor herabgesetzt (stehende Hautfalten)

- Puls tachykard
- evtl. Sauerstoffsättigung vermindert
- evtl. Fieber
- Blutzuckertest

Basismaßnahmen:
- Beruhigung
- Lagerung ▶ Schutz vor Verletzungen

- Freimachen/Freihalten der Atemwege
- Sauerstoffgabe, ggf. Beatmung
- Schutz vor Verletzung
- Infusion vorbereiten (z. B. kristalloide Lösung)
- Wärmeerhaltung
- ständige Atem-, Pulsüberwachung, SpO_2

Erweiterte Maßnahmen:
- körperliche und neurologische Untersuchung
- venöser Zugang: Infusion (kristalloide Lösung)
- Blutzuckertest
- ggf. Narkoseeinleitung, Intubation, Beatmung

- Medikamente:
  - Krampfdurchbrechung, z. B. Diazepam Rectiole (5–10 mg), z. B. Midazolam (0,2 mg/kg KG i. v.), z.B. Levetiracetam (60 mg/kg KG i. v..)
  - Status epilepticus, z. B. Thiopental (3–5 mg/kg KG i. v.), z.B. Propofol (2 mg/kg KG i. v.)
  - Hypoglykämie, z. B. Glucose 40 % 1 : 1 verd. (2–3 ml/kg KG i. v.)
  - Exsikkose, z. B. kristalloide Lösung (10–20 ml/kg KG/h i. v.)
  - Fiebersenkung, z. B. Paracetamol Supp. (125–500 mg)

▶ **Merke**
Bei Kindern immer an eine Vergiftung denken und nach früheren, ähnlichen Ereignissen fragen.

Reanimation von Neugeborenen

ICD10: P21.9

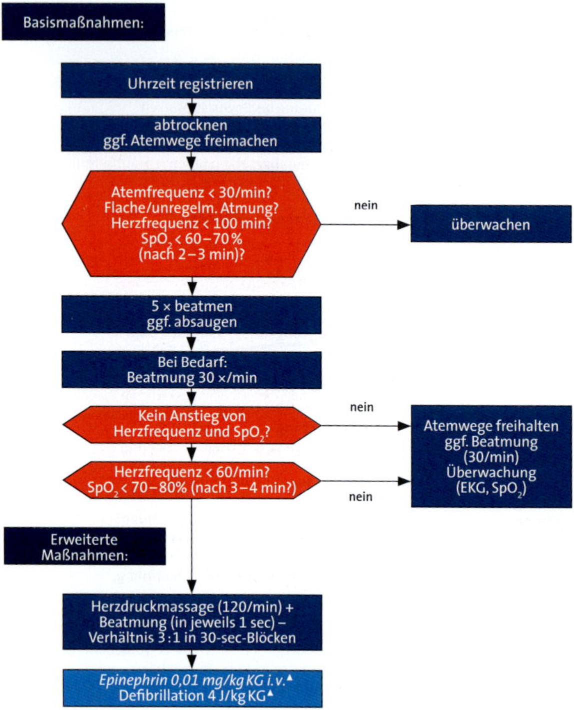

▲ An NotSan delegierbare Maßnahme

▶ **Merke**

- Primäre Sicherstellung der Atmung; sekundäre Behandlung der Kreislaufstörung
- Pulsoximetrie am rechten Arm
- Herzdruckmassage bei Hf <60/min

Reanimation von Neugeborenen

ICD10: P21.9

- keine/schwache/unregelmäßige Atembewegungen
- anhaltende Blauverfärbung der Lippen, des Rumpfes, der Extremitäten
- keine Lebenszeichen

- Herzfrequenz < 100/min bzw. < 60/min

- kein Atemgeräusch
- keine Herztöne (Stethoskop)

Basismaßnahmen:

- Uhrzeit registrieren
- ▶ Flachlagerung, abtrocknen, Schultern unterpolstern
- Freimachen/Freihalten der Atemwege durch mäßiges Überstrecken des Kopfes, ggf. absaugen bei Aspiration
- insuffiziente (< 20/min)/flache/fehlende Spontanatmung und/oder Herzfrequenz < 120/min: 5 × (zügig) beatmen, ggf. wiederholen
- fehlende Lebenszeichen/kein Puls tastbar/Herzfrequenz < 60/min: Herzdruckmassage (ca. 1,5 cm tief, Zwei-Daumen-Methode, 120/min) + Beatmung (ca. 25 ml, 30/min) im Verhältnis 3 : 1
- Wirkungskontrolle alle 30 sec
- EKG-Ableitung und SpO_2-Messung so früh wie möglich

Erweiterte Maßnahmen:

- Intubation, ggf. mit geradem (Foregger-)Spatel, Videolaryngoskopie, Tubusgröße 4,0, alternativ Larynxmaske Gr. 1
- nach Intubation Herzdruckmassage (ca. 120/min) und Beatmung (40/min) unabhängig voneinander
- EKG-Analyse und Kreislaufprüfung alle 30 sec
- Nabelschnur ausstreichen, (lang) abnabeln
- Epinephrin (1 + 9 verd.): ca. 0,01 mg/kg KG= 0,1 ml/kg KG i. v./i. o.
- Defibrillation (kleine Elektroden) 1 J/kg KG, ggf. auf 2 – 4 J/kg KG steigern
- ggf. Amiodaron (5 mg/kg KG i. v./i. o.)
- Flüssigkeitsersatz, z. B. kristalloide Lösung (5 – 10 – 20 ml/kg KG i. v./i. o.)
- ggf. Glukosezufuhr, z. B. Glucose 40 % (1 ml/kg KG i. v./i. o.)

▶ Merke

Die Wiederherstellung der Atmung ist die entscheidende Maßnahme bei der Reanimation von Säuglingen und Kleinkindern. Initiale Beatmungen vor Herzdruckmassage!

Reanimation von Säuglingen und Kleinkindern

ICD10: I46.9

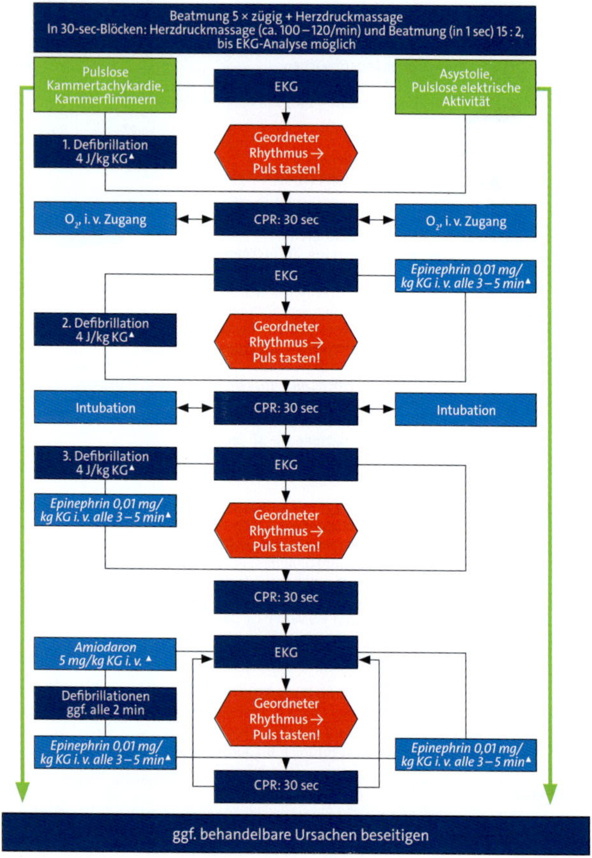

Reanimation von Säuglingen und Kleinkindern

ICD10: I46.9

- keine/schwache Atembewegungen
- Blauverfärbung der Lippen
- keine Lebenszeichen

- Herzfrequenz < 60/min

- kein Atemgeräusch
- keine Herztöne (Stethoskop)

Basismaßnahmen:

- Uhrzeit registrieren
- Flachlagerung ▶
- Freimachen/Freihalten der Atemwege durch mäßiges Überstrecken des Kopfes, ggf. absaugen
- fehlende Lebenszeichen bzw. kein Puls tastbar: HDM : Beatmung = 15 : 2 (z. B. 4 × 15 und 4 × 2) in 30 sec
- EKG-Ableitung und SpO_2-Messung so früh wie möglich

Erweiterte Maßnahmen:

- Intubation, altersentsprechende Tubusgröße (s. S. 89), ggf. mit geradem (Foregger-)Spatel
- nach Intubation Herzdruckmassage (ca. 120/min) und Beatmung (30 – 20 – 15/min) unabhängig voneinander
- EKG-Analyse und Kreislaufprüfung alle 30 sec
- Epinephrin (1 + 9 verd.): ca. 0,01 mg/kg KG= 0,1 ml/kg KG i. v./i. o.
- Defibrillation (kleine Elektroden): 4 J/kg KG
- ggf. Amiodaron (5 mg/kg KG i. v./i. o.)
- Flüssigkeitsersatz, z. B. kristalloide Lösung (5 – 10 – 20 ml/kg KG i. v./i. o.)
- ggf. Glukosezufuhr, z. B. Glucose 40 % (1 ml/kg KG i. v./i. o.)

▶ Merke

Die Wiederherstellung der Atmung ist die entscheidende Maßnahme bei der Reanimation von Säuglingen und Kleinkindern. Initiale Beatmungen vor Herzdruckmassage!

▲ Wichtig

Ältere Kinder im Kindergarten- oder Grundschulalter werden (körpergewichtsabhängig) **entsprechend den Richtlinien für Erwachsene** behandelt (s. S. 111 – 113).

▲ An NotSan delegierbare Maßnahme

Plötzlicher Kindstod (SIDS)

ICD10: R95

- **unerwarteter Tod** aus vollem Wohlbefinden mit vielfältigen Entstehungsursachen (Bauchlage, Infekt, frühes Abstillen, Rauchen der Mutter/Umgebungsnetz)

- **bei klinischem Tod:** Reanimation einleiten

- **bei biologischem Tod** (primär bzw. nach Einstellen erfolgloser Reanimationsmaßnahmen): Todesfeststellung, Leichenschau durchführen ▶ s. a. S. 340 – 341

- **stets** (im Einvernehmen mit Eltern/Angehörigen) Obduktion anstreben; unklare Todesursache annehmen

- im **Verdachtsfall** eines unnatürlichen Todes: Polizei/Staatsanwaltschaft hinzuziehen; Vorgehen erklären!

- auf Selbsthilfeorganisationen hinweisen, z. B.:
  Gemeinsame Elterninitiative Plötzlicher Säuglingstod (GEPS) Deutschland e. V.
  Fallingbosteler Str. 20
  30625 Hannover
  Tel. + Fax: (0511) 83 86 202
  info@geps.de
  https://geps.de

- Kontaktaufnahme mit Notfallseelsorger/Kriseninterventionsteam ansprechen

Kindesmisshandlung

▶ s. a. Körperverletzung – sexualisierte Gewalt S. 345

- **bei allen** (unklaren) Notfällen im Kindesalter, insbes. bei widersprüchlichen Angaben der Angehörigen oder »merkwürdigen« Befunden/Verletzungen: an mögliche Kindesmisshandlung denken
- auffällig ängstliches oder unkooperatives Verhalten, »übertriebenes« Schreien
- zahlreiche Blutergüsse und Hautverletzungen (unterschiedlichen Alters), Narben
- Verdacht an weiterbehandelnde Klinik weitergeben, ggf. Polizei hinzuziehen

Erstversorgung des schwer verletzten Kindes

– gleichzeitiges Vorliegen mehrerer Verletzungen, die ggf. jede für sich oder gemeinsam eine akute vitale Bedrohung darstellen

Angaben:
- Schmerzen, Unfallmechanismus, z. B. Sturz > 3 m Höhe

- Bewusstseinsstörung bis Bewusstlosigkeit
- Atemstörung bis Atemstillstand
- Anzeichen von Schädel-Hirn-, Wirbelsäulen-, Thorax-, Abdominal- und/oder Extremitätentrauma

- Puls tachykard, kaum tastbar
- Sauerstoffsättigung vermindert
- evtl. Temperatur erniedrigt
- Blutdruckabfall
- POCUS-Befund

Basismaßnahmen:
- Beruhigung
- Lagerung ▶
- Freimachen/ Freihalten der Atemwege
- Sauerstoffgabe, ggf. Beatmung: def. 100 % Sauerstoff, Atemzugvolumen: 6 ml/kg KG
- Blutstillung
- Ruhigstellung von Frakturen
- sterile Wundabdeckung, Verband
- Wärmeerhaltung
- ständige Atem-, Puls- und RR-Überwachung, SpO_2

Erweiterte Maßnahmen:
- venöser Zugang: zügige Infusion kristalloide Lösung (Bolus 20 ml/kg KG, z. B. 250 – 500 ml, ggf. 2 × wiederholen)
- ggf. kolloidaler Volumenersatz, z.B. Gelafundin® ISO 40 mg/ml (10 – 20 ml/kg KG i.v.)

- Voranmeldung in der Klinik
- Medikamente:
  - Schmerzbekämpfung, z. B. Esketamin (0,25 mg/kg KG i. v.)
  - Sedierung, z. B. Midazolam (0,1 mg/kg KG i. v.)
  - ggf. Narkoseeinleitung, z. B. Esketamin (0,5 mg/kg KG i. v.)

▶ **Merke**
- Auf Prellmarken achten und kontinuierliche Überwachung von:
  - Bewusstseinslage (Ansprechbarkeit, Pupillen, Spontanmotorik)
  - Atmung (Atembewegungen ausreichend und seitengleich? Keine Zyanose? SpO_2?)
  - Kreislauf (periphere Zirkulation, Tastbarkeit des Radialis- bzw. Femoralispulses).
- Herzfrequenz ist Ausdruck von Erregung, Schmerz **und Volumendefizit.**

Eigene Notizen

Spezielle Notfälle
Physikalisch bedingte Schäden

Siehe auch

▶ Merke
Bei physikalisch bedingten Notfällen kann zur weiteren Behandlung die Kontaktierung der entsprechenden Versorgungseinrichtung notwendig sein, z. B. Einrichtung mit stationärer Druckkammer bei Tauchunfällen.

Hitzeschäden

	Sonnenstich	Hitzekollaps	Hitzeerschöpfung	Hitzekrämpfe	Hitzschlag
Ursache	Sonnenbestrahlung des Kopfes	Stehen in der Hitze	körperl. Belastung in der Hitze	Muskelarbeit in der Hitze	Flüssigkeitsmangel in der Hitze
Entwicklung	Hirnödem	Orthostase	Flüssigkeitsmangel	Wasser-Elektrolyt-Mangel	Kreislaufversagen
Bewusstsein	Kopfschmerz, getrübt	kurze Synkope	benommen, Synkope	Muskelkrämpfe	Bewusstlosigkeit
Zeichen	Kopf rot/heiß, Temp. normal	kalter Schweiß	Schwitzen, Temp. > 39 °C	Rötung, evtl. Temp. erhöht	rot, grau, Temp. > 41 °C

▶ **Merke**

– Grundsätzliche Unterscheidung von Hitzeschäden durch passive Erwärmung bei Einwirkung von außen und Situationen mit gestörter Wärmeabgabe vom im Körper gebildeter Wärme.
– Eine alternative Einteilung grenzt die Schweregrade des Hitzeschadens ab in:
  - Hitzestress (Hitzeödem, Hitzesynkope, Hitzekrämpfe)
  - Hitzeerschöpfung
  - Hitzschlag
  - Mehrorganversagen.

Sonnenstich

ICD10: T67.0

– durch intensive Sonnenbestrahlung des unbedeckten Kopfes (Kinder, Glatzenträger) Reizung der Hirnhäute und Entstehung eines Hirnödems

Angaben:

– Kopfschmerzen, Nackenschmerzen, Übelkeit, Schwindel, Unruhe

– Bewusstseinsstörung bis Bewusstlosigkeit
– hochroter Kopf
– evtl. Krämpfe

– heißer Kopf
– Nackensteife
– Puls tachykard, evtl. bradykard (Druckpuls)

– Körpertemperatur normal
– Blutzuckertest

Basismaßnahmen:

– Beruhigung
– in kühle, schattige Umgebung bringen
– Lagerung ▶

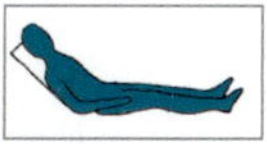

– Freimachen/ Freihalten der Atemwege
– Sauerstoffgabe, ggf. Beatmung
– Kühlung des Kopfes
– ständige Atem-, Puls- und RR-Überwachung, SpO_2
– venöser Zugang: Infusion (kristalloide Lösung)

Erweiterte Maßnahmen:

– körperliche und neurologische Untersuchung

– Medikamente:
  • Sedierung, z. B. Midazolam (2–3 mg-weise i. v.)
  • ggf. Krampfdurchbrechung, z. B. Midazolam (0,15–0,2 mg/ kg KG i. v.)

▶Merke
– Beurteilung von Patienten mit Hitzeschäden häufig durch den zusätzlichen Alkoholkonsum schwierig: Kliniktransport.
– Die Symptome können um Stunden verspätet auftreten.

Hitzekollaps

ICD10: T67.1

– Nach längerem Aufenthalt (Stehen) in warmer Umgebung kommt es zum Wärmestau mit weitgestellter Gefäßperipherie und entsprechender Blutumverteilung.

Angaben:

– Schwindel, Schwäche, Schwarzwerden vor Augen

– Bewusstseinsstörung bis Bewusstlosigkeit
– (käsige) Blässe
– schnelle, flache Atmung

– Puls tachykard, kaum tastbar
– Schwitzen

– Blutdruckabfall
– Blutzuckertest
– evtl. Körpertemperatur erhöht

Basismaßnahmen:

– Beruhigung
– in kühle Umgebung bringen (Fenster öffnen)
– Lagerung ▶

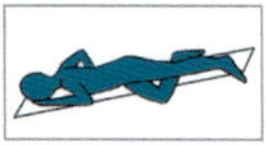

– Kleidung öffnen
– kühle Tücher auflegen
– evtl. Sauerstoffgabe
– ständige Puls-, EKG- und RR-Überwachung, SpO_2
– venöser Zugang: Infusion (kristalloide Lösung)

Erweiterte Maßnahmen:

– körperliche und neurologische Untersuchung

– Medikamente:
  • Blutdrucksteigerung, z. B. Cafedrin/Theodrenalin (0,5–1 ml i. v.)
  • selten Volumenersatz notwendig, z. B. Kristalloid-Infusion (10 ml/kg KG i. v.)

▶ **Merke**

– Allgemeine Maßnahmen sind: kalte Getränke, Befächeln, Besprühen, Eisbeutel in Leiste und Axilla.
– Die Untersuchung erfordert den Ausschluss anderer Ursachen von Bewusstlosigkeit, z. B. Hypoglykämie, apoplektischer Insult, Intoxikation, Herzrhythmusstörung.

Hitzeerschöpfung / Hitzekrämpfe

ICD10: T67.2

– starke Volumenverluste durch Schwitzen bei ungenügender Flüssigkeitszufuhr

Angaben:

– Kopfschmerzen, Schwächegefühl, Schwindel, Übelkeit, Sehstörungen, Durst

– Bewusstseinsstörung bis Bewusstlosigkeit
– feuchte, gerötete Haut, später Blässe
– Muskelzuckungen bis Krämpfe
– schlechte Venenfüllung
– schnelle, flache Atmung

– kalter Schweiß
– Puls tachykard, kaum tastbar
– Hautturgor herabgesetzt (stehende Hautfalten)

– Blutdruckabfall
– erhöhte Körpertemperatur
– Blutzuckertest

Basismaßnahmen:

– Beruhigung
– in kühle Umgebung bringen, Kleidung öffnen
– Lagerung ▶

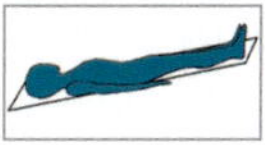

– Freimachen/Freihalten der Atemwege
– Sauerstoffgabe, ggf. Beatmung
– bei voll erhaltenem Bewusstsein: Trinken von Elektrolytlimonade
– ständige Puls- und RR-Überwachung, SpO_2
– venöser Zugang: zügige Infusion (kristalloide Lösung)

Erweiterte Maßnahmen:

– körperliche und neurologische Untersuchung
– ggf. Volumenersatz, z. B. Kristalloid-Infusion (10 – 20 ml/kg KG i. v.)

– Medikamente:
  • Sedierung, z. B. Midazolam (2 – 3 mg-weise i. v.)
  • ggf. Krampfdurchbrechung, z. B. Midazolam (5 – 15 mg i. v.)

▶**Merke**
Beurteilung von Patienten mit Hitzeschäden häufig durch den zusätzlichen Alkoholkonsum schwierig: Kliniktransport.

Hitzschlag

ICD10: T67.0

– akute Lebensgefahr durch Versagen der körpereigenen Temperaturregulationsmechanismen; mündet unbehandelt in ein Multiorganversagen

Angaben:

– Kopfschmerz, Schwindel, Übelkeit, Gangstörungen

– Bewusstseinsstörung bis Bewusstlosigkeit
– ggf. Krämpfe
– Hautrötung (rotes Stadium)
– später fahl-graues Aussehen (graues Stadium)
– schnelle, flache Atmung

– heiße, trockene Haut
– Puls tachykard

– Sauerstoffsättigung vermindert
– zunächst Blutdruckanstieg, später Blutdruckabfall
– Körpertemperatur > 40 °C
– Blutzuckertest

Basismaßnahmen:

– Beruhigung
– in kühle Umgebung bringen, Kleidung öffnen
– Lagerung ▶

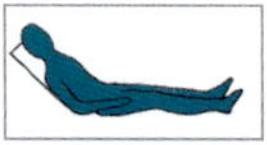

– Freimachen/Freihalten der Atemwege
– Sauerstoffgabe, ggf. Beatmung
– Kühlung durch Kaltwasser- oder Alkoholabsprühung (z. B. Desinfektionsspray)
– ständige Atem-, Puls-, EKG- und RR-Überwachung, SpO_2
– venöser Zugang: Infusion (kristalloide Lösung)

Erweiterte Maßnahmen:

– körperliche und neurologische Untersuchung
– evtl. Intubation und Beatmung
– Flüssigkeitsersatz, z. B. kristalloide Lösung (500 – 1.000 ml)

– Medikamente:
  • ggf. Sedierung, z. B. Midazolam (2 – 3 mg-weise i. v.)
  • Krampfdurchbrechung, z. B. Midazolam (5 – 15 mg i. v.)

▶ **Merke**

Beurteilung von Patienten mit Hitzeschäden häufig durch den zusätzlichen Alkoholkonsum schwierig: Kliniktransport.

Strahlenunfall

ICD10: W91.9

- Ereignis, bei dem auf Betroffene eine Strahlenbelastung von über 1 Gy einwirkt
- Grundsätzlich zu unterscheiden sind:
  - externe Bestrahlung (Unfall in Bestrahlungseinrichtung) durch Alpha-, Beta- und/oder Gammastrahlung
  - Kontamination, Inkorporation (Unfall mit offenen, radioaktiven Stoffen)

Angaben:

- Unfallablauf, Schädigungsmechanismus
- Übelkeit, Erbrechen, Kopfschmerzen
- evtl. Hautrötung
- evtl. Bewusstseinsstörung
- körperliche Schwäche

Basismaßnahmen:

- Schutzkleidung (wie bei Infektionsgefahr) anlegen
- Beruhigung
- Rettung aus unmittelbarem Gefahrenbereich (Eigenschutz)
- Flachlage auf Metalline®-Tüchern ▶
- Freimachen/Freihalten der Atemwege
- Sauerstoffgabe, ggf. Beatmung
- kontaminierte Kleidung entfernen
- Wundabdeckung
- Wärmeerhaltung
- ständige Puls-, RR- und EKG-Überwachung, SpO_2
- venöser Zugang: Infusion (kristalloide Lösung)
- körperliche und neurologische Untersuchung

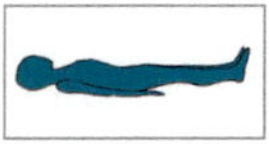

Erweiterte Maßnahmen:

- ggf. kristalloider Volumenersatz, z. B. Ringer-Laktat (500 – 1.000 ml)
- Voranmeldung in der Klinik
- Medikamente:
  - Schmerzbekämpfung, z. B. Morphin (5 – 10 mg i. v.)
  - Sedierung, z. B. Midazolam (2 – 3 mg-weise i. v.)
  - mögl. Transport in Klinik mit Chirurgie und Strahlenabteilung

Vorsicht!

- kontaminierte Kleidung von Patienten und Rettungspersonal sachgerecht entsorgen (Feuerwehr)

▶ **Merke**

- Je früher Krankheitszeichen einsetzen, umso höher ist die einwirkende Strahlendosis gewesen.
- Bei Dosen über 1 Gy kommt es zur akuten Strahlenkrankheit, bei Dosen über 5 Gy ist ein Überleben fraglich, bei Dosen über 10 Gy tritt unmittelbar der Tod ein.

Einteilung der Verbrennungen

	Erstgradig (epidermal):	Zweitgradig (dermal: oberflächlich/tief):	Drittgradig (subdermal: oberflächlich/tief):
Schweregrad	nur die obere Hautschicht, Regeneration vollständig möglich *Zeichen:* Rötung, Schwellung, Schmerz	bis in tiefere Hautschichten, Regeneration möglich *Zeichen:* wie erstgradig, zusätzlich Blasen, Wundgrund feucht, Schmerzen auf Berührung, kaum Blutung	völlige Zerstörung der Haut, Hautübertragung später notwendig *Zeichen:* völlige Gewebszerstörung bis zur Verkohlung, trockene Wunde, wachsartig-prall, Haare/Nägel fallen aus

Ausdehnung:

– Neuner-Regel: zur Abschätzung der verbrannten Körperoberfläche

	0–1 Jahr	5 Jahre	Erwachsene
Kopf + Hals	20 %	16 %	9 %
Arm	10 %	9 %	9 %
Rumpf vorn	15 %	16 %	18 %
Rumpf hinten	15 %	16 %	18 %
Bein	15 %	17 %	18 %
In allen Altersgruppen: Handfläche 1 %			

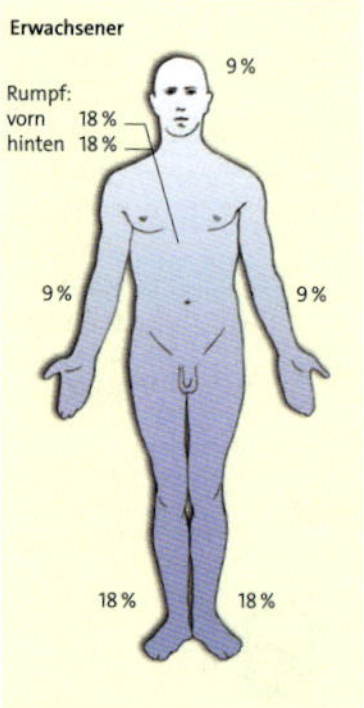

▶ **Merke**

– **Bei einer Ausdehnung von ca. 15 % bei Erwachsenen und 10 % bei Kleinkindern:**
  → akute Schockgefahr
  → Infusionstherapie.
– **Eine (sekundäre) Verlegung in ein Verbrennungszentrum ist sinnvoll bei:**
  • mehr als 20 % dermaler oder mehr als 10 % subdermaler Verbrennung bei Erwachsenen (bei Kindern schon bei geringerem Verletzungsumfang)
  • Gesichts-, Hals-, Hand-, Fuß-, Gelenk-, Genitalbeteiligung
  • elektrischen Verletzungen
  • Begleiterkrankungen, -verletzungen
  • Kindern unter 8 Jahren.

Verbrennung / Verbrühung

ICD10: T30.0

– Schädigung von Haut und Gewebe durch direkte Einwirkung von Hitze. Über die Wundflächen erfolgen in kurzer Zeit große Plasmaverluste.

Angaben:
- Unfallmechanismus, Schmerz, Atemnot

- Rötung → Blasenbildung → Verkohlung
- Blässe bis Zyanose
- schlechte Venenfüllung
- schnelle, flache Atmung

- Puls tachykard, kaum tastbar
- Rekapillarisierung verzögert (Nagelbettprobe)
- Schwitzen

Basismaßnahmen:
- Beruhigung
- Hitzezufuhr unterbrechen (löschen), nasse Kleidung entfernen
- nicht verklebte Kleidung entfernen
- Lagerung auf Metalline®-Tücher ▶

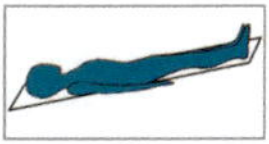

- Sauerstoffgabe, ggf. Beatmung
- keimfreie Wundabdeckung (z. B. Metalline®, BurnPac®)
- Wärmeerhaltung
- ständige Puls-, RR- und EKG-Überwachung, SpO_2
- venöser Zugang: Infusion (kristalloide Lösung)

Erweiterte Maßnahmen:
- körperliche Untersuchung
- großzügige Indikation zur Intubation und Beatmung
- Voranmeldung in der Klinik
- Flüssigkeitsersatz (in den ersten beiden Stunden):

$$\frac{\text{kg KG} \times \text{\% verbr. Körperoberfläche}}{2} = \text{ml/h}$$

- Medikamente:
  - Schmerzbekämpfung, z. B. Fentanyl (0,1 – 0,2 mg i. v.)
  - Sedierung, z. B. Midazolam (2 – 3 mg-weise i. v.)
  - Bronchialerweiterung, z. B. Theophyllin (200 – 300 mg i. v.)
  - Schockbehandlung, z. B. Kristalloid-Infusion (10 – 20 ml/kg KG)

▶ **Merke**

Bei Brandverletzten an die (mögliche) Schädigung der Atemwege (Rauchinhalation) denken.

Erfrierung

ICD10: T35.7

▶ s. a. Unterkühlung S. 250

– Örtliche Einwirkung von Kälte. Gefährdet sind insbesondere Nase, Ohren, Finger und Zehen.

Angaben:

- im Frühstadium: Blässe, Bewegungshemmung, starke Schmerzen, Gefühlsstörungen
- im Spätstadium: Nachlassen der Schmerzen bis Schmerzlosigkeit

- Blässe, Schwellung (1. Grad)
- blaurote Haut, Blasenbildung (2. Grad)
- Gewebszerstörung (3. Grad)

- Kälte an der betroffenen Stelle
- Gewebe verhärtet, evtl. gefroren
- Blutzuckertest
- evtl. Körpertemperatur erniedrigt

Basismaßnahmen:

- Beruhigung
- in warme Umgebung bringen
- Bewegungsverbot
- Lagerung ▶

- Bereich keimfrei abdecken, umpolstern
- heiße, gezuckerte Getränke
- Wärmeerhaltung
- keine Wiedererwärmung vor Ort
- ständige Puls-, RR- und EKG-Überwachung, SpO_2
- venöser Zugang: Infusion (kristalloide Lösung), ca. 38 °C angewärmt (+ 10 – 20 ml Glucose 40 %)

Erweiterte Maßnahmen:

- körperliche Untersuchung
- Medikamente:
  - Schmerzbekämpfung, z. B. Fentanyl (0,1 – 0,2 mg i. v.)
  - Sedierung, z. B. Midazolam (2 – 3 mg-weise i. v.)

▶ **Merke**

- Liegt eine Kombination von Erfrierung und Unterkühlung vor, so hat die Behandlung der Unterkühlung (vitale Bedrohung) Vorrang.
- Keine Alkoholgabe.

Konzept zum Vorgehen bei Lawinenunfall / Verschüttung / Unterkühlung

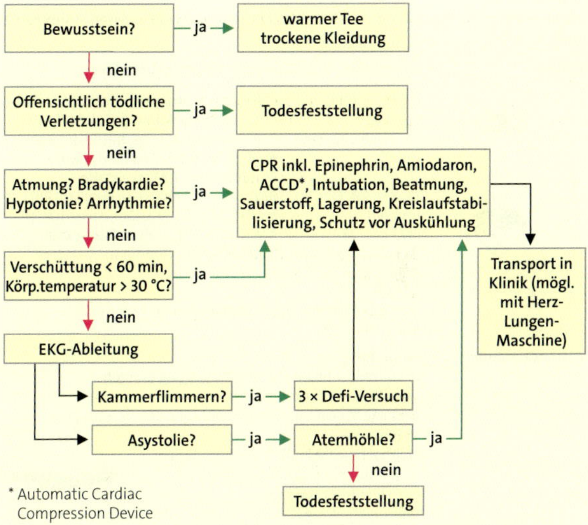

* Automatic Cardiac Compression Device

▶ Merke

- < 30 °C: einmalige Gabe von Epinephrin (1 mg i. v.), max. 3 Defibrillationen
- 30 – 35 °C: Epinephrin (1 mg i. v.) alle 6 – 10 min

Alpines Notsignal

Notsignal	6 × Signal	1 min Pause	6 × Signal
Antwort	3 × Signal	1 min Pause	3 × Signal
Signal	z. B.: Rufen, Pfeifen, Blitzen, Lampe, Flagge, Spiegel, Schießen		
Notruf	Schweiz: 144	Österreich: 140	Italien: 118
	europaweit (vom Handy): 112		

Unterkühlung

ICD10: T68

▶ s. a. Erfrierung S. 248

– Abfall der Körpertemperatur unter 35 °C, häufig gemeinsam mit anderen Störungen (Intoxikation, Hypoglykämie, Trauma)

Angaben:

– Kältegefühl, evtl. Schmerzen an den Extremitäten

ca. 36 – 34 °C (gering)	Kältezittern, Erregung, blass-zyanotische Haut, vertiefte Atmung, Puls tachykard
ca. 34 – 32 °C (mild)	Bewusstseinsstörung, flache, unregelmäßige Atmung, Puls bradykard, Blutdruckabfall, Muskelsteife
ca. 32 – 28 °C (mäßig)	Bewusstlosigkeit, weite Pupillen, Puls bradykard, kaum tastbar, arrhythmisch
unter ca. 28 °C (schwer)	Atemstillstand, Kreislaufstillstand (meist Kammerflimmern)
unter ca. 24 °C (avital)	keine Vitalzeichen

– »Neugeborenen«- oder Ohrthermometer verwenden
– Blutzuckertest

Basismaßnahmen:

– Beruhigung
– in warme, windgeschützte Umgebung bringen
– über 32 °C: Patienten ausziehen, aktiv erwärmen
– unter 32 °C: Patienten nicht bewegen lassen, zudecken
– Lagerung ▶

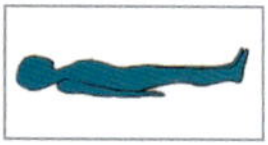

– Freimachen/Freihalten der Atemwege
– Sauerstoffgabe, ggf. Beatmung
– ggf. Herzdruckmassage
– Wärmeerhaltung (Decken, Alufolien, Plastiksack); bei erhaltenem Bewusstsein: heiße, gezuckerte Getränke
– ständige Atem-, Puls-, RR- und EKG-Überwachung, SpO_2
– venöser Zugang: Infusion (kristalloide Lösung), ca. 40 °C angewärmt (+ 10 – 20 ml Glucose 40 %)

Erweiterte Maßnahmen:

– körperliche und neurologische Untersuchung
– ggf. Intubation und Beatmung
– Medikamente:
  • Sedierung, z. B. Midazolam (2 – 3 mg-weise i. v.)
  • Antiarrhythmika nur bei akuter Lebensbedrohung

▶ Merke

– Extremitäten nicht an den Rumpf lagern, Gefahr von weiterem Wärmeverlust!
– Reanimationsmaßnahmen sind fortzusetzen, bis die Körpertemperatur normalisiert ist. Todesfeststellung ggf. erst nach Wiedererwärmung.
– Rettung und Transport müssen so schonend wie möglich durchgeführt werden (keine Bewegungen, kein Umlagern: drohender Rettungstod; Schaufeltrage).

Eigene Notizen

Augenverletzung

ICD10: S05.9

▶ s. a. Säuren-Laugen-Verätzung S. 277

Angaben:

- Unfallmechanismus (mechanisch, chemisch), Schmerzen, Sehstörungen, Fremdkörpergefühl

- Verletzung von Augapfel bzw. Ober-/Unterlid
- evtl. Fremdkörper
- Schwellung
- Fehlstellung des Auges (nach oben/außen)
- Tränenfluss
- Zusammenkneifen des Auges

- Puls tachykard

Basismaßnahmen:

- Beruhigung
- Lagerung ▶

- Sauerstoffgabe
- Verband (beide Augen)
- Wärmeerhaltung
- ständige Puls-, RR- und EKG-Überwachung, SpO_2
- venöser Zugang: Infusion (kristalloide Lösung)
- Transport in eine Klinik mit augenärztlichem Dienst

Erweiterte Maßnahmen:

- körperliche Untersuchung
- bei Begleitverletzungen vorrangig Blutstillung und Sicherung der Vitalfunktionen

- Medikamente:
  - Sedierung, z. B. Midazolam (2–3 mg-weise i. v.)
  - Schmerzbekämpfung, z. B. Fentanyl (0,1–0,2 mg i. v.)

▶ Merke

- Bei Verkehrsunfällen mit Glasschäden (Windschutzscheibe) stets an mögliche Augenverletzungen denken.
- Bei Verätzung/Verbrennung: reichlich spülen, Infusion (kristalloide Infusionslösung, ca. 1.500 ml über 15 min durch zwei Helfer).
- Früher empfohlene Lösungen mit Puffern (z. B. Isogutt®) führen ggf. zu zusätzlichen Schädigungen.
- Keine Salbe, Tropfen etc. in das geschädigte Auge geben.

Glaukomanfall

ICD10: H40.2

▶ s. a. Kopfschmerz S. 142, Hirnblutung S. 190

– Durch Abflussstörung des Augenkammerwassers kommt es zur akuten Erhöhung des Augeninnendrucks (meist ältere, weitsichtige Personen).

Angaben:

- (Kopf-)Schmerzen, Sehstörungen, Übelkeit
- einseitige Augenrötung
- weite, lichtstarre, entrundete Pupille
- Bulbusstellung mittelständig
- steinharter Augapfel
- Blutdruck erhöht
- Blutzuckertest

Basismaßnahmen:

- Beruhigung
- Lagerung ▶
- Sauerstoffgabe
- evtl. 1–2 Gläser Alkoholika (Rum, Kognak etc.)
- Wärmeerhaltung
- ständige Puls-, RR- und EKG-Überwachung, SpO_2
- venöser Zugang: Infusion (kristalloide Lösung)

Erweiterte Maßnahmen:

- körperliche Untersuchung
- Medikamente:
  - Pupillenverengung, z. B. Pilocarpin Augentropfen 1 % (alle 10 min 1 Tropfen)
  - Sedierung, z. B. Midazolam (2–3 mg-weise i. v.)
  - Schmerzbekämpfung, z. B. Morphin (2–3 mg-weise i. v.)

▶ **Merke**

- Wegen der häufig uncharakteristischen Beschwerden (Atemnot, Erbrechen) besteht die Gefahr einer Fehldiagnose (z. B. Herzinfarkt, akutes Abdomen).
- Verschiedene Medikamente (z. B. Sympathomimetika, Anticholinergika, Antihistaminika, Psychopharmaka) können einen Glaukomanfall auslösen.

Tauchunfall / Dekompressionsunfall

ICD10: T70.3

- häufigste Schädigung: Trommelfelleinriss (Schmerzen, Schwindel, Hörverlust)
- Bei zu schnellem Aufstieg aus größerer Tiefe (> 10 m) perlt im Gewebe gelöstes Gas aus (Luftembolie). Hieraus entwickelt sich eine Dekompressionskrankheit mit Muskel-Gelenk-Schmerzen (Typ 1) oder neurologischen Störungen (Typ 2). Überschneidend kann es zur arteriellen Gasembolie (z. B. Gehirn, Lunge) kommen.
- Informationen dem Dekompressionscomputer entnehmen.

Angaben:

- Schwäche, Hautjucken (Taucherflöhe), Gefühlsstörungen, Schmerzen in Gelenken, Knochen, Ohren, Sprachstörungen

- Bewusstseinsstörung bis Bewusstlosigkeit
- Hautrötung
- evtl. Erbrechen
- evtl. Lähmungen

- beim Abhören evtl. einseitig fehlendes Atemgeräusch (Pneumothorax)

- Puls tachykard, evtl. arrhythmisch
- Sauerstoffsättigung vermindert
- Blutdruckabfall
- Blutzuckertest
- evtl. Körpertemperatur erniedrigt

Basismaßnahmen:

- Beruhigung
- Lagerung ▶
- Freimachen/Freihalten der Atemwege
- Sauerstoffgabe, ggf. Beatmung
- Wärmeerhaltung
- ständige Puls-, RR- und EKG-Überwachung, SpO_2
- venöser Zugang: Infusion (kristalloide Lösung)
- Transport in eine Druckkabine (Rekompression nach Schema)

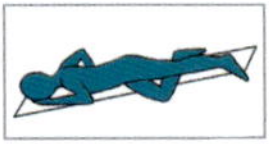

Erweiterte Maßnahmen:

- körperliche Untersuchung
- Flüssigkeitszufuhr, z. B. kristalloide Lösung
- ggf. Volumenersatz, z. B. Kristalloid-Infusion (10 – 20 ml/kg KG)

- Medikamente:
  - Sedierung, z. B. Midazolam (2 – 3 mg-weise i. v.)
  - Schmerzbekämpfung, z. B. Morphin (2 – 3 mg-weise i. v.)

▶Merke

- Von den Störungen durch zu raschen Druckabfall sind Notfälle durch Pneumothorax (s. S. 195) und aufgrund falscher Zusammensetzung des Atemgases, z. B. Stickstoffnarkose (Tiefenrausch), CO-, CO_2- und Sauerstoffvergiftung, sowie Ertrinkungsunfälle abzugrenzen.
- Kontaktaufnahme mit Taucherarzt: DAN-Hotline Deutschland und Österreich: 00800 326 668 783 (= 00800 DAN NOTRUF); Schweiz: 0041 333 333 333.

Ertrinken

ICD10: T75.1

▶ s. a. Unterkühlung S. 250

- Atemstörung mit Sauerstoffmangel nach Untertauchen in einer Flüssigkeit, meist mit Aspiration, Bronchospasmus, Lungenödem
- Die Unterscheidung in nasses und trockenes bzw. Süß- und Salzwasserertrinken hat für die Erstversorgung keine Bedeutung.

Angaben:

- Unfallmechanismus, Verlauf

- Bewusstseinsstörung bis Bewusstlosigkeit
- Blässe bis Zyanose
- Atemstörung bis Atemstillstand
- evtl. Begleitverletzungen, z. B. Halswirbelschädigung

- evtl. Atemwegsverlegung, Bronchospasmus
- evtl. Rasselgeräusche
- kalte Extremitäten
- Puls tachykard, evtl. bradykard, arrhythmisch, evtl. Kreislaufstillstand

- Sauerstoffsättigung vermindert
- evtl. Blutdruckabfall
- ggf. Unterkühlung
- Blutzuckertest

Basismaßnahmen:

- evtl. Rettung, Horizontallage, Schaufeltrage
- nicht »ausschütteln«, sondern
- Lagerung ▶

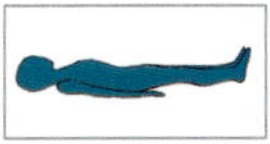

- Freimachen/ Freihalten der Atemwege
- Sauerstoffgabe, ggf. Beatmung
- ggf. Reanimation, bei Unterkühlung (S. 249f) Transport unter mCPR
- Wärmeerhaltung (nasse Kleidung entfernen)
- ständige Puls-, RR- und EKG-Überwachung, SpO_2
- venöser Zugang: langsame Infusion (kristalloide Lösung)

Erweiterte Maßnahmen:

- großzügige Indikation zur Intubation und Beatmung (PEEP)
- Magensonde (absaugen)

▶ **Merke**

- Wegen der oft großen Mengen an verschlucktem Wasser (voller Magen) hohe Aspirationsgefahr.
- Keine Basismaßnahmen zur Lungendrainage (z. B. »Ausschütteln«).
- Gerade bei Kindern (mit schneller Unterkühlung) Wiederbelebungsmaßnahmen länger – bis zur Klinikaufnahme, ggf. mit Wiedererwärmung – fortsetzen.

Niederspannungsunfall (unter 1.000 V)

Haushaltsstrom

ICD10: T75.4

- hauptsächlich elektrophysiologische Wirkung (Herzrhythmusstörungen, Bewusstseinsstörungen)
- evtl. Frakturen (z. B. Sturzverletzungen)

- Bewusstseinsstörung bis Bewusstlosigkeit
- Patient krampfend am elektrischen Leiter

- Puls evtl. tachykard, arrhythmisch

- Blutdrucksteigerung
- Blutzuckertest

Basismaßnahmen:

- evtl. Rettung ▶ s. S. 41
- Lagerung ▶

- Freimachen/Freihalten der Atemwege
- Sauerstoffgabe, ggf. Beatmung
- evtl. Ruhigstellung von Frakturen
- Wundverband
- ständige Puls-, RR- und EKG-Überwachung, SpO_2
- venöser Zugang: Infusion (kristalloide Lösung)
- Wärmeerhaltung

Erweiterte Maßnahmen:

- körperliche und neurologische Untersuchung

- Medikamente:
  - Sedierung, z. B. Midazolam (2 – 3 mg-weise i. v.)
  - Rhythmusstörungen, z. B. Lidocain (100 mg i. v.), z. B. Metoprolol (3 – 5 mg i. v.)
  - Schmerzbekämpfung, z. B. Fentanyl (0,1 – 0,2 mg i. v.)

▶ **Merke**

- Bei Stromunfällen ist die Eigensicherung des Rettungspersonals vorrangig.
- Schädigung vor allem abhängig von effektivem Stromfluss (Ampere) durch den Körper.

Hochspannungsunfall (über 1.000 V) / Blitzschlag

ICD10: T75.4 / .0

▶ s. a. Verbrennung S. 247
- hauptsächlich elektrothermische Wirkung (Verbrennung)
- evtl. Frakturen (z. B. Wirbelfrakturen durch Stromeinwirkung, Sturzverletzungen)

- Patient »klebt« evtl. durch Muskelkrämpfe am spannungsführenden Leiter
- Bewusstseinsstörung bis Bewusstlosigkeit
- Strommarken, evtl. Verkohlungen
- Verbrennungen

- Puls tachykard, evtl. arrhythmisch
- Blutdruckabfall
- Blutzuckertest

Basismaßnahmen:

- Rettung des Verletzten nur durch Feuerwehr oder VDE-Fachleute
- Lagerung ▶

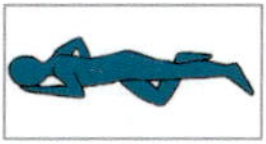

- Freimachen/Freihalten der Atemwege
- Sauerstoffgabe, ggf. Beatmung
- evtl. Ruhigstellung von Frakturen
- Verband (Verbrennungsbehandlung)
- ständige Puls-, RR- und EKG-Überwachung, SpO_2
- Wärmeerhaltung
- venöser Zugang: Infusion (kristalloide Lösung)

Erweiterte Maßnahmen:

- körperliche und neurologische Untersuchung
- Volumenersatz, z. B. kristalloide Lösung (500 – 1.000 ml)
- Medikamente:
  - Sedierung, z. B. Midazolam (2 – 3 mg-weise i. v.)
  - Schmerzbekämpfung, z. B. Fentanyl (0,1 – 0,2 mg i. v.) ggf. Narkoseeinleitung
  - Rhythmusstörungen, z. B. Lidocain (100 mg i. v.), z. B. Metoprolol (2 – 5 mg i. v.)
  - Ausscheidungssteigerung, z. B. Furosemid (20 – 40 mg i. v.)

▶ **Merke**
- Bei Stromunfällen ist die Eigensicherung des Rettungspersonals vorrangig.
- Sicherheitsabstand beachten (= 1 cm/1.000 V), Hochspannungsleitung z. B. 380.000 V: mindestens 3,80 m Abstand.
- Beim Blitzunfall kann es neben der direkten/indirekten Stromwirkung zu Explosionsverletzungen durch die im Blitzkanal erhitzte Luft kommen.

Höhenkrankheit

ICD10: T70.2

▶ s. a. Kopfschmerz S. 142, Lungenödem S. 168

– Bei Abnahme des Gesamtluftdrucks (Barometerdruck in 5.000 m Höhe etwa halb so hoch wie auf Meereshöhe) sinkt auch der Sauerstoffgehalt des Blutes entsprechend ab.

Angaben:

– Atemnot, Herzklopfen, Kopfschmerzen, Übelkeit

– Unruhe, evtl. Bewusstseinsstörung
– Blässe, evtl. Zyanose
– schnelle, flache Atmung
– evtl. schaumiger, blutiger Auswurf (schwerste Form)

– Husten
– feine Rasselgeräusche (Lungenödem)

– feuchte, kühle Haut
– Puls tachykard, bradykard, evtl. arrhythmisch

– Sauerstoffsättigung vermindert
– evtl. Blutdruckanstieg, später Blutdruckabfall
– Blutzuckertest
– evtl. Körpertemperatur erniedrigt

Basismaßnahmen:

– Beruhigung
– Lagerung ▶

– Sauerstoffgabe, ggf. Beatmung
– Wärmeerhaltung
– ständige Puls-, RR- und EKG-Überwachung, SpO_2
– venöser Zugang: langsame Infusion (kristalloide Lösung)
– baldmöglicher Transport in geringere Höhenlage

Erweiterte Maßnahmen:

– körperliche Untersuchung
– ggf. Intubation und Beatmung

– Medikamente:
  • Sedierung, z. B. Midazolam (2 – 3 mg-weise i. v.)
  • Ausschwemmung, z. B. Furosemid (20 – 40 mg i. v.)
  • evtl. Herzentlastung,
    z. B. Glyceroltrinitrat-Spray (2 – 4 Hübe),
    z .B. Morphin (2 – 3 mg-weise i. v.)

▶ Merke

Mit dem Auftreten einer akuten Höhenkrankheit muss vor allem bei nicht höhenangepassten Patienten und/oder bei solchen mit einer Herz-Kreislauf-Erkrankung gerechnet werden (schneller Aufstieg in Höhen über 2.000 m mit Bergbahnen).

Eigene Notizen

Eigene Notizen

Spezielle Notfälle
Vergiftungen

Siehe auch

Merke
Bundeseinheitlicher Notruf der Vergiftungszentralen: (Ortsvorwahl) 19240.

Eigene Notizen

Chemische Stoffe

Eine Vielzahl chemischer Stoffe kann im Haushalt und am Arbeitsplatz akute Vergiftungsnotfälle verursachen.

Beispielhaft sei eine Reihe von Gefahrstoffen genannt, die giftig, gesundheitsschädlich, ätzend, reizend, explosiv, brandfördernd, entzündlich, krebserregend, fruchtschädigend und/oder erbgutverändernd sein können:

- Säuren, Laugen s. S. 277
- Ammoniak s. S. 267
- Benzin s. S. 275
- Zyanide s. S. 274
- Chlor, nitrose Gase s. S. 267

Schwermetallvergiftungen haben wegen der speziellen Bedingungen (protrahierter Verlauf, Antidota) gegenüber den vorgenannten Vergiftungen in der Notfallmedizin eine nur untergeordnete Bedeutung.

Merke

- Bestmöglich klären,
  - **was** und
  - **wie viel**
  - **wann**

  eingenommen wurde.
- Tablettenreste, Packungsreste, Pflanzen(-teile), Flaschen etc. sichern und in die Klinik mitbringen.
- Bei unklarer oder verdächtiger Situation ggf. Polizei, Gewerbeaufsicht hinzuziehen.

Kohlendioxiderstickung

ICD10: T59.7

▶ s. a. Bewusstseinsstörung S. 67, 131 – 133

– über Atemwege: in Silos, Weinkellern, Jauchegruben, Höhlen

Angaben:

– Kopfschmerzen, Übelkeit, Schwindel, Atemnot

– Bewusstseinsstörung bis Bewusstlosigkeit (CO_2-Narkose)
– Atemstörung bis Atemstillstand
– Zyanose
– weite Pupillen

– Puls tachykard, evtl. arrhythmisch

– Sauerstoffsättigung vermindert
– Blutdruckanstieg, später Blutdruckabfall
– Blutzuckertest

Basismaßnahmen:

– Rettung des Patienten; Eigenschutz beachten!
– Feuerwehr mit Atemschutz, Gas-Warngeräten
– Lagerung ▶
– Freimachen/Freihalten der Atemwege
– Sauerstoffgabe, ggf. Beatmung

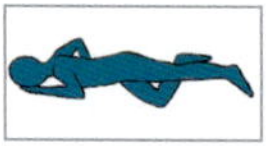

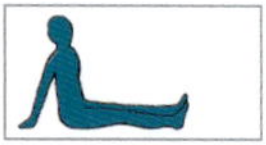

– ständige Atem-, Puls-, EKG- und RR-Überwachung, SpO_2
– venöser Zugang: Infusion (kristalloide Lösung)

Erweiterte Maßnahmen:

– körperliche Untersuchung
– evtl. Intubation und Beatmung (Hyperventilation), evtl. PEEP

– Medikamente:
  • Bronchialerweiterung, z. B. Salbutamol-Inhalation (1,25 – 2,5 mg)
  • bei Rauchgasinhalation: Hydroxocobalamin (2,5 – 5 g i. v.)

▶ Merke

– Während bei der CO-Vergiftung vor allem eine hohe Sauerstoffkonzentration in der Atemluft angestrebt werden muss, ist bei der CO_2-Erstickung ein hohes Atemminutenvolumen vorrangig.
– Erhöhte Gefahr durch weitere giftige Substanzen.

Kohlenmonoxidvergiftung

ICD10: T58

▶ s. a. Bewusstseinsstörung S. 67, 131 – 133

- farb-, geruchloses Gas
- bei Bränden, in Motorabgasen, als Leuchtgas, Explosionsgas
- blockiert das Hämoglobin → kein Sauerstofftransport

Angaben:

- Kopfschmerzen, Übelkeit, Schwindel, Atemnot, Herzklopfen

- Bewusstseinsstörung bis Bewusstlosigkeit
- evtl. Krämpfe
- Atemstörung bis Atemstillstand
- keine typische Zyanose

- Puls tachykard, evtl. arrhythmisch
- 12-Kanal-EKG auffällig

- Sauerstoffsättigung (SpO_2) anscheinend normal bis erhöht
- Blutdruckabfall
- Blutzuckertest

Basismaßnahmen:

- Lüften, schnellstmögliche Rettung, Eigenschutz, Gaswarngeräte (ggf. Feuerwehr mit Atemschutz)
- Lagerung ▶

- Freimachen/Freihalten der Atemwege
- Sauerstoffgabe, z. B. 15 l/min, ggf. Beatmung (100 % O_2)
- Wärmeerhaltung
- ständige Atem-, Puls-, EKG- und RR-Überwachung, SpO_2

Erweiterte Maßnahmen:

- venöser Zugang: Infusion (kristalloide Lösung)
- körperliche Untersuchung
- ggf. NIV, Intubation und Beatmung, PEEP (100 % O_2)

- Medikamente:
  - ggf. Sedierung, z. B. Midazolam (2 – 3 mg-weise i. v.)
  - bei Rauchgasinhalation: Hydroxocobalamin (2,5 – 5 g i. v.)

▶ Merke

- ABC-Schutzmasken sind bei CO unwirksam.
- Vorsicht: Keine Funken erzeugen → Explosionsgefahr!
- Pulsoxymetriewerte (SpO_2) nicht aussagekräftig (Verkennung von CO-Hb als O_2-Hb).
- Bei Schwangeren schnellstmögliche Druckkammerbehandlung.
- Frühestmöglich (venöse) BGA abnehmen → CO-Bestimmung in Notaufnahme.

– ggf. Großschadenslage bei Unfall während der Produktion bzw. bei Transport oder im Rahmen terroristischer Aktionen

Angaben: je nach Einwirkungsort Reizungen, Verätzungen der Schleimhäute, der Augen (»Tränengas«), des Nasen-Rachen-Raums, der Atemwege (Reizgas), der Haut oder im Magen-Darm-Trakt

1. Augenkampfstoffe – Weißkreuz
   - z. B. Brombenzylcyanid (BBC), Brom- bzw. Chloracetophenon (CN), Dibenzoxazepin (CR), 2-Chlorbenzylidenmalonsäuredinitril (CS), Brom- bzw. Chloraceton
   - **typisch:** Augenbrennen, Schmerzen, Tränenfluss
   - **vorrangig:** Dekontamination
2. Nasen-Rachen-Kampfstoffe – Blaukreuz
   - z. B. Diphenylarsinchlorid (Clark 1), Diphenylarsinzyanid (Clark 2), Diphenylaminarsinzyanid (Clark 3), Excelsior, Adamsit (DM) (notfallmed. Situation ▶ s. Reizgasvergift. S. 267)
3. Lungenkampfstoffe – Grünkreuz
   - z. B. Chlor, Chlorpikrin, Phosgen, Diphosgen, Triphosgen, Arsenwasserstoff (notfallmed. Situation ▶ s. Reizgasvergift. S. 267)
4. Hautkampfstoffe – Gelbkreuz
   - z. B. Senfgas (Schwefellost), Stickstofflost, Lewisit, Nesselstoffe
   - **typisch:** Rötung, Blasenbildung, Schmerzen
   - **vorrangig:** Dekontamination
5. Nervenkampfstoffe – Acetylcholinesterase-Hemmstoffe
   - z. B. Tabun (GA), Sarin (GB), Soman (GD), Cyclosarin (GF) (notfallmed. Situation ▶ s. Organoalkylphosphatvergift. S. 273)
6. Blutkampfstoffe – Zellatmungsgifte (Blockade der Zytochromoxidase)
   - z. B. Blausäure, Chlorzyan, Arsin, Eisenpenta- bzw. Nickeltetracarbonyl (notfallmed. Situation ▶ s. Blausäurevergift. S. 274)

Basismaßnahmen:

– Eigenschutz beachten – Handschuhe, ggf. Atemschutz
– Dekontamination, Augen mit Wasser spülen
– entkleiden
– Haut abtupfen, ggf. Tupfer mit Schmierseife, giftbindendem Puder verwenden
– abduschen

▶ Merke

– Wichtig ist die Beachtung des Eigenschutzes → sorgfältige Entsorgung kontaminierter eigener und fremder Kleidung sowie von Einsatzmaterialien + abschließende Geräte- und Fahrzeugreinigung.
– Neben chemischen Kampfstoffen können Bakterien (z. B. Anthrax) und Viren (z. B. Hanta, Lassa) bzw. Gifte (z. B. Botulinum) eingesetzt werden (B-Alarm).

Reizgasvergiftung

ICD10: T59.9

– über Atemwege (z. B. Ammoniak, Chlorwasserstoff, Arsenverbindungen, Tränengas, nitrose Gase und chemische Kampfstoffe): bei Verbrennen von Zelluloid, autogenem Schweißen, Reinigen von Metallen mit Salpetersäure etc., bei Verkehrsunfällen, Bränden

Angaben:

- Atemnot, Hustenreiz, Würgereiz, Schwächegefühl, Schwindel, Schmerz hinter dem Brustbein

- Anschwellen der Mund-Rachen-Schleimhaut
- Atemstörung bis Atemstillstand
- evtl. Symptome des Lungenödems ▶ s. S. 168

- Puls tachykard, evtl. arrhythmisch
- Sauerstoffsättigung vermindert
- Blutdruckabfall
- Blutzuckertest

Basismaßnahmen:

- evtl. Rettung
- Beruhigung
- Lagerung ▶

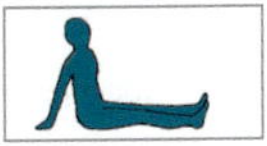

- Sauerstoffgabe, ggf. Beatmung
- Wärmeerhaltung
- ständige Atem-, Puls-, EKG- und RR-Überwachung
- venöser Zugang: Infusion (kristalloide Lösung)

Erweiterte Maßnahmen:

- körperliche Untersuchung
- evtl. Intubation und Beatmung (PEEP)

- Medikamente:
  - Sedierung, z. B. Midazolam (2 – 3 mg-weise i. v.)
  - Entzündungshemmung, z. B. Prednisolon (250 mg i. v.)
  - Bronchialerweiterung, z. B. Fenoterol-/Ipratropium-Spray (2 Hübe), z. B. Salbutamol-Inhalation (1,25 – 2,5 mg)
  - bei Rauchgasinhalation: Hydroxocobalamin (2,5 – 5 g i. v.)

▶ **Merke**

– Reizgase mit schnellem Wirkungseintritt (an den oberen Luftwegen), z. B. Ammoniak, Fluor-, Brom-, Chlorwasserstoff: keine Langzeitbeobachtung notwendig.

– Reizgase mit verzögertem Wirkungseintritt (an den unteren Luftwegen), z. B. SO_2, Chlor-, nitrose Gase, Phosgen, Ozon: Langzeitbeobachtung (24 bis 36 Stunden) notwendig.

Methanolvergiftung (Methylalkohol)

ICD10: T51.1

- über Magen-Darm-Trakt
- Abbau zu Ameisensäure, die den Zellstoffwechsel blockiert (→ metabolische Azidose)

Angaben:
- Sehstörungen bis Sehuntüchtigkeit, Atemnot, Übelkeit

- Bewusstseinsstörung bis Bewusstlosigkeit
- evtl. Rauschzustände
- evtl. Krämpfe
- Atemstörung bis Atemstillstand
- weite, reaktionslose Pupillen
- halbleere bzw. leere Flaschen (z. B. Holzgeist, Karbinol, vergällter Alkohol, Lösungsmittel)

- Puls evtl. tachykard, bradykard, arrhythmisch

- Blutdruckabfall
- Blutzuckertest

Basismaßnahmen:
- Beruhigung
- Lagerung ▶

- Freimachen/Freihalten der Atemwege
- Sauerstoffgabe, ggf. Beatmung
- Alkoholika: z. B. Kognak, Rum etc. (ca. 1 ml/kg KG) (Hemmung des Abbaus zu Ameisensäure)
- Giftbindung: med. Kohle (1 g/kg KG)
- Gift sicherstellen
- Wärmeerhaltung
- ständige Atem-, Puls-, EKG- und RR-Überwachung
- venöser Zugang: Infusion (kristalloide Lösung)

Erweiterte Maßnahmen:
- körperliche und neurologische Untersuchung
- evtl. Intubation und Beatmung
- ggf. Volumenersatz, z. B. kristalloide Lösung (10 – 20 ml/kg KG)

▶ Merke
- Mit Methanolvergiftungen muss vor allem in sozialen Randgruppen (Ethylalkoholersatz) sowie bei Konsum von selbstgebrannten Alkoholika (Hausschnaps) gerechnet werden.
- In der Klinik erfolgt die Gabe von Fomepizol, einem spezifischen Antidot, zur Hemmung der Giftwirkung.

Alkoholvergiftung (Ethanol, Ethylalkohol, C_2H_5OH)

ICD10: F10.0

Angaben:

- Bewusstseinsstörung bis Bewusstlosigkeit
- evtl. Rauschzustand, Euphorie, Gewalttätigkeit
- evtl. Atemstörung
- Rötung der Augenbindehaut und des Gesichts
- evtl. Erbrochenes
- evtl. zusätzliche Schädigungen (Verletzung, Unterkühlung)

- lallende, verwaschene, abgehackte Sprache

- Puls tachykard, evtl. arrhythmisch
- evtl. kalter Schweiß
- Alkoholgeruch der Ausatemluft

- Blutdruckabfall bzw. -steigerung
- Temperaturabfall
- Blutzuckertest
- evtl. Temperatur erniedrigt

Basismaßnahmen:

- Lagerung ▶

- Freimachen/Freihalten der Atemwege
- Sauerstoffgabe, ggf. Beatmung
- Giftbindung: med. Kohle (1 g/kg KG)
- Wärmeerhaltung
- ständige Atem-, Puls-, EKG- und RR-Überwachung
- venöser Zugang: Infusion (kristalloide Lösung) (+ 10 – 20 ml Glucose 40 %)

Erweiterte Maßnahmen:

- körperliche und neurologische Untersuchung
- ggf. Volumenersatz, z. B. kristalloide Lösung (10 – 20 ml/kg KG)

- Medikamente:
  - evtl. Sedierung, z. B. Midazolam (2 – 3 mg-weise i. v.)
  - evtl. Psychosedämpfung, z. B. Haloperidol (5 – 10 mg i. m.)
  - evtl. Ruhigstellung, z. B. Propofol (30 – 50 mg i. v.)

▶**Merke**

- Abschätzung Bier: ca. 30 – 60 g/l; Wein: ca. 80 – 100 g/l; Alkoholika: ca. 200 – 350 g/l. Gefahr bei Einnahme von über 2 g/kg KG.
- Alkoholabbau (nach verzögertem Beginn für die Resorption): ca. 0,1 ‰ pro Stunde bzw. 0,15 g/kg KG/Stunde, z. B. 10 g/Stunde.
- Vorsicht: Frauen und insbesondere Kinder haben eine niedrigere Alkoholtoleranz.
- Sondersituation: Alkoholentzugsdelir = Erregungszustand.

Medikamentenvergiftung

ICD10: T50.9

- über Magen-Darm-Trakt
- meist Schlaf- und Beruhigungsmittel

Angaben:

- Information durch Patienten bzw. Angehörige

- Bewusstseinsstörung bis Bewusstlosigkeit
- Atemstörung bis Atemstillstand
- evtl. Zyanose
- evtl. enge Pupillen
- evtl. Krämpfe
- evtl. Erbrochenes
- evtl. Hautveränderungen

- Puls tachykard, evtl. arrhythmisch, kaum tastbar
- evtl. kalter Schweiß

- Sauerstoffsättigung vermindert
- Blutdruckabfall
- Temperaturabfall
- Blutzuckertest
- evtl. Temperatur erniedrigt

Basismaßnahmen:

- Lagerung ▶

- Freimachen/Freihalten der Atemwege
- Sauerstoffgabe, ggf. Beatmung
- Giftbindung: med. Kohle (1 g/kg KG)
- Tablettenschachteln, Erbrochenes etc. sicherstellen
- Wärmeerhaltung
- ständige Atem-, Puls-, EKG- und RR-Überwachung
- venöser Zugang: Infusion (kristalloide Lösung)

Erweiterte Maßnahmen:

- körperliche und neurologische Untersuchung
- evtl. Intubation und Beatmung, Magenspülung

- Medikamente:
  - Volumenersatz, z. B. Kristalloid-Infusion (10 – 20 ml/kg KG)

▶ Merke

Häufig Kombination von Tabletten- und Alkoholvergiftung mit entsprechendem Mischbild.

Vergiftung mit zentral stimulierenden Substanzen

(Analeptika, z. B. Kokain, Amphetamine) ICD10: F15.0

- Freisetzung körpereigener Katecholamine mit zentralen und peripheren sympathomimetischen Effekten; hohes Suchtpotenzial mit z. T. schneller Abhängigkeitsentwicklung

Angaben:

- Unruhe, Schlaflosigkeit, Erregungszustände, Depression, Panik
- Euphorie, Selbstüberschätzung
- Pupillenerweiterung, Augenzittern (Nystagmus)
- Mundtrockenheit
- Zittern, Gangstörungen, evtl. Krampfanfall
- Halluzinationen
- Übelkeit
- evtl. Angina-pectoris-Beschwerden
- vermindertes Hunger- und Durstgefühl
- Puls tachykard, evtl. arrhythmisch
- evtl. stehende Hautfalten
- Flüssigkeitsmangel
- Blutdruckanstieg, später Blutdruckabfall
- Blutzuckertest
- erhöhte Körpertemperatur, ggf. > 40 °C

Basismaßnahmen:

- Beruhigung
- Lagerung ▶
- Kühlung
- Sauerstoffgabe
- ständige Atem-, Puls-, und RR-Überwachung, SpO_2

Erweiterte Maßnahmen:

- beruhigendes Gespräch
- körperliche und neurologische Untersuchung
- venöser Zugang: Infusion (kristalloide Lösung)
- Medikamente:
  - Sedierung, z. B. Midazolam (2 – 3 mg-weise i. v.)
  - Blutdrucksenkung, z. B. Nitrendipin (5 mg p. o.), z. B. Urapidil (10 – 50 mg i. v.)
  - Krampfdurchbrechung, z. B. Midazolam (5 – 15 mg i. v.)
  - ggf. Flüssigkeitsersatz, z. B. kristalloide Lösung (500 – 1.000 ml)

▶ **Merke**

- Zentral stimulierende Substanzen sind ggf. mit Zucker gestreckt und mit anderen Stoffen (Heroin, Koffein) vermischt (uneinheitliches Bild der Symptome).
- Zuführen von Weckaminen: rauchen, schnupfen, schlucken, aufgelöst trinken und intravenös. Wirkungseintritt nach 30 – 60 Minuten, Wirkdauer 4 – 6 Stunden.
- Ähnliche Vergiftungserscheinungen werden durch Halluzinogene vom LSD-Typ, Psilocybin-Pilzextrakte, Krötensekret und Stoffe vom Mescalin-Typ verursacht.

ICD10: F11.0

Opioidvergiftung

(z. B. Morphin, Heroin)

– über Magen-Darm-Trakt oder intravenös (Schmerzmittel, Drogen)

Angaben:

– Übelkeit, Harn- und Stuhlverhaltung

– Bewusstseinsstörung bis Bewusstlosigkeit
– evtl. Rauschzustand
– Atemstörung bis Atemstillstand (ohne Atemnot)
– stecknadelkopfgroße Pupillen
– Blässe, Zyanose
– evtl. Krämpfe

– Puls bradykard, kaum tastbar
– Sauerstoffsättigung stark vermindert
– Blutdruckabfall
– Blutzuckertest
– evtl. Temperatur erniedrigt

Basismaßnahmen:

– Wachhalten, Auffordern zum aktiven Atmen
– Lagerung ▶

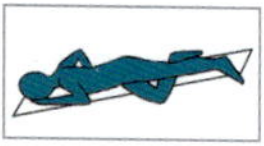

– Freimachen/Freihalten der Atemwege
– Sauerstoffgabe, ggf. Beatmung
– Giftbindung: med. Kohle (1 g/kg KG)
– Gift sicherstellen
– Wärmeerhaltung
– ständige Atem-, Puls-, EKG- und RR-Überwachung
– venöser Zugang: Infusion (kristalloide Lösung)

Erweiterte Maßnahmen:

– körperliche und neurologische Untersuchung
– evtl. Intubation und Beatmung (Magenspülung)

– Medikamente:
  • Antidot, z. B. Naloxon (0,1–0,4 mg i. v.)
  • Sedierung, z. B. Midazolam (2–3 mg-weise i. v.)
  • ggf. Krampfdurchbrechung, z. B. Midazolam (5–15 mg i. v.)
  • ggf. Psychosedämpfung, z. B. Haloperidol (5–10 mg i. m.)

▶ **Merke**

– Bei chronischem Opioidgebrauch kann es nach Gabe von Naloxon zu akuten Entzugserscheinungen kommen.
– In Einzelfällen sind Dosen bis zu 2 mg Naloxon zur Antagonisierung der Giftwirkung erforderlich.
– Sondersituation: Gammahydroxybuttersäure (GHB, Liquid Ecstasy, Somsanit®), = K.-o.-Tropfen insbesondere in Kombination mit Opioiden: Atemstillstand.

Pflanzenschutzmittel

(Organoalkylphosphatvergiftung, z. B. E 605)

ICD10: T60.0

- über Haut, Atemwege und Magen-Darm-Trakt (Selbstschutz beachten)
- blockiert den Abbau des Nervenüberträgerstoffs Acetylcholin: Nervenlähmung, Übererregung des Parasympathikus (Vagus)

Angaben:

- Sehstörungen, Atemnot, Bauchschmerzen, Übelkeit

- Bewusstseinsstörung bis Bewusstlosigkeit
- Krämpfe
- enge Pupillen
- Atemstörung bis Atemstillstand
- Zyanose
- Tränenfluss und Schweißsekretion gesteigert
- Speichelfluss

- Puls bradykard, evtl. tachykard
- Muskelzuckungen, später Lähmungen

- Sauerstoffsättigung vermindert
- Blutdruckabfall, evtl. Blutdruckanstieg
- Blutzuckertest

Basismaßnahmen:

- Lagerung ▶

- Freimachen/Freihalten der Atemwege
- Sauerstoffgabe, ggf. Beatmung
- Entfernen der Kleidung, Waschen
- Giftbindung: med. Kohle (1 g/kg KG)
- Gift sicherstellen
- Wärmeerhaltung
- ständige Atem-, Puls- und RR-Überwachung, SpO_2
- venöser Zugang: Infusion (kristalloide Lösung)

Erweiterte Maßnahmen:

- körperliche und neurologische Untersuchung
- großzügige Indikation zur Intubation und Beatmung

- Medikamente:
  - Vagusdämpfung Atropin (2–3 mg-weise i. v.) ▶ s. S. 119
  - evtl. Sedierung, z. B. Midazolam (2–3 mg-weise i. v.)

▶ Merke

- Während E 605 seit Jahren verboten ist, enthalten viele Pflanzenschutzmittel das gleich wirkende/giftige Dimethoat (z. B. Bi 58®).
- In der Klinik: Gabe von Obidoxim zur Reaktivierung der Acetylcholinesterase.

Blausäurevergiftung (Zyanide)

ICD10: T57.3

▶ s. a. Reizgasvergiftung S. 267

- über Magen-Darm-Trakt (Bittermandeln, Zyanid, Zyankali) oder über Atemwege (Blausäuregas)
- Zyanidverbindungen blockieren die sauerstoffabhängige Energiegewinnung in der Zelle (innere Atmung).

Angaben:

- Geruch nach Bittermandeln (bei Gas), Übelkeit, Hustenreiz, Kopfschmerzen, Atemnot, Magen-Darm-Beschwerden

- Bewusstseinsstörung bis Bewusstlosigkeit
- Atemstörungen bis Atemstillstand
- weite Pupillen
- rosige Gesichtsfarbe

- Puls tachykard, arrhythmisch, evtl. Kreislaufstillstand
- Bittermandelgeruch (Ausatemluft, Erbrochenes)

- Sauerstoffsättigung (SpO_2) anscheinend normal bis erhöht
- Blutdruckanstieg, später Blutdruckabfall
- Blutzuckertest

Basismaßnahmen:

- evtl. Rettung (Blausäuregas) unter Beachtung der Eigensicherung (Atemschutz)
- Lagerung ▶

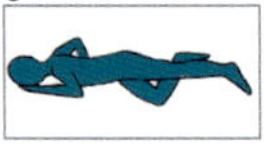

- Freimachen/Freihalten der Atemwege
- Sauerstoffgabe, ggf. Beatmung
- Giftbindung: med. Kohle (1 g/kg KG)
- Gift sicherstellen
- Wärmeerhaltung
- ständige Atem-, Puls-, EKG- und RR-Überwachung, SpO_2
- venöser Zugang: Infusion (kristalloide Lösung)

Erweiterte Maßnahmen:

- körperliche und neurologische Untersuchung
- evtl. Intubation und Beatmung (100 % O_2)

- Medikamente:
  - Antidota Hydroxocobalamin, Natriumthiosulfat ▶ s. S. 120
  - evtl. Ausschwemmung, z. B. Furosemid (20 – 40 mg i. v.)

▶ Merke

- Pulsoxymetriewerte (SpO_2) nicht aussagekräftig (Verkennung von Met-Hb als O_2-Hb) mit anscheinend günstiger Sättigungssituation.
- Handschuhe zum Eigenschutz besonders wichtig.

Vergiftungen durch Kohlenwasserstoffverbindungen

ICD10: T52.9

(z. B. Benzin, Lackverdünner, Petroleum, Benzol)

– über Haut (Benzol), Atemwege (Dämpfe) und Magen-Darm-Trakt (Flüssigkeiten)

Angaben:

– Übelkeit, Magenschmerzen, schwarzer Harn (bei Benzol), Schwindel, Sehstörungen

– Bewusstseinsstörung bis Bewusstlosigkeit
– Atemstörung bis Atemstillstand
– evtl. Rauschzustand
– Erbrochenes
– Ätzspuren in Mund und Rachen
– evtl. Hautrötung, Blasenbildung

– Puls tachykard, arrhythmisch, evtl. Kreislaufstillstand

– Blutdruckabfall
– Blutzuckertest

Basismaßnahmen:

– Lagerung ▶

– Freimachen/Freihalten der Atemwege
– Sauerstoffgabe, ggf. Beatmung
– kein Erbrechen auslösen (Aspirationsgefahr)
– Gummihandschuhe anziehen, Entfernen der Kleidung und Abwaschen der betroffenen Körperstellen (Benzol) mit Roticlean®
– Giftbindung: Paraffinöl (150 – 200 ml)
– Gift sicherstellen
– Wärmeerhaltung
– ständige Atem-, Puls-, EKG- und RR-Überwachung, SpO_2
– venöser Zugang: Infusion (kristalloide Lösung)

Erweiterte Maßnahmen:

– körperliche und neurologische Untersuchung
– evtl. Intubation und Beatmung

– Medikamente:
  • evtl. Sedierung, z. B. Midazolam (2 – 3 mg-weise i. v.)

▶ **Merke**
Bei Inhalationsvergiftungen: Eigenschutz der Ersthelfer in Giftatmosphäre beachten!

Vergiftungen durch schaumbildende Substanzen

ICD10: T55

- über Magen-Darm-Trakt
- Wasch- und Spülmittel, meist bei Kindern

Angaben:

- Übelkeit, Bauchschmerzen, plötzlicher Durchfall
- Erbrochenes, evtl. Schaum
- Atemstörung bis Atemstillstand

Basismaßnahmen:

- Beruhigung (wichtig bei Kindern)
- kein Erbrechen auslösen
- keine Verdünnung (Wasser) durchführen
- Lagerung ▶
- Freimachen/Freihalten der Atemwege

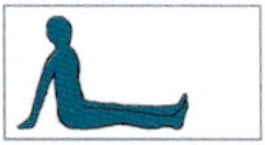

- Sauerstoffgabe, ggf. Beatmung
- Gabe von Entschäumern: z. B. Dimeticon (1 ml/kg KG p. o.)
- Wärmeerhaltung
- ständige Atem-, Puls-, EKG- und RR-Überwachung, SpO_2
- venöser Zugang: Infusion (kristalloide Lösung)

Erweiterte Maßnahmen:

- ggf. Intubation und Beatmung (Aspirationsgefahr)
- Medikamente:
  - Sedierung, z. B. Midazolam (2–3 mg-weise i. v.) *bzw.* bei Kindern: z. B. Midazolam (0,05 mg/kg KG i. v.) *oder* z. B. Diazepam rektal (5–10 mg)

▶ **Merke**

- Aspiration von Schaum mit Schädigung der Atemwege.
- Gefährdung durch Tenside ist sehr gering, da toxische Substanzen heute kaum mehr in Wasch- und Spülmitteln enthalten sind.

Säuren-Laugen-Verätzung

ICD10: T30.4

– Verätzung der Schleimhaut in Mund, Rachen, Ösophagus und Magen (meist bei Kindern)

Angaben:

– Schmerzen, Übelkeit

– Ätzstellen im Mund-Rachen-Raum sichtbar (Säuren)
– evtl. Krämpfe

– Puls tachykard

– evtl. Blutdruckabfall

Basismaßnahmen:

– Beruhigung (wichtig bei Kindern)
– kein Erbrechen auslösen
– Lagerung ▶
– Freimachen/Freihalten der Atemwege
– Sauerstoffgabe, ggf. Beatmung

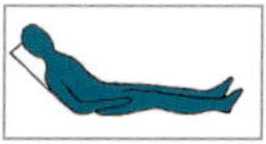

– betroffene Haut und Schleimhaut mit viel Wasser (+ Roticlean®) abspülen
– reichliche Flüssigkeitszufuhr (z. B. Wasser, Säfte, Tee)
– Wärmeerhaltung
– ständige Puls-, EKG- und RR-Überwachung, SpO_2
– Gift sicherstellen
– venöser Zugang: Infusion (kristalloide Lösung 10 – 20 ml/kg KG)

Erweiterte Maßnahmen:

– körperliche Untersuchung
– ggf. Intubation und Beatmung (bei Atemwegsschädigung)
– keine Magenspülung: Perforationsgefahr!
– ggf. Volumenersatz, z. B. kristalloide Lösung (10 – 20 ml/kg KG)

– Medikamente:
  • Schmerzbekämpfung, z. B. Fentanyl (0,1 – 0,2 mg i. v.)
  • Sedierung, z. B. Midazolam (2 – 3 mg-weise i. v.) *bzw.* bei Kindern: z. B. Diazepam rektal (5 – 10 mg)
  • Entzündungshemmung, z. B. Prednisolon (125 – 250 mg i. v.)

▶ Merke

– Bei Augenbeteiligung: reichliche Spülung mit Isogutt® (250 ml).
– Säuren erzeugen typische bräunliche Schorfe, während Laugen glasig-verquollene Oberflächen erzeugen.

Vergiftung durch Pflanzen(-teile)

ICD10: T62.2

- meist über Magen-Darm-Trakt
- häufig Kinder (Eisenhut/Aconitum), ggf. Verwechslungen (Herbstzeitlose bzw. Maiglöckchen mit Bärlauch), Suizidversuche, Drogenersatzstoff (Engelstrompete, Datura)
- vorrangig klären, **wovon** (welche Pflanze, welche Teile), **wann, wie viel** aufgenommen wurde

- Bewusstseinsstörung, evtl. Rauschzustand
- Hautrötung
- Pupillenerweiterung

- Puls tachykard, ggf. unregelmäßig
- Haut/Schleimhaut heiß, trocken
- Blutzuckertest

Basismaßnahmen:

- Beruhigung
- Lagerung ▶

- Freimachen/Freihalten der Atemwege
- Sauerstoffgabe, ggf. Beatmung
- Giftbindung: med. Kohle (1 g/kg KG)
- ständige Atem-, Puls-, EKG- und RR-Überwachung, SpO_2
- venöser Zugang: Infusion (kristalloide Lösung)

Erweiterte Maßnahmen:

- körperliche und neurologische Untersuchung
- evtl. Intubation und Beatmung
- Medikamente:
  - Hypotonie: kristalloide Lösung (z. B. 500 – 1.000 ml)
  - Herzrhythmusstörung: z. B. Lidocain (100 mg i. v.)
  - Erregungszustände durch Tollkirsche (Atropa belladonna), Bilsenkraut, Stechapfel, Engelstrompete:
    Sedierung, z. B. Midazolam (2 – 3 mg-weise i. v.)
    Antidot: Physostigmin (0,03 mg/kg KG i. v., z. B. 2 mg i. v.)

▶ Merke

- Zur Identifizierung der Pflanze unbedingt diese selbst, ggf. Teile (Blätter, Blüte, Früchte, Samen etc.), mitnehmen.
- Foto der Pflanze kann zur Identifizierung an Giftzentrale gemailt werden.
- Die Mehrzahl der Vergiftungen durch Pflanzen in Haushalt oder Garten bleibt (zum Glück) auf Magen-Darm-Störungen beschränkt. → Keine überzogenen Maßnahmen vor Ort, aber klinische Abklärung (ggf. weitere Absprache mit Giftnotrufzentrale).
- Ähnliche Vergiftungserscheinungen können z. B. durch LSD, Psilocybin und Cannabis (Haschisch, Marihuana) verursacht werden, Vorgehen ggf. wie bei Stimulanzien.

Lebensmittel- und Pilzvergiftung

ICD10: T62.8 / .0

– durch verdorbene Lebensmittel, Giftpilze, giftige Beeren etc.

Angaben:

- Schwindel, Sehstörungen (Doppelsehen), heftiges Erbrechen und Durchfälle (meist erst nach Stunden), Kopfschmerzen, Bauchschmerzen, Wadenkrämpfe, Schluckbeschwerden, Heiserkeit und Speichelfluss

- Bewusstseinsstörung bis Bewusstlosigkeit
- Atemstörung bis Atemstillstand
- Erbrechen (nach Stunden, evtl. Tagen)
- Augenstörungen
- Pupillenstörungen
- meist Gruppenvergiftung (Familie)

- Puls tachykard, kaum tastbar
- kalter, klebriger Schweiß
- evtl. Fieber

- Blutdruckabfall
- Blutzuckertest

Basismaßnahmen:

- Beruhigung
- Lagerung ▶
- Freimachen/Freihalten der Atemwege
- Sauerstoffgabe, ggf. Beatmung
- Giftbindung: med. Kohle (1 g/kg KG)
- Wärmeerhaltung
- ständige Atem-, Puls-, EKG- und RR-Überwachung, SpO_2
- Abfälle, Essensreste, Erbrochenes etc. sicherstellen
- venöser Zugang: Infusion (kristalloide Lösung)

Erweiterte Maßnahmen:

- körperliche und neurologische Untersuchung
- evtl. Intubation und Beatmung, Magenspülung
- ggf. Volumenersatz, z. B. kristalloide Lösung (10 – 20 ml/kg KG)

- Medikamente:
  - Sedierung, z. B. Midazolam (2 – 3 mg-weise i. v.)

▶ **Merke**

- Von Bedeutung ist die Verwechslung *Bärlauch – Maiglöckchen*, da bei letzterem die Gabe von Digitalis-Antitoxin als Antidot möglich ist.
- Bei Pilzvergiftungen geben Findeort, Aussehen, Aufbewahrungsart, Beginn und Art der Beschwerden wichtige Hinweise auf die Ursache.

ICD10: T63.8

Giftbisse / Giftstiche

(z. B. Schlangen, Spinnen, Skorpione, Fluginsekten etc.)

– Neben der örtlichen Schädigung kann es je nach Gifttyp zu Störungen der Nervenfunktion (Lähmungen), Zerfall der (roten) Blutkörperchen und/oder Gerinnungsstörungen kommen. Jedoch besteht nur in Ausnahmefällen unmittelbare Lebensgefahr.

Angaben:

– Ereignis, Schmerzen, Sehstörungen, Übelkeit, Kribbeln im Mundbereich und den Extremitäten

– Schwellung
– Bluterguss
– evtl. Muskelzucken
– evtl. Muskelschwäche

– evtl. Blutdruckabfall

Basismaßnahmen:

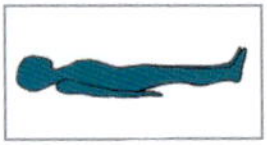

– Beruhigung
– Lagerung ▶
– Freimachen/ Freihalten der Atemwege, ggf. Inhalation, z. B. Salbutamol (2 – 5 mg)
– Sauerstoffgabe, ggf. Beatmung, ggf. Stachel entfernen, abwaschen
– Ruhigstellung der betroffenen Körperregion (in Herzhöhe), bandagieren, schienen, kühlen
– Wärmeerhaltung
– ständige Atem-, Puls-, EKG- und RR-Überwachung, SpO_2
– venöser Zugang: Infusion (kristalloide Lösung)

Erweiterte Maßnahmen:

– körperliche und neurologische Untersuchung
– Medikamente:
  • ggf. Volumenersatz, kristalloide Lösung (10 – 20 ml/kg KG)
  • Schmerzbekämpfung, z. B. Fentanyl (0,1 – 0,2 mg i. v.), z. B. Ibuprofen Tabl. (400 mg)
  • Sedierung, z. B. Midazolam (2 – 3 mg-weise i. v.)
  • Entzündungshemmung, z. B. Prednisolon (125 – 250 mg i. v.)
  • ggf. Epinephrin (0,1 mg-weise i. v.)

Giftbisse / Giftstiche

(z. B. Schlangen, Spinnen, Skorpione, Fluginsekten etc.)

▶ Merke

- Spezielle Informationen über Giftinformationszentren beziehbar, z. B. Giftnotruf München, Tel.: (089) 19240.
- Keine Manipulationen (Ausdrücken, Aussaugen) an der Bissstelle zur Vermeidung einer Gifteinschwemmung.
- Schlangengift-Antidota: ViperaTAb® (europ. Vipern) und CroFab® (Klapperschlangen).
- Sondersituation Zeckenbiss:
  1. Zecke mit feiner Pinzette »hautnah« fassen
  2. ca. 1 min sanft ziehen, bis Zecke »von allein loslässt«
  3. nicht herausreißen oder -drehen.

Eigene Notizen

V Notfallmedikamente

Atem-störungen

Herz-Kreislauf-Störungen

Schmerz-bekämpfung, Übelkeit

Intubation

Spezielle Notfälle

Infusions-lösungen

BtM

Wenn auch die lebensrettenden Sofortmaßnahmen (z. B. Rettung und Lagerung des Patienten, Blutstillung, ggf. Beatmung und Herzdruckmassage) die Grundlage der Erstversorgung von Notfallpatienten bilden, so ist meist erst durch gezielte Anwendung bestimmter Medikamente eine Besserung und Stabilisierung der Situation möglich.

Der Übersichtlichkeit halber sind die Notfallmedikamente in sieben Gruppen eingeteilt, wobei es natürlich zu gewissen Überschneidungen kommt.

Grundsätzlich ist der Einsatz von Medikamenten ärztliche Maßnahme. Typische vom Notfallsanitäter einzusetzende Medikamente (Pyramidenprozess) sind entsprechend gekennzeichnet. Örtliche Regelungen obliegen dem Ärztlichen Leiter Rettungsdienst.

► **Merke**

- Verfalldatum beachten! Typische Haltbarkeit: Plastikbeutel: 2 Jahre; Glasflaschen/Ampullen: 5 Jahre.
- Stets auf sterile Handhabung achten.
- Als Eigenschutz kann eine 5-ml-Spritze (ohne Kolben) zum Ampullenöffnen verwendet werden.
- Falls nicht besonders gekennzeichnet, sind jeweils Dosierungen für Erwachsene (70 – 80 kg KG) angegeben.

Eigene Notizen

Acetylsalicylsäure (ASS)

AcetylSalicylSäure
100 mg/ml

Analgetikum / Thrombozytenaggregationshemmer: z. B. Aspirin® i. v. 500 mg

1 Injektionsflasche enthält 0,9 g DL-Lysinmonoacetylsalicylat, entspr. 0,5 g Acetylsalicylsäure; Trockensubstanz zu lösen mit 5 ml Aqua für Injektionszwecke (100 mg/ml)

Dosierung:

- 125 – 250 mg langsam i. v., ggf. bei ACS auch bei (unsicherer) chron. Einnahme

Wirkweise:

- Hemmung der Prostaglandinsynthese (COX-1- + -2-Hemmung)
- Hemmung der Thrombozytenaggregation
- Schmerzlinderung
- Fiebersenkung, Entzündungshemmung

Wirkzeiten:

- Wirkeintritt: 15 min, Wirkdauer: 6 h (Schmerzstillung) bzw. 8 – 10 Tage (Thrombozytenaggregationshemmung)

Indikation:

- leichte bis mittelschwere Schmerzzustände
- akute Thrombosen, Embolien
- akutes Koronarsyndrom

Nebenwirkung:

- Magenbeschwerden, Magen-Darm-Blutungen
- Überempfindlichkeitsreaktionen, z. B. Bronchospasmus, Hautreaktionen

Kontraindikation:

- schwere Nierenfunktionsstörung
- Magen-Darm-Geschwüre
- ausgeprägte Blutungsneigung, z. B. durch gleichzeitige Behandlung mit anderen gerinnungshemmenden Arzneimitteln
- evtl. Asthma bronchiale
- evtl. Spätschwangerschaft

Schwangerschaft / Stillzeit:

- nicht nach 28. SSW/ Analgetikum 2. Wahl

Alternative:

- orale ASS-Gabe (Kautabletten)
- als Schmerzmittel: Metamizol (Novaminsulfon)

Bemerkung!

- Die Wirkung von Diuretika, z. B. Furosemid, wird vermindert.
- Im RD sind Nebenwirkungen nur von untergeordneter Bedeutung. Ausnahme: Einsatz bei Patient mit Magengeschwüren.
- Keine Anwendung bei Kindern < 12 Jahren (Reye-Syndrom).
- Verstärkung der Wirkung durch Clopidogrel o. Ä. und neue/ direkte orale Antikoagulanzen (NOAK, DOAK) bzw. Heparine (UFH, NMH).

Adenosin

Antiarrhythmikum: z. B. Adrekar®

2-ml-Ampulle enthält 6 mg Adenosin (3 mg/ml)

Dosierung:
- 6 mg, ggf. 12 bzw. 18 mg i. v. als Bolus

Wirkweise:
- Hemmung des energiegewinnenden Zellstoffwechsels (Adenylatzyklase) mit Minderung der Aktivität des Sinus- und AV-Knotens
- Senkung der Herzfrequenz, AV-Blockierung, kurzfristige Asystolie
- Verringerung der AV-Überleitung
- Halbwertszeit < 10 sec

Wirkzeiten:
- Wirkeintritt: 30 – 60 sec, Wirkdauer: 2 – 3 min

Indikation:
- regelmäßige Tachykardie mit schmalem QRS-Komplex
- supraventrikuläre Tachykardie mit Schenkelblock (breiter QRS-Komplex)

Nebenwirkung:
- Hautrötung
- Atemnot, Bronchospasmus
- Angina pectoris
- Bradykardie, Asystolie (vorübergehend), Extrasystolie
- Blutdruckabfall
- Kopfschmerzen, Übelkeit, Schwindel
- Wärmegefühl, Bewusstseinstrübung, Herzstolpern (Hinweis an Patienten geben)

Kontraindikation:
- Tachykardie mit Kreislaufinstabilität (→ Kardioversion), Kardioversion durchführen
- kranker Sinusknoten, WPW-Syndrom
- Vorhofflattern, -flimmern (wirkungslos)
- AV-Block II und III
- Atemwegserkrankungen mit engen Bronchien

Alternative:
- Verapamil, Metoprolol

Antagonist:
- Theophyllin, z. B. 50 – 125 mg langsam i. v.

Schwangerschaft / Stillzeit:
- keine Probleme bekannt/ keine Probleme bekannt

Bemerkung!

- Einsatz von Adenosin nur in Reanimationsbereitschaft.
- Vorrangige Maßnahme bei Tachykardie mit schmalem QRS-Komplex ist ein Vagusmanöver (Valsalva, Karotisdruck).
- Adenosin ist wirkungslos bei Kammertachykardien auf der Basis von Vorhofflattern bzw. -flimmern.

Alteplase

Thrombolytikum: z. B. Actilyse®

Alteplase
1 mg/ml

NA

50 mg Trockensubstanz mit 50 ml NaCl 0,9 % auflösen (1 mg/ml);
2 × 50 mg = 100 mg in 100 ml

Dosierung:
- 15 mg als Bolus i. v., dann 85 mg über 90 min (1 ml/min) i. v.

Wirkweise:
- Auflösung von thrombotischen Gefäßverschlüssen durch Aktivierung von körpereigenem Plasminogen (Vorstufe im Blut) zu aktivem, Thrombus auflösendem Plasmin (Fibrinolyse)

Wirkzeiten:
- Wirkeintritt: 30 – 60 sec, Wirkdauer: 20 – 30 min

Indikation:
- akuter Koronarverschluss, wenn Herzkatheteruntersuchung/-intervention (PCI) nicht zeitgerecht (< 90 min) möglich ist
- Lungenembolie, insbesondere unter Reanimationsbedingungen

Nebenwirkung:
- Auslösung von Blutungen, z. B. im Gehirn

Kontraindikation:
- Aortenaneurysma/-dissektion
- Schlaganfall in den letzten 6 Monaten
- kürzliche Operation, Magen-Darm-Geschwür, Entbindung, Unfall

Schwangerschaft / Stillzeit:
- Einsatz nur ganz ausnahmsweise/
Einsatz nur ganz ausnahmsweise

Alternative:
- Reteplase

Bemerkung!

▶ Einsatz im Rettungsdienst nur sehr selten und unter besonderen äußeren Bedingungen sinnvoll.

aMIOdaron
50 mg/ml

Amiodaron

Antiarrhythmikum:
z. B. Cordarex®

3-ml-Ampulle enthält 150 mg Amiodaron (50 mg/ml)

Dosierung:
- 300 mg i. v., z. B. 6 ml sehr langsam i. v., ggf. weitere 150 mg i. v., z. B. 3 ml i. v.

Wirkweise:
- Verlängerung der Aktions- und Repolarisationsphase durch Hemmung der Ionenströme
- Unterdrückung von Extrasystolen durch Membranstabilisierung

Indikation:
- Tachykardien mit schmalem QRS-Komplex (z. B. bei Vorhofflimmern), ggf. auch bei breitem QRS-Komplex
- defibrillationsresistentes Kammerflimmern (nach dem dritten erfolglosen Schock)
- wegen der Vielzahl der Nebenwirkungen Beschränkung des Einsatzes auf unmittelbar lebensbedrohliche Herzrhythmusstörungen

Wirkzeiten:
- Wirkeintritt: 2–3 min, Wirkdauer: 4–6 h

Nebenwirkung:
- Verlängerung der Überleitungszeiten
- Bradykardie
- Überempfindlichkeitsreaktionen
- Gefäßweitstellung
- Venenreizung

Kontraindikation:
- AV-Block II und III
- Jodallergie
- angioneurotisches Ödem
- schwere Schilddrüsenerkrankungen
- Hypokaliämie
- Betablocker-, Kalziumantagonisten-Therapie

Schwangerschaft / Stillzeit:
- 1. Trimenon nicht empfohlen/
  1. Trimenon nicht empfohlen

Alternative:
- Lidocain

Bemerkung!

- ▶ Es können (unter Narkose) atropinresistente Bradykardien und Überleitungsstörungen auftreten.
- ▶ Nicht zusammen mit anderen Antiarrhythmika verwenden.
- ▶ Steht bei defibrillationsresistentem Kammerflimmern kein Amiodaron zur Verfügung, kann hilfsweise Lidocain eingesetzt werden.

Atropin

Anticholinergikum:
Atropinum sulfuricum

Atropin
0,5 mg/ml

a) 1-ml-Ampulle enthält 0,5 mg Atropinum sulfuricum (0,5 mg/ml)
b) 10-ml-Ampulle enthält 100 mg Atropinum sulfuricum (10 mg/ml)

Dosierung:
a) 0,5 – 3 mg i. v. (1-ml-Ampulle), z. B. 1 – 6 ml i. v.
b) 2 – 3 mg-weise i. v. (10-ml-Ampulle), z. B. 0,2 – 0,3 ml i. v.

Wirkweise:
- Hemmung der muskarinartigen Wirkung des am parasympathischen Nervenende freigesetzten Acetylcholins auf das Erfolgsorgan (Parasympathikolyse bzw. Vagolyse)
- Steigerung der Herzfrequenz
- Hemmung der Speichel-, Schleim- und Schweißsekretion
- Verminderung des Tonus der glatten Muskulatur
- Erweiterung der Pupillen

Wirkzeiten:
- Wirkeintritt: 1 – 2 min, Wirkdauer: 30 – 90 min

Indikation:
a) – Sinusbradykardie
   – Vagusdämpfung bei Intubation
b) – Vergiftung mit Alkylphosphaten, z. B. E 605

Nebenwirkung:
- Tachykardie, Arrhythmie
- Akkommodationsstörungen
- Pupillenerweiterung
- Mundtrockenheit
- Harnverhalt

Kontraindikation:
- Tachykardie
- akutes Glaukom (grüner Star)

Schwangerschaft / Stillzeit:
- keine Probleme bekannt/ keine Probleme bekannt

Bemerkung!
- Therapie einer Atropinintoxikation: Physostigmin (0,03 mg/kg KG), ggf. Metoprolol (2,5 – 5 mg) ▶ s. S. 314 und Sedierung: Midazolam (2 – 3 mg-weise) ▶ s. S. 315.
- Keine Atropingabe bei AV-Block II. Grades Typ Mobitz

Butylscopolamin
20 mg/ml

Butylscopolamin

Spasmolytikum: z. B. Buscopan®

1-ml-Ampulle enthält 20 mg N-Butylscopolaminiumbromid (20 mg/ml)

Dosierung:
– 20 – 40 mg langsam i. v., z. B. 1 – 2 ml i. v.

Wirkweise:
– Hemmung der muskarinartigen Parasympathikus-(Vagus-)Wirkung auf die glatte Muskulatur des Magen-Darm-Trakts, der Gallenwege → krampflösende Wirkung
– Verlangsamung der Magenentleerung

Wirkzeiten:
– Wirkeintritt: 2 – 3 min, Wirkdauer: 3 – 4 h

Indikation:
– krampf- und kolikartige Schmerzen, z. B. Gallenkolik

Nebenwirkung:
– Blutdruckabfall
– Tachykardie
– Mundtrockenheit
– Pupillenerweiterung
– Akkommodationsstörung
– Lichtempfindlichkeit
– Harnverhaltung

Kontraindikation:
– Glaukom (grüner Star)
– Tachyarrhythmie
– Stenosen im Magen-Darm-Trakt
– Myasthenia gravis

Schwangerschaft / Stillzeit:
– Einsatz möglich/
Einsatz möglich

Bemerkung!

▶ Um die klinische Diagnostik nicht zusätzlich zu erschweren, sollte Butylscopolamin nicht bei unklarem (akutem) Abdomen oder Abdominaltrauma verwendet werden. Hier sollte ausschließlich ein Analgetikum (z. B. Metamizol) verwendet werden, nachdem ein genauer Befund erhoben (und dokumentiert) wurde.

▶ Die durch Opioide ausgelöste Engstellung der Gallenwegsgänge wird durch Butylscopolamin aufgehoben.

▶ Butylscopolamin wirkt nicht bei Koliken im (unteren) Harnleiter, hier Einsatz von Nitroglycerin empfohlen.

Cafedrin/Theodrenalin

Sympathomimetikum: z. B. Akrinor®

Cafedrin/Theodrenalin
_______ mg/ml

2-ml-Ampulle enthält 200 mg Cafedrin und
10 mg Theodrenalin (100 mg/5mg/ml)

Dosierung:
– 0,5 – 1 ml i. v., ggf. wiederholen

Wirkweise:
Kreislaufaktivierung:
– durch Erhöhung der Pumpleistung des Herzens
– durch Engstellung der (venösen) Blutgefäße

Wirkzeiten:
– Wirkeintritt: 1 – 2 min, Wirkdauer: 20 – 30 min

Indikation:
– Hypotonie durch vegetative Störungen, z. B. vasovagale Synkope (Kombination mit Atropin)
– relativer Volumenmangel durch Fehlverteilung
– kurzzeitige Überbrückung eines akuten Volumenmangels

Nebenwirkung:
– Tachykardie oder Bradykardie
– Herzklopfen
– pektanginöse Beschwerden
– Atemstimulation

Kontraindikation:
– echter Volumenmangel
– Hypertonie
– Glaukom
– koronare Herzerkrankung

Schwangerschaft / Stillzeit:
– Einsatz möglich/
Einsatz möglich

Alternative:
– Norepinephrininfusion

Bemerkung!
▶ Beim echten Volumenmangel hat Cafedrin/Theodrenalin nur vorübergehende Wirkung. Es verschleiert dann den tatsächlichen Volumenmangel.
▶ Meist ist eine kontinuierliche Zufuhr (Spritzenpumpe) erforderlich.

Diazepam
5 mg/ml

Diazepam

Benzodiazepin: z. B. Valium®

2-ml-Ampulle enthält 10 mg Diazepam (5 mg/ml)

Dosierung:

- Nach Indikation und Wirkung:
  2,5 – 20 mg i. v. (Sedierung), z. B. 0,5 – 4 ml i. v.,
  bis 60 mg i. v. (Durchbrechung eines Krampfanfalls),
  z. B. 6 – 12 ml i. v.

Wirkweise:

- beruhigend, angstlösend
- Verminderung des Muskeltonus
- Herabsetzung der Krampfneigung

Wirkzeiten:

- Wirkeintritt: 2 – 3 min, Wirkdauer: bis 24 h

Indikation:

- Angst-, Erregungs- und Unruhezustände
- zerebrale Krampfanfälle (evtl. bis zum Status epilepticus)
- in Kombination mit Schmerzmitteln (z. B. Opioiden)

Nebenwirkung:

- Blutdruckabfall
- Atemdepression
- Benommenheit, Schwindel
- bei älteren Patienten paradoxe Erregungs- und Verwirrtheitszustände möglich

Kontraindikation:

- deutlich eingeschränkte Atemfunktion
- Myasthenia gravis

Schwangerschaft / Stillzeit:

- Sedativum 2. Wahl/
  Sedativum 2. Wahl

Alternative:

- Midazolam, Lorazepam

Antidot:

- Flumazenil, z. B. 0,2 mg-weise i. v.

Bemerkung!

- ▶ Bei psychiatrischen oder neurologischen Notfällen, z. B. Epilepsie, können deutlich höhere Dosen (bis 60 mg) notwendig werden.
- ▶ Wirkverstärkung in Kombination mit Alkohol und Psychopharmaka.

Dimenhydrinat

Antiemetikum: z. B. Vomex A®

dimenhyDRINAT
6,2 mg/ml

NotSan

Notfallmedikamente

10-ml-Ampulle enthält 62 mg Dimenhydrinat (6,2 mg/ml)

Dosierung:	– 62 mg i. v., z. B. 10 ml i. v.
Wirkweise:	– Blockade von zentralen H_1-Rezeptoren – Hemmung des histaminvermittelten Brechreflexes
Wirkzeiten:	– Wirkeintritt: 5 – 10 min, Wirkdauer: 3 – 6 h
Indikation:	– Übelkeit, Erbrechen unterschiedlicher Ursache
Nebenwirkung:	– Kopfschmerzen – Müdigkeit – Mundtrockenheit – Schwindel – Verwirrtheit – Verstärkung der Wirkung von Benzodiazepinen, z. B. Midazolam – Herzrhythmusstörungen (QT-Verlängerung)
Kontraindikation:	– Asthmaanfall – Krampfleiden – Glaukom – Long-QT-Syndrom (EKG)
Schwangerschaft / Stillzeit:	– Einsatz nicht empfohlen/ Einsatz nicht empfohlen
Alternative:	– Granisetron, (Metoclopramid)

Bemerkung!

- Dimenhydrinat ist insbesondere bei zytostatikabedingtem Erbrechen schwächer antiemetisch wirksam als Granisetron.
- Therapie einer Dimenhydrinatintoxikation mit Unruhezuständen, Krampfanfall, Tachykardie, Arrythmie: Physostigmin (0,5 – 1 ml i. v.), ggf. wiederholen.

Dimetinden
1 mg/ml

Dimetinden

Antihistaminikum: z. B. Fenistil®

	4-ml-Ampulle enthält 4 mg Dimetindenmaleat (1 mg/ml)
Dosierung:	– 0,1 mg/kg KG i. v., z. B. 7 – 8 ml langsam i. v. (vor H_2-Blocker)
Wirkweise:	– Hemmung der Histaminfreisetzung (Antihistaminikum, H_1-Blocker) – Herabsetzung der Gefäßdurchlässigkeit – Minderung des Juckreizes
Wirkzeiten:	– Wirkeintritt: 20 – 30 min, Wirkdauer: 3 – 4 h
Indikation:	– Überempfindlichkeitsreaktionen, z. B. Hautrötung, Juckreiz – allergische Erkrankungen, z. B. Heuschnupfen, Hautallergie – Vermeidung von Überempfindlichkeitsreaktionen in Kombination mit Glukokortikoiden, z. B. Prednisolon
Nebenwirkung:	– Übelkeit – Müdigkeit – Mundtrockenheit
Kontraindikation:	– Glaukom – Harnverhaltung
Schwangerschaft / Stillzeit:	– Einsatz nicht empfohlen/ Einsatz nicht empfohlen
Alternative:	– Clemastin

Bemerkung!

- Wirkungsverstärkung von Beruhigungsmitteln, Narkosemitteln, Schmerzmitteln und Alkohol.
- Im Zweifelsfall auch bei leichteren allergischen Reaktionen (Schweregrad I und II), zusätzlich Glukokortikoide, z. B. Prednisolon (25 – 125 mg).
- Bei Reaktionen der Schweregrade III und IV ist Epinephrin das Mittel der ersten Wahl. Zusätzlich sofortige Schnellinfusion, z. B. kristalloide Lösung (s. S. 325).
- Zusätzlich zur Gabe von H_1-Blockern kann die anschließende Gabe eines H_2-Blockers, z. B. Ranitidin 50 mg, sinnvoll sein.
- Therapie einer Antihistaminikaintoxikation: meist (Klein-) Kinder betroffen, Erregungszustände, Krämpfe: Physostigmin (0,5 – 1 mg i. v.).

Dobutamin

Dobutamin 5 mg/ml

Sympathomimetikum: z. B. Dobutrex®

Ampulle enthält 250 mg Dobutaminpulver, in 50 ml auflösen (5 mg/ml); nur mit Spritzenpumpe zuführen!

Dosierung:
– 2,5 – 15 μg/kg KG/min i. v. kontinuierlich (s. Tabelle)

Wirkweise:
– β-Rezeptorenstimulation: Erhöhung der Herzkraft und -frequenz, Erweiterung der Bronchien und Blutgefäße

Wirkzeiten:
– Wirkeintritt: 45 – 60 sec, Wirkdauer: 3 – 5 min

Indikation:
– ausgeprägte Herzleistungsschwäche, insbesondere kardiogener Schock
– akute Herz-Kreislauf-Insuffizienz, z. B. septischer Schock

Nebenwirkung:
– Tachykardie
– Herzrhythmusstörungen, z. B. Extrasystolen
– Verminderung der peripheren Durchblutung
– Erhöhung des Sauerstoffverbrauchs des Herzens
– Angina pectoris

Kontraindikation:
– Volumenmangelschock
– tachykarde Herzrhythmusstörungen
– Asthma bronchiale-Anfall

Schwangerschaft / Stillzeit:
– Einsatz möglich/ Einsatz möglich

Bemerkung!
- Vor Behandlungsbeginn Volumenmangel ausschließen.
- Wichtig: Unter Dobutaminbehandlung ständig Herzfrequenz/ -rhythmus (Monitor) und Blutdruck kontrollieren!
- Leichte Rosafärbung der Lösung ist unbedenklich.
- Ggf. Reservespritzen, abhängig von Dosierung und Einsatzzeit, bereithalten.

Dosierungstabelle für Dobutamin (250 mg in 50 ml, 5 mg/ml; Infusionsmenge: ml/Stunde)

Körpergewicht / Dosis (μg/kg KG/min)	20 kg	50 kg	60 kg	70 kg	80 kg	90 kg	100 kg	120 kg	150 kg
2,5	0,6	1,5	1,8	2,1	2,4	2,7	3,0	3,6	4,5
5,0	1,2	3,0	3,6	4,2	4,8	5,4	6,0	7,2	9,0
7,5	1,8	4,5	6,0	6,3	7,2	8,1	9,0	10,8	13,5
10,0	2,4	6,0	7,2	8,4	9,6	10,8	12,0	14,4	18,0
12,5	3,0	7,5	9,0	10,5	12,0	13,5	15,0	17,5	22,5
15,0	3,6	9,0	10,8	12,6	14,4	16,2	18,0	21,6	27,0

EPINEPHrin
1 mg/ml

Epinephrin (Adrenalin)

Sympathomimetikum: z. B. Suprarenin®

1-ml-Ampulle enthält 1 mg Epinephrin,
25-ml-Injektionsflasche enthält 25 mg Epinephrin

Dosierung:

- Herz-Kreislauf-Stillstand:
  1,0 mg i. v. (Erwachsene 10 ml 1 + 9 verd.) alle 3 – 5 min
- Anaphylaxie:
  0,5 mg i.m. (0,5 ml unverd.)
  0,02 – 0,1 mg = 0,2 – 1 ml i. v. (1 + 9 verd.), ggf. wiederholen
  (Verdünnung und Dosierung ► s. NOREPINEPHRIN-TABELLE S. 320)

Wirkweise:

- Epinephrin wird im Nebennierenmark des Menschen gebildet
- Überträgerstoff im sympathischen Nervensystem
- Wirkung auf α- und β-Rezeptoren

Wirkzeiten:

- Wirkeintritt: 30 – 60 sec, Wirkdauer: 3 – 5 min

Indikation:

- Herz-Kreislauf-Stillstand
- anaphylaktischer und kardiogener Schock
- Bradykardie
- AV-Block III

Nebenwirkung:

- Tachykardie
- erhöhter Sauerstoffverbrauch am Herzen
- Gefahr von Extrasystolen bis zum Kammerflimmern
- Pupillenerweiterung

Kontraindikation:

- Hypertonie
- tachykarde Herzrhythmusstörungen

Schwangerschaft / Stillzeit:

- Einsatz möglich/
  Einsatz möglich

Bemerkung!

- ► i. m. Gabe von Epinephrin vorrangig bei schwereren Überempfindlichkeitsreaktionen
- ► Im anaphylaktischen Schock vor der Gabe von Kortisonpräparaten: Volumen und Epinephrin zuführen.
- ► Inhalation von Epinephrin bei inspiratorischem Stridor, 3 – 5 mg (= 5 ml) über Vernebler in 10 min.
- ► Epinephrin Push-Dosis: 1 mg in 100 ml NaCl 0,9 % verdünnen, 10 ml in Spritze entnehmen: Einzelgaben 10 – 30 µg (1 – 3 ml) i. v.

Vorsicht! Epinephrin kühl lagern (2 – 8 °C), ggf. monatlich austauschen.

Esketamin

esKETAmin
5 mg/ml

NotSan

Hypnoanalgetikum: Ketanest S®

	5-/20-ml-Ampulle enthält 25/100 mg Esketamin (5 mg/ml, i. v.), 2-/10-ml-Ampulle enthält 50/250 mg Esketamin (25 mg/ml, nasal)
Dosierung:	– 0,1 – 0,25 mg/kg KG i. v. (Analgesie), z. B. 1,5 – 4 ml i. v. – 0,5 – 1 mg/kg KG i. v. (Anästhesie, Status asthmaticus), z. B. 8 – 15 ml i. v. – nasal s. S. 115
Wirkweise:	– Schmerzausschaltung – Sedierung
Wirkzeiten:	– Wirkeintritt: 30 – 45 sec, Wirkdauer: 5 – 15 min
Indikation:	– Trauma mit Volumenmangelschock, eingeklemmte Patienten – Narkoseeinleitung
Nebenwirkung:	– Zunahme des Sauerstoffverbrauchs – Hirndrucksteigerung, wenn keine Beatmung erfolgt – Steigerung der Herzfrequenz, des Herzminutenvolumens, des Blutdrucks – Wehenauslösung – vermehrte Speichelsekretion – vereinzelt Albträume (bei älteren Patienten und Kindern)
Kontraindikation:	– akutes Koronarsyndrom – erhöhter Hirndruck, z. B. bei Schädel-Hirn-Trauma – Hypertonie – Eklampsie
Schwangerschaft / Stillzeit:	– Einsatz nicht empfohlen/ Einsatz nicht empfohlen
Vorsicht!	Verwechslungsgefahr! Esketamin wird in unterschiedlichen Konzentrationen und Ampullengrößen angeboten (5 mg bzw. 25 mg/ml).
Bemerkung!	▸ Wegen des schnellen und sicheren Wirkungseintritts kann Esketamin auch ausnahmsweise z. B. bei Kindern (2 – 4 mg/kg KG) intramuskulär verabreicht werden, wenn nicht schnell genug ein venöser Zugang gelegt werden kann. ▸ Alternativ – ähnlich schnell wirksam wie die i. v. Gabe, aber ohne offizielle Zulassung (Off-Label-Use) – kann Esketamin (5 mg/ml), z. B. 0,15 ml/kg KG pro Nasenloch, gegeben werden.

Etomidat
2 mg/ml

Etomidat

Hypnotikum: z. B. Hypnomidate®

10-ml-Ampulle enthält 20 mg Etomidat (2 mg/ml)

Dosierung:
- 0,15 – 0,2 mg/kg KG i. v., z. B. 5 – 10 ml i. v.

Wirkweise:
- zentral angreifendes, kurz wirksames Narkotikum
- geringe Atemdepression
- geringe Beeinflussung des Herz-Kreislauf-Systems
- Senkung des Hirndrucks
- Krampfdurchbrechung

Wirkzeiten:
- Wirkeintritt: 60 – 90 sec, Wirkdauer: 8 – 10 min

Indikation:
- Einleitung einer Narkose
- Intubation
- Kardioversion
- Status epilepticus

Nebenwirkung:
- unkontrollierte Bewegungen (Fibrillieren, Zucken) einzelner oder mehrerer Muskelgruppen (Vermeidung durch Vorinjektion von Fentanyl und/oder Midazolam)
- Venenschmerzen bei der Injektion
- Übelkeit, Erbrechen

Kontraindikation:
- Säuglinge < 6 Monate

Schwangerschaft / Stillzeit:
- Einsatz nicht empfohlen/ Einsatz nicht empfohlen

Alternative:
- Propofol

Bemerkung!

- ▶ Etomidat hat keine analgetische Wirkung → zur Narkoseführung (z. B. beim Polytrauma) nur in Kombination mit einem Schmerzmittel, z. B. Fentanyl (0,1 – 0,2 mg), verwenden.
- ▶ In seltenen Fällen kann es nach Anwendung von Etomidat zu einem Versagen der Produktion bestimmter körpereigener Hormone kommen (akute Nebennierenrindeninsuffizienz).
- ▶ Etomidat sollte grundsätzlich nicht gleichzeitig mit anderen Medikamenten, insbesondere Furosemid, Thiopental, Diazepam und Katecholaminen (Dobutamin, Dopamin, Epinephrin) injiziert werden (Ausfällung bzw. Inaktivierung).

Fenoterol/Ipratropium Dosieraerosol

Betasympathomimetikum und Vagolytikum: z. B. Berodual N®

Fenoterol ______ mg/ml

Ipratropiumbromid ______ mg/ml

1 Hub Spray enthält 0,05 mg Fenoterol und 0,02 mg Ipratropiumbromid

Dosierung:
- 1–2 Hübe, ggf. wiederholen nach 5 min

Wirkweise:
- Fenoterol: β_2-Stimulation: Weitstellung der Bronchien, Gefäße und der glatten Muskulatur; Hemmung der Freisetzung von Substanzen, die eine Engstellung der Atemwege auslösen
- Ipratropiumbromid: Parasympathikolyse; Hemmung der muskarinartigen Wirkung des am parasympathischen Nervenende freigesetzten Acetylcholins auf das Erfolgsorgan

Wirkzeiten:
- Wirkeintritt: 5–10 min, Wirkdauer: 4–6 h

Indikation:
- Asthma bronchiale
- Krankheitsbilder mit enggestellten Atemwegen
- ausnahmsweise: Wehenhemmung

Nebenwirkung:
- Unruhe, Zittern
- Herzklopfen, Beklemmungsgefühl
- Tachykardien
- Blutdrucksteigerung
- Sehstörungen

Kontraindikation:
- Tachykardie, Arrhythmie
- Schilddrüsenüberfunktion
- frischer Herzinfarkt

Schwangerschaft / Stillzeit:
- Einsatz problematisch/ Einsatz möglich

Alternative:
- Fenoterol, Salbutamol, Terbutalin, Reproterol

Bemerkung!
- ▶ Ipratropium steht auch als Lösung zur Vernebelung, z. B. 250 µg (2 ml), zusätzlich zu Salbutamol zur Verfügung.
- ▶ Fenoterol steht auch als Lösung zur Wehenhemmung zur Verfügung, z. B. 5 µg i. v. (1-ml-Ampulle mit 4 ml NaClO 0,9 % verdünnen), einmal alle 2–3 min.

fenta**NYL**
50 µg/ml

Fentanyl

Opioid-Analgetikum

2-ml-Ampulle enthält 0,1 mg Fentanyl (0,05 mg/ml),
10-ml-Ampulle enthält 0,5 mg Fentanyl (0,05 mg/ml)

Dosierung:

- Anästhesie: initial 5,0 µg/kg KG i. v., z. B. 7 ml i. v.
- Analgesie: bis zu 1,5 µg/kg KG i. v., z. B. 2–4 ml i. v.
- nasal s. S. 115

Wirkweise:

- zentrale Schmerzhemmung und Sedierung (Besetzung des µ-Opioid-Rezeptors)

Wirkzeiten:

- Wirkeintritt: 30–45 sec, Wirkdauer: 20–45 min

Indikation:

- Schmerzbekämpfung
- Narkoseführung
- Langzeitsedierung (gemeinsam mit Propofol oder Midazolam)

Nebenwirkung:

- Sedierung
- Atemdepression bis Atemstillstand
- Blutdruckabfall
- Miosis
- Bradykardie
- Übelkeit
- Brustkorbstarre
- Schluckauf

Kontraindikation:

- Krankheitszustände, bei denen eine Dämpfung des Atemzentrums vermieden werden muss (z. B. fehlende Möglichkeit/Kontraindikation für Intubation)
- nicht ausgeglichener Volumenmangel (Dosis vermindern)

Schwangerschaft / Stillzeit:

- Opioid 1. Wahl/
  Opioid 1. Wahl

Alternative:

- Sufentanil, Morphin, in der Klinik: Remifentanil, Alfentanil

Antidot:

- Naloxon (0,1 mg-weise i. v.)

Bemerkung!

- ▸ Kombination mit Metamizol möglich.
- ▸ Ständige Überwachung von Atmung und Kreislauf.
- ▸ Nasale Gabe bei Kindern (0,02 mg/kg KG = 0,04 ml/kg KG, unverdünnt) möglich.

Furosemid

Diuretikum: z. B. Lasix®

fUROsemid
10 mg/ml

NotSan

2-ml-Ampulle enthält 20 mg Furosemid,
4-ml-Ampulle enthält 40 mg Furosemid (10 mg/ml)

Dosierung:
- 5 – 10 – 20 – 40 mg i. v., je nach Schweregrad und Wirkung, z. B. 0,5 – 4 ml i. v.

Wirkweise:
- Hemmung der Natriumrückresorption in der Niere → vermehrte Ausscheidung von Wasser
- Erhöhung der Nierendurchblutung
- Gefäßerweiterung → venöses Angebot an das Herz sinkt → Entlastung des Herzens

Wirkzeiten:
- Wirkeintritt: 5 – 10 min, Wirkdauer: 4 – 6 h

Indikation:
- Lungenödem
- schwere Überwässerung
- hypertone Krise
- forcierte Diurese (bei Intoxikationen)

Nebenwirkung:
- erhöhte Ausscheidung aller Elektrolyte (K^+, Na^+, Cl^-, Ca^{2+}, Mg^{2+})
- bei längerer Gabe → Hypokaliämie (Abfall der K^+-Konzentration im Serum)
- Thrombosegefahr durch Zunahme des Hämatokrit
- Blutdruckabfall

Kontraindikation:
- Anurie (Harnausscheidung unter 100 ml/d) durch nierenschädigende Substanzen
- prärenales Nierenversagen (z. B. Volumenmangel)
- postrenales Nierenversagen (Abflussbehinderung, z. B. durch Nierenstein)
- Kaliummangelzustände

Schwangerschaft / Stillzeit:
- Einsatz nicht empfohlen/ Einsatz nicht empfohlen

Bemerkung!
- Die Therapie der akuten Linksherzinsuffizienz erfolgt wegen der meist vorbestehenden Bluteindickung mit Nitroglycerin.
- Furosemid zunächst nicht höher als 40 mg dosieren, um nicht eine überschießende Ausscheidung mit Volumenmangel bzw. Bluteindickung entstehen zu lassen.
- Bei gleichzeitiger Gabe von Furosemid und Digitalispräparaten ist mit erhöhter Arrhythmierate (Hypokaliämie) zu rechnen.

Vorsicht!
Bei Patienten mit Prostatavergrößerung kann es zu akuter Überdehnung der Blase kommen.

Gelatinehaltige Infusionslösung

kolloidales Volumenersatzmittel: z. B. Gelafundin® ISO 40mg/ml

Dosierung:
– je nach Volumenverlust, z. B. 500 – 1.500 ml i. v.

Wirkweise:
– Ersatz von verlorenem Blutvolumen

Indikation:
– Blutverluste (nach innen und außen) > 20 % des Blutvolumens
– Volumenmangelschock

Nebenwirkung:
– Verlängerung der Blutungszeit
– Störungen der Nierenfunktion
– allergische Reaktionen (selten)

Kontraindikation:
– schwere Blutgerinnungsstörungen
– manifeste Niereninsuffizienz
– dekompensierte Herzinsuffizienz
– bekannte Unverträglichkeit

Schwangerschaft / Stillzeit:
– Einsatz grundsätzlich möglich/ Einsatz grundsätzlich möglich

Bemerkung!

- ▶ Der primäre Volumenersatz in der Notfallmedizin erfolgt mit kristalloiden/Vollelektrolytlösungen. Erst nach Ausschöpfen der Dosierung sollten kolloidale Volumenersatzmittel eingesetzt werden (Notarzt).
- ▶ Die ersten 20 ml langsam infundieren: Zeichen einer Unverträglichkeit?
- ▶ keine Mischung mit Blut/-komponenten
- ▶ Die Zulassung für Hydroxyethylstärke (HES)-haltige Infusionslösungen ruht seit 24.11.2023. Dies soll (insbesondere in der Intensivmedizin) das hierdurch erhöhte Risiko von Nierenschäden und erhöhter Sterblichkeit bei kritischen Erkrankungen vermindern.

Glucose 40 %

Kohlenhydrat: Glukose

Glucose 40%
0,4 g/ml

NotSan

10-ml-Ampulle enthält 4 g Glukose (0,4 g/ml)

Dosierung:	– 1 – 2 Ampullen initial = 4 – 8 g Glukose, z. B. 10 – 20 ml i. v., weitere Dosierung nach Wirkung (s. u.)
Wirkweise:	– Anheben des Blutzuckerspiegels – unmittelbar nach Injektion kommt es zum Einstrom von Glukose in die Zellen (vor allem im Gehirn) und so zur Besserung der Symptome
Wirkzeiten:	– Wirkeintritt: 2 – 3 min, Wirkdauer: 15 – 20 min
Indikation:	– Hypoglykämie, BZ unter 60 mg/dl (4,4 mmol/l)
Nebenwirkung:	– Venenreizung (hochkonzentrierte Lösung: deshalb nur parallel zur laufenden Infusion, z. B. kristalloide Lösung, injizieren)
Kontraindikation:	– nachgewiesene Hyperglykämie, BZ über 100 mg/dl (8,3 mmol/l)
Schwangerschaft / Stillzeit:	– Einsatz möglich/ Einsatz möglich

Bemerkung!

- Zeichen der akuten Unterzuckerung (Hypoglykämie): Schwächegefühl, nervöse Unruhe, Zittern, Schwitzen, Heißhunger, später Schläfrigkeit bis zur Bewusstlosigkeit, Krämpfe ▶ s. S. 136 – 137.
- Regel: Bei jedem komatösen Patienten Blutzuckerbestimmung mit einem Teststreifen.
- Insbesondere bei Patienten mit chronischem Alkoholabusus und bei insulinpflichtigen Diabetikern ist mit Hypoglykämien zu rechnen.
- 1 g Glukose (2,5 ml Glucose 40 %) steigert den Serumblutzucker beim Erwachsenen (rein rechnerisch) um ca. 10 mg/dl.
- Bei Hypoglykämie Alkoholkranker zusätzlich zur Glukose Gabe von Thiamin (50 – 100 mg i. v.).

GlycerolTriNitrat
1 mg/ml

Glyceroltrinitrat

Koronardilatator: z. B. Nitrolingual®

1 Hub Spray enthält 0,4 mg Glyceroltrinitrat,
50-ml-Ampulle enthält 50 mg Glyceroltrinitrat (1 mg/ml)

Dosierung:
- 2–4 Spray-Hübe je nach Indikation unter die Zunge geben
- Spritzenpumpe: 1–10 mg/Stunde

Wirkweise:
- Erschlaffung der Gefäßmuskulatur durch Stickstoffmonoxid-freisetzung (NO)
- Senkung der Vorlast (Weitstellung im venösen System) und Nachlast (Weitstellung im arteriellen System) des Herzens
- Senkung des Tonus der glatten Muskulatur (Bronchien, Gallen-, Harnwege)

Wirkzeiten:
- Wirkeintritt: 1–3 min, Wirkdauer: 3–5 min

Indikation:
- akutes Koronarsyndrom, Angina pectoris
- Linksherzinsuffizienz (Lungenödem)
- hypertensive Krise
- Nierenkolik, evtl. Gallenkolik

Nebenwirkung:
- Blutdruckabfall
- Hautrötung, Wärmegefühl
- Übelkeit, Erbrechen, Kopfschmerzen
- ggf. Tachykardie

Kontraindikation:
- Volumenmangel
- Hypotonie < 100 $mmHg_{sys}$
- Einnahme von Potenzmitteln Typ Viagra® (Phosphodiesterase-5-Hemmern) in den letzten 48 Stunden

Schwangerschaft / Stillzeit:
- Einsatz möglich/
  Einsatz möglich

Bemerkung!
- Häufige Blutdruckkontrolle notwendig, da insbesondere bei höherer Dosierung mit einem RR-Abfall gerechnet werden muss.
- Taktvolles Erfragen der Einnahme von Substanzen wie Sildenafil, Tadalafil, Verdenafil in den letzten 48 Stunden (fatale Blutdruckabfälle).
- Bei Verwendung von Spray ist auf eine richtige Anwendung zu achten: zunächst zweimal in die Luft sprühen (»Füllung«), dann während der Einatmung unter die Zunge sprühen.
- Zur Kolikbehandlung muss die Dosis deutlich höher (z. B. 4–6 Hübe) sein; damit größeres Risiko eines Blutdruckabfalls.
- Therapie einer Glyceroltrinitrat- bzw. Nitratintoxikation: Volumenzufuhr, z. B. kristalloide Lösung (250–1.000 ml).

Granisetron

Antiemetikum: z. B. Kevatril®

GRANIsetron
1 mg/ml

1-ml-Ampulle enthält 1 mg Granisetron (1 mg/ml)

Dosierung:
- 1 mg i. v., z. B. 1 ml i. v.

Wirkweise:
- Unterdrückung des Brechreflexes an Serotonin-5-HT_3-Rezeptoren im Gehirn und in der Peripherie

Wirkzeiten:
- Wirkeintritt: 10 – 15 min, Wirkdauer: 4 – 6 h

Indikation:
- Übelkeit, Brechreiz, Erbrechen

Nebenwirkung:
- Kopfschmerzen
- Hitzewallungen
- Hautrötung
- Herzrhythmusstörungen (QT-Verlängerung)

Kontraindikation:
- Kinder unter 10 kg KG
- Long-QT-Syndrom (EKG)

Schwangerschaft / Stillzeit:
- Einsatz möglich/
  Einsatz möglich

Alternative:
- Ondansetron
- Dimenhydrinat

Antidot:
- Biperiden (5 – 10 mg i. v.)

Bemerkung!
- ▶ Gelegentlich können Bewegungsstörungen bis hin zu Krampfanfällen ausgelöst werden.
- ▶ Granisetron sollte nur unter EKG-Kontrolle eingesetzt werden.
- ▶ Ondansetron NICHT im ersten Schwangerschaftsdrittel geben.

Haloperidol
5 mg/ml

Haloperidol

Antipsychotikum: z. B. Haldol®

1-ml- Ampulle enthält 5 mg Haloperidol (5 mg/ml)

Dosierung: – 5 – 10 mg i. m. (!) (s. u.)

Wirkweise: – Neuroleptikum mit stark antipsychotischer, stark antiemetischer und gering sedierender Wirkung

Wirkzeiten: – Wirkungseintritt: 8 – 10 min, Wirkdauer: 5 – 8 h

Indikation:
- Erregungszustände, auch bei z. B. alkoholisierten Patienten
- akute Psychosen
- Übelkeit

Nebenwirkung:
- Verkrampfung der Muskulatur
- Speichelfluss
- Sedierung
- Blutdruckabfall
- Herzrhythmusstörungen (QT-Verlängerung)

Kontraindikation:
- Epilepsie
- Morbus Parkinson
- komatöse Zustände
- QT-Zeit-Verlängerung im EKG

Alternative: – Midazolam

Schwangerschaft / Stillzeit: – Einsatz möglich/ Einsatz nicht empfohlen

Bemerkung! ▶ Vorsicht bei Kombination mit Alkohol, Opioiden und zentral dämpfenden Pharmaka → Wirkungsverstärkung.

Vorsicht! Haloperidol sollte wegen der Gefahr schwerwiegender Herzrhythmusstörungen nur unter EKG-Monitoring intravenös gegeben werden, wobei die i. v. Gabe vom Hersteller nicht empfohlen ist.

Heparin

Antithrombotikum: z. B. Heparin 5.000

Heparin
25.000 I. E./ml

NotSan

0,2-ml-Ampulle enthält 5.000 I. E. Heparin

Dosierung:
- 5.000 – 10.000 I. E. i. v., z. B. 0,2 – 0,4 ml i. v.

Wirkweise:
- Hemmung der Gerinnungsfähigkeit des Blutes durch Blockierung mehrerer Gerinnungsfaktoren
- Hemmung der Aktivierung von Fibrinogen zu Fibrin
- Hemmung der Thrombozytenaggregation (Zusammenballung der Blutplättchen)
- Förderung der Fibrinolyse (Auflösung von Blutgerinnseln)

Wirkzeiten:
- Wirkeintritt: 2 – 3 min, Wirkdauer: 4 – 6 h

Indikation:
- Thrombose-/Embolieprophylaxe
- Akutphase des Herzinfarktes, z. B. vor Thrombolyse
- Lungenembolie

Nebenwirkung:
- Haut-, Schleimhautblutungen
- Thrombozytenabfall
- Verlängerung der Blutungszeit
- Bradykardie

Kontraindikation:
- Blutungsneigung
- Magen-Darm-Geschwüre
- schwere Leber-, Nieren-, Bauchspeicheldrüsenerkrankungen
- Heparinunverträglichkeit (HIT)

Schwangerschaft / Stillzeit:
- Einsatz möglich/ Einsatz möglich

Bemerkung!
- Bei chronischer Einnahme von Clopidogrel o. Ä., NOAK/DOAK und/oder gleichzeitiger Gabe von Thrombozytenaggregationshemmern, z. B. ASS, Dextran, verstärkte Blutungsgefahr.
- Verminderung der Heparinwirkung durch Digitalis, z. B. Metildigoxin.
- Therapie einer Heparinüberdosierung: Protaminsulfat (1 ml Protamin 1.000 »Roche«® je 1.000 I. E. Heparin).
- Dunkle Verfärbung der Lösung ist unbedenklich.

Ibuprofen
40 mg/ml

Ibuprofen

Analgetikum, Antiphlogistikum:
z. B. Nurofen®

Tabletten (400, 600 mg), Suppositorien (500 mg), Ibuprofen-Saft (40 mg/ml)

Dosierung:
- 400 – 600 mg (Kinder 10 mg/kg KG p. o. bzw. Supp.)

Wirkweise:
- hemmt die Prostaglandinsynthese
- schmerzstillend
- stark entzündungshemmend
- fiebersenkend

Wirkzeiten:
- Wirkeintritt: 10 – 15 min, Wirkdauer: 4 – 6 h

Indikation:
- (leichtere) Schmerzen des Muskel- und Bewegungsapparates
- Gichtanfall
- Fieber (bei Kindern)
- Menstruationsbeschwerden

Nebenwirkung:
- Magen-Darm-Beschwerden bis hin zu Blutungen
- Verminderung der Thrombozytenfunktion
- Verschlechterung der Nierenfunktion
- Leberfunktionsstörungen

Kontraindikation:
- chronische Darmkrankheiten (Morbus Crohn, Colitis ulcerosa)
- Erkrankungen mit enggestellten Atemwegen
- Herzinsuffizienz

Schwangerschaft / Stillzeit:
- bis 28. SSW möglich/
  Analgetikum 1. Wahl

Alternative:
- Metamizol, Paracetamol, Diclofenac

Bemerkung!

▶ Wegen der möglichen Nebenwirkungen am Herzen sollte Ibuprofen bei Patienten mit chronischen Herzerkrankungen zurückhaltend eingesetzt werden.

Lidocain

Antiarrhythmikum: z. B. Xylocain®

Lidocain 2%
20 mg/ml

NotSan NA

5-ml-Ampulle (2 %) enthält 100 mg Lidocain (20 mg/ml)

Dosierung:
- initial: 0,5 – 1 mg/kg KG i. v., z. B. 100 mg i. v., evtl. 50 mg nachinjizieren (nach 10 min), maximal 3 mg/kg KG
- als Lokalanästhetikum 40 – 60 mg s. c.

Wirkweise:
- Verlangsamung des Natriumeinstroms an der Zellmembran (Membranstabilisierung)
- Verzögerung der Reizbildung, Reizfortleitung und Reizausbreitung
- bevorzugte Wirkung auf die Herzkammer

Wirkzeiten:
- Wirkeintritt: 2 – 3 min, Wirkdauer: 30 – 90 min

Indikation:
- ventrikuläre Extrasystolen
- Kammerflimmern
- Digitalisintoxikation
- Lokalanästhesie (i. o. Zugang, Thoraxdrainage, Propofolinjektion)
- ausnahmsweise im Asthmaanfall

Nebenwirkung:
- Blutdruckabfall
- Bradykardie
- AV-Block III
- Asystolie
- Schwindel
- Gefühlsstörungen
- Bewusstseinsstörungen
- Überdosierungszeichen (bei über 750 mg/h zu erwarten): Benommenheit, Muskelzuckungen bis zum Krampfanfall, Bewusstlosigkeit

Kontraindikation:
- AV-Block II und III
- Bradykardie

Schwangerschaft / Stillzeit:
- Lokalanästhetikum 1. Wahl/ Lokalanästhetikum 1. Wahl

Alternative:
- bei Kammerflimmern Amiodaron (besser wirksam)

Bemerkung!
▶ Bei Herz- und/oder Niereninsuffizienz sowie bei Patienten im Schock sollte die Dosis reduziert werden (0,5 mg/kg KG).

Magnesiumsulfat

Elektrolytlösung $MgSO_4$

10-ml-Ampulle (50 %) enthält 5 g Magnesiumsulfat (entspricht 20,25 mmol bzw. 40,55 mval; dies entspricht 493 mg »reinem« Mg^{2+})

Dosierung:

- 1–2 g (2–4 ml) i. v. langsam über 1–2 min, Wiederholung möglich nach 10–15 min

Wirkweise:

- membranstabilisierend
- antiarrhythmisch
- hemmt die Plättchenaggregation
- unterdrückt neuromuskuläre Erregbarkeit
- spasmolytisch
- wehenhemmend

Wirkzeiten:

- Wirkeintritt: 2–3 min, Wirkdauer: 8–10 min

Indikation:

- Torsade de pointes (Sonderfall einer Kammertachykardie)
- hypertensive Krise bei Eklampsie
- Tachykardien bei Magnesiummangelzuständen
- Digoxinvergiftung

Nebenwirkung:

- Bradykardie
- periphere Gefäßerweiterung
- bei zu schneller Injektion: Übelkeit, Erbrechen, Kopfschmerzen, Kribbeln, Schwindel, Schwitzen

Kontraindikation:

- kardiale Überleitungsstörung
- schwere Niereninsuffizienz
- Magnesiumspiegel über 2,5 mmol/l

Schwangerschaft / Stillzeit:

- Wehenhemmung/ Einsatz möglich

Antidot:

- Kalziumglukonat 10 % (5–15 ml i. v.)

Bemerkung!

- ▶ Dosierungsempfehlungen in der Literatur für »Magnesium« sind meistens auf Magnesiumsulfat 50 %-Lösung bezogen; daneben gibt es auch eine 10 %-Lösung.
- ▶ Magnesiummangelzustände treten häufig zusammen mit niedrigen Kalium-, Natrium- und Kalziumspiegeln auf, z. B. bei Diuretikadauertherapie.
- ▶ Bei PEA kann ggf. auch die Gabe von Kalzium 10 % (10 ml i. v.) sinnvoll sein.

Metamizol

(= Novaminsulfon)

Analgetikum, Antipyretikum: z. B. Novalgin®

Metamizol
0,5 g/ml

2 ml-Ampulle enthält 1 g Metamizol (0,5 g/ml)
5 ml-Ampulle enthält 2,5 g Metamizol (0,5 g/ml).

Dosierung:
- Erwachsene: 1 g, z. B. 2 ml i. v. fraktioniert oder besser als Kurzinfusion; Kinder (über 3 Monate): 10 – 15 mg/kg KG langsam i. v.

Wirkweise:
- zentrale Schmerzlinderung durch Hemmung der Prostaglandinsynthese (COX-Hemmung)
- Fiebersenkung

Wirkzeiten:
- Wirkeintritt: 20 – 30 min, Wirkdauer: 4 – 6 h

Indikation:
- leichtere Schmerzzustände, z. B. Kopfschmerzen, Zahnschmerzen, Schmerzen des Bewegungsapparates
- Knochen- und Weichteilverletzungen
- kolikartige Schmerzen, z. B. Gallenkolik (Nierenkolik)
- Fieber

Nebenwirkung:
- Blutdruckabfall
- allergische Reaktion bis zum anaphylaktischen Schock
- Gefahr der Knochenmarkschädigung

Kontraindikation:
- Pyrazolonallergie (Medikamentenübergruppe, zu der Metamizol und eine Reihe von Rheumamitteln gehören)

Schwangerschaft / Stillzeit:
- nicht nach 28. SSW/ Analgetikum 2. Wahl

Alternative:
- Metamizol anderer Hersteller, ASS, Paracetamol (Kinder)

Bemerkung!
- Metamizol eignet sich vor allem zur Behandlung von Schmerzen nach Knochen- und Weichteilverletzungen, ggf. auch in Kombination mit Opioiden und/oder Sedativa.
- Wegen der Gefahr akuter Nebenwirkungen (Blutdruckabfall) sollte Metamizol fraktioniert (z. B. 200 mg alle 60 sec) oder idealerweise als Kurzinfusion gegeben werden.
- Günstig erscheint die Kombination mit einem Spasmolytikum, z. B. Butylscopolamin bei Gallen- (und Nieren)koliken. Nicht als Mischspritze!

Metildigoxin

Antiarrhythmikum: z. B. Lanitop®

	2-ml-Ampulle enthält 0,2 mg Metildigoxin (0,1 mg/ml)
Dosierung:	– 0,2 – 0,4 mg langsam i. v., abhängig von vorangegangener Digitalisbehandlung, z. B. 2 – 4 ml i. v.
Wirkweise:	– Förderung der Kontraktionskraft des Herzens (positive Inotropie) – Abnahme der Herzfrequenz (dem Herzen steht in der Diastole zur Füllung mehr Zeit zur Verfügung) – Hemmung der AV-Knoten-Überleitung (Vorhof → Kammer)
Wirkzeiten:	– Wirkeintritt: 2 – 5 min, Wirkdauer: 3 – 6 h
Indikation:	– tachykarde Rhythmusstörungen mit schmalem QRS-Komplex, z. B. Vorhofflattern mit schneller Überleitung
Nebenwirkung:	– Extrasystolien (insbesondere ventrikulär) und Kammerflimmern, vor allem bei Hypokaliämie – Bradykardie – EKG-Veränderung (bogige ST-Strecken-Senkung) – Verlangsamung der atrioventrikulären Überleitung bis zur AV-Blockierung
Kontraindikation:	– AV-Blockierung II und III – Volldigitalisierung – bevorstehende Kardioversion – Vorsicht bei Hypokaliämie
Schwangerschaft / Stillzeit:	– Einsatz möglich/ Einsatz möglich
Alternative:	– Digoxin

Bemerkung!

- Vorsicht bei niereninsuffizienten Patienten, da bei ihnen Digitalispräparate nur vermindert ausgeschieden werden.
- Symptome der Digitalisvergiftung: Erbrechen, Farbensehen, Doppelbildersehen, Benommenheit, Halluzinationen.
- Therapie einer Digitalisintoxikation:
  bei Bradykardie: Atropin (0,5 – 2 mg),
  bei (ventrikulärer) Tachykardie, Extrasystole:
  Lidocain (50 – 100 mg).
- Verstärkung der Digitaliswirkung durch: Kalzium, Diuretika (z. B. Furosemid), Glukokortikoide (z. B. Prednisolon).

Metoclopramid

Antiemetikum: z. B. Paspertin®

MetoCloPramid
5 mg/ml

NotSan

2-ml-Ampulle enthält 10 mg Metoclopramid (5 mg/ml)

Dosierung:
- 5–10 mg i. v., z. B. 2 ml i. v.

Wirkweise:
- Blockierung (zentraler) Dopamin-Rezeptoren
- Entspannung von Darmspasmen
- Normalisierung der Darmtätigkeit (Peristaltik)

Wirkzeiten:
- Wirkeintritt: 5–10 min, Wirkdauer: 4–6 h

Indikation:
- Übelkeit, Brechreiz, Erbrechen

Nebenwirkung:
- Kopfschmerzen
- Unruhezustände
- Bewegungsstörungen im Kopfbereich (Krämpfe der Gesichts-, Schlund- und Halsmuskulatur = extrapyramidale Dyskinesien)
- Erhöhung der Krampfneigung
- Herzrhythmusstörungen

Kontraindikation:
- Säuglinge, (Klein-)Kinder
- Krampfleiden
- Darmverschluss

Schwangerschaft / Stillzeit:
- Einsatz möglich/
  Einsatz nicht empfohlen

Antidot:
- Biperiden (2,5–10 mg i. v.)

Alternative:
- Dimenhydrinat, Granisetron

Bemerkung!
- ▶ Gefahr der Auslösung einer Parkinson-Krise.
- ▶ Wirkungsverstärkung durch Alkohol und sedierende Medikamente.

Metoprolol 1 mg/ml

Metoprolol

Betasympatholytikum: z. B. Beloc®

5-ml-Ampulle enthält 5 mg Metoprolol (1 mg/ml).

Dosierung:
- 2–10 mg langsam i. v. (1 mg/min), z. B. 2–10 ml i. v.

Wirkweise:
- β-Rezeptorenblocker
- Verminderung des Sympathikuseinflusses an Herz, Kreislauf und Bronchien
  - a) β_1-Blockade: (vor allen Dingen)
    - Senkung der Herzfrequenz und -kraft → Blutdrucksenkung
    - Verminderung des Sauerstoffverbrauchs am Herzen
  - b) β_2-Blockade: (nur bei höherer Dosierung)
    - Erhöhung des peripheren Widerstandes
    - Erhöhung des bronchialen Strömungswiderstandes

Wirkzeiten:
- Wirkeintritt: 2–3 min, Wirkdauer: 3–5 h

Indikation:
- supraventrikuläre Tachykardie
- absolute Tachyarrhythmie
- Vorhofflimmern, Vorhofflattern mit schneller Überleitung
- Angina pectoris
- frischer Herzinfarkt ohne Herzinsuffizienz

Nebenwirkung:
- Blutdruckabfall
- Senkung des Herzminutenvolumens
- Erhöhung des Atemwiderstandes
- Vorsicht bei Asthmatikern: Durch Gabe von Betablockern kann Asthmaanfall ausgelöst werden!

Kontraindikation:
- manifeste Herzinsuffizienz
- AV-Block II und III
- Atemwegserkrankungen mit engen Atemwegen
- bradykarde Herzrhythmusstörungen
- Hypotonie

Schwangerschaft / Stillzeit:
- Betablocker 1. Wahl/ Betablocker 1. Wahl

Alternative:
- Esmolol

Bemerkung!
- ▶ In Verbindung mit Betablockern wird die Wirkung von Antidepressiva, Beruhigungsmitteln und Antihypertensiva erhöht.
- ▶ Metoprolol darf auf keinen Fall mit Kalziumantagonisten, z. B. Verapamil, kombiniert werden.
- ▶ Therapie einer Betablockerintoxikation: Glucagon (5 mg i. v.), Calcium 10 % (10 ml), Atropin (0,5–3 mg), ggf. Epinephrin-Norepinephrin-Infusion.

Midazolam

Benzodiazepin: z. B. Dormicum®

Midazolam 1 mg/ml

NotSan

	3-ml-Ampulle enthält 15 mg Midazolamhydrochlorid (5 mg/ml). 5-ml-Ampulle (Midazolam V 5) enthält 5 mg Midazolamhydrochlorid (1 mg/ml).
Dosierung:	– nach Indikation und Wirkung – Sedierung: 2 – 3 mg-weise i. v. – Krampfunterbrechung: 0,15 – 0,2 mg/kg KG, z. B. 10 – 15 mg i. v. – Narkose: 0,15 – 0,2 mg/kg KG, z. B. 10 – 15 mg i. v. – nasal s. S. 115
Wirkweise:	– beruhigend, angstlösend, z. B. in Kombination mit Opioiden – Anhebung der Krampfschwelle
Wirkzeiten:	– Wirkeintritt: 60 – 90 sec, Wirkdauer: 45 – 60 min
Indikation:	– Erregungszustand – zerebraler Krampfanfall – Narkose (in Kombination mit Opioid)
Nebenwirkung:	– Blutdruckabfall – Atemdepression
Kontraindikation:	– deutlich eingeschränkte Atemfunktion – Myasthenia gravis
Schwangerschaft / Stillzeit:	– Sedativum 1. Wahl/ Sedativum 1. Wahl
Alternative:	– Diazepam
Antidot:	– Flumazenil (0,2 mg-weise i. v.)
Vorsicht!	Verwechslungsgefahr: Midazolam wird in unterschiedlichen Konzentrationen und Ampullengrößen angeboten.

Bemerkung!

- Statt Midazolam wird zunehmend Lorazepam zur Angstlösung bzw. zur Unterbrechung von Krampfanfällen eingesetzt (z. B. 2 – 6 mg).
- Alternativ – ähnlich schnell wie nach i. v. Gabe wirksam – wird Midazolam intranasal (MAD® 300 Nasenzerstäuber), z. B. 0,25 ml/10 kg KG pro Nasenloch der 15-mg/3-ml-Ampulle, zur Krampfdurchbrechung eingesetzt (aber keine offizielle Zulassung).

Morphin
1 mg/ml

Morphin

Opioidanalgetikum

1-ml-Ampulle enthält 10 mg Morphinum hydrochloricum.
Verdünnen!
1-ml-Ampulle + 9 ml NaCl 0,9 % = 10 ml Lösung (1 mg/ml).

Dosierung:
- 2 – 3 mg-weise i. v., z. B. 2 – 3 ml i. v.
- nasal s. S. 115

Wirkweise:
- hemmt im Großhirn die Schmerzempfindung am Opioidrezeptor
- macht gleichgültig
- senkt Druck in der Lungenschlagader

Wirkzeiten:
- Wirkeintritt: 10 – 15 min, Wirkdauer: 3 – 5 h

Indikation:
- schwere Schmerzzustände, z. B. Herzinfarkt, Lungenembolie, schwer Verletzte
- Lungenödem

Nebenwirkung:
- zentrale Atemhemmung
- Pupillenverengung
- Bewusstseinstrübung
- Hemmung des Hustenreflexes
- Auslösung von Übelkeit und Erbrechen
- Histaminfreisetzung
- Gefäßerweiterung mit Blutdruckabfall

Kontraindikation:
- Atemdepression, wenn keine Beatmung erfolgt
- kolikartige Schmerzen (hier Kombination mit Butylscopolamin bzw. Glyceroltrinitrat erforderlich)

Schwangerschaft / Stillzeit:
- kurzzeitig möglich/
  kurzzeitig möglich

Alternative:
- Fentanyl, Sufentanil, Alfentanil

Antidot:
- Naloxon (0,1 mg-weise i. v.)

Bemerkung!

- Vorsicht bei Patienten mit Asthma bronchiale (Anfallauslösung).
- Verminderung von Übelkeit und Brechreiz durch Gabe von Granisetron und Dimenhydrinat möglich.
- Kombination mit Metamizol und Butylscopolamin möglich.
- Bei schweren Schmerzzuständen hat es sich als günstig erwiesen, niedrige Dosen von Morphin (z. B. 5 mg i. v.) mit niedrigen Dosen sedierender Substanzen (z. B. Midazolam 2 – 3 mg) zu kombinieren.
- Nasale Gabe bei Kindern (0,2 mg/kg KG = 0,02 ml/kg KG) möglich.

NaCl 0,9%

Isotonische Elektrolytlösung

NaCl 0,9%
________ mg/ml

NotSan

10 ml Ampulle NaCl 0,9 % enthält 90 mg NaCl, entsprechend 1,54 mmol Natrium und 0,77 mmol Chlorid.
500 ml Beutel NaCl 0,9 % enthält 4,5 g NaCl, entsprechend 77 mmol Natrium und 38,5 mmol Chlorid.
pH Wert 4,5 – 7,0

Dosierung:
- je nach Flüssigkeitsmangel und Kreislaufverhältnissen, z. B. 10 – 20 ml/kg KG i. v.

Wirkweise:
- ersetzt Wasser und Elektrolyte des Extrazellulärraums: kristalloides Volumenersatzmittel
- dient der Lösung bzw. Verdünnung von Medikamenten

Indikation:
- isotoner Flüssigkeitsersatz bei ausgeprägten Verlusten (Exsikkose), z. B. durch Erbrechen, Durchfall bzw. überschießende Diurese
- vorübergehender Volumenersatz
- Trägerlösung für Elektrolytkonzentrate und kompatible Medikamente

Nebenwirkung:
- bei bestimmungsgemäßem Gebrauch nicht zu erwarten

Kontraindikation:
- Hypernatriämie
- Hyperchlorämie
- dekompensierte Herzinsuffizienz
- Volumenüberladung

Schwangerschaft / Stillzeit:
- Einsatz möglich/
  Einsatz möglich

Alternative:
- Ringer-Laktat-, -Acetat-, -Malat-Lösung

Bemerkung!

- NaCl 0,9 % kann als vorübergehendes Volumenersatzmittel angewendet werden, bei ausgeprägtem Volumenmangel durch Blutung ggf. Kombination mit gelatinehaltiger Infusionslösung (kolloidaler Volumenersatz).
- Gegenüber kolloidalen Volumenersatzmitteln hat NaCl 0,9 % wie Ringer-Laktat-Lösung den Vorteil, die Blutgerinnung nicht zu beeinträchtigen.
- Durch den hohen Chlorid-Gehalt wird bei größeren Infusionsmengen eine metabolische Azidose ausgelöst.

Na-Hydrogenkarbonat
1 mmol/ml

$NaHCO_3$ 8,4 %

Puffersubstanz: Natriumhydrogenkarbonat

1 Infusionsflasche enthält 100 mmol Natriumhydrogenkarbonat in 100 ml Lösung, 1 ml = 1 mmol.
20-ml-Ampulle enthält 20 mmol Natriumhydrogenkarbonat in 20 ml Lösung, 1 ml = 1 mmol.

Dosierung:

- 0,5–1 mmol/kg KG i. v., z. B. 30–70 ml i. v.
- keine Blindpufferung!

Wirkweise:

- Dieser »körpereigene« Puffer bindet saure Wasserstoffionen, dabei entsteht Kohlensäure, die dann als Kohlendioxid (CO_2) über die Lunge abgeatmet wird.

Indikation:

- metabolische Azidose (z. B. bei anhaltendem Herz-Kreislauf-Stillstand)
- Hyperkaliämie
- Vergiftung mit trizyklischen Antidepressiva, z. B. Amitriptylin

Nebenwirkung:

- bei Überdosierung: metabolische Alkalose
- bei paravenöser Injektion: Gewebsschädigungen (Nekrosen)

Kontraindikation:

- Alkalose
- respiratorische Azidose
- Hypoventilation
- gleichzeitige Gabe von Kalzium → Ausfällung

Schwangerschaft / Stillzeit:

- Einsatz möglich/
  Einsatz möglich

Bemerkung!

- Ist eine Blutgasanalyse möglich, so erhält der Patient $NaHCO_3$ nach folgender Formel:

  BE × kg KG × 0,3 = ml $NaHCO_3$ (BE = Bedarf an alkalischen Valenzen).

- $NaHCO_3$ darf nicht zusammen mit Katecholaminen (Epinephrin, Norepinephrin, Cafedrin/Theodrenalin), Kalzium- und/oder Magnesiumionen (z. B. in der kristalloiden Lösung) zugeführt werden (Inaktivierung bzw. Ausfällung).

Nitrendipin

Kalziumantagonist: z. B. Bayotensin®

Nitrendipin
5 mg/ml

1 ml Lösung enthält 5 mg Nitrendipin (5 mg/ml).

Dosierung:
- 1 ml (unter die Zunge geben)

Wirkweise:
- Hemmung des Einstroms von Kalzium in der glatten Gefäßmuskulatur
- Weitstellung der arteriellen und insbesondere der venösen Gefäße
- Absenkung der Schlagkraft des Herzens
- Senkung des Sauerstoffbedarfs des Herzens

Wirkzeiten:
- Wirkeintritt: 3–5 min, Wirkdauer: 60–90 min

Indikation:
- hypertensive Krise

Nebenwirkung:
- Hautrötung
- Kopfschmerzen
- Herzklopfen, Tachykardie
- Angina pectoris

Kontraindikation:
- akutes Koronarsyndrom
- Angina pectoris

Schwangerschaft / Stillzeit:
- Einsatz möglich/
  Einsatz möglich

Alternative:
- Nifedipin, Glyceroltrinitrat

Bemerkung!
- ▶ Nicht einsetzen bei (Prä-)Eklampsie!
- ▶ Bei Vorbehandlung mit Phosphodiesterasehemmern wie Sildenafil und/oder Glyceroltrinitrat kann es zu schwerwiegenden Blutdruckabfällen kommen.
- ▶ Vorsicht bei Dialysepatienten (ggf. starker Blutdruckabfall).
- ▶ Therapie einer Nitrendipinintoxikation mit bradykarden Herzrhythmusstörungen, Bewusstseinstrübung, Krampfanfall: Kalziumglukonat 10 %, z. B. 5–15 ml i. v.

Norepinephrin
1 mg/ml

Norepinephrin

Sympathomimetikum: Arterenol®

1-ml Ampulle enthält 1 mg Norepinephrin (1 mg/ml).

Dosierung:
- siehe Tabelle unten

Wirkweise:
- Wirkung auf α-Rezeptoren: Engstellung der peripheren Gefäße, z. B. Muskulatur, Haut → Blutdruckanstieg
- geringe Wirkung auf β-Rezeptoren: Steigerung der Herzkraft und -frequenz

Wirkzeiten:
- Wirkeintritt: 30 – 60 sec, Wirkdauer: 3 – 5 min

Indikation:
- starker Blutdruckabfall (z. B septischer Schock)
- therapieresistente Hypotonie (Kreislaufinsuffizienz ohne Volumenmangel)
- Antidot bei Vasodilatatoren

Nebenwirkung:
- ventrikuläre Rhythmusstörungen bis zum Kammerflimmern
- pectangiöse Beschwerden
- Hautblässe
- Zittern

Kontraindikation:
- supraventrikuläre Tachykardie
- Tachyarrhythmie
- Hypertonie

Schwangerschaft / Stillzeit:
- Einsatz möglich/
  Einsatz möglich

Bemerkung!

▶ Norepinephrin Push-Dosis: 1 mg in 100 ml NaCl 0,9 % verdünnen, 10 ml in Spritze entnehmen: Einzelgaben 10 – 30 µg (1 – 3 ml) i. v.

Dosierungstabelle für Norepinephrin (5 mg in 50 ml, 0,1 mg/ml; Infusionsmenge: ml/Stunde)

Körpergewicht / Dosis (µg/kg KG/min)	20 kg	50 kg	60 kg	70 kg	80 kg	90 kg	100 kg	120 kg	150 kg
0,1	1,2	3,0	3,6	4,2	4,8	5,4	6,0	7,2	9,0
0,2	2,4	6,0	7,2	8,4	9,6	10,8	12,0	14,4	18,0
0,3	3,6	9,0	10,8	12,6	14,4	16,2	18,0	21,6	27,0
0,5	6,0	15,0	18,0	21,0	24,0	27,0	30,0	36,0	45,0
0,7	8,4	21,0	25,2	29,4	33,6	37,8	42,0	50,4	63,0
0,8	9,6	24,0	28,8	33,6	38,4	43,2	48,0	57,6	72,0

Die Tabelle kann auch für die Dosierung von Epinephrin (5 mg/50 ml) (s. S. 296) verwendet werden.

Paracetamol

(= Acetaminophen)
Analgetikum, Antipyretikum: z. B. ben-u-ron®

Paracetamol
125 mg

Suppositorien mit 125 mg (Säuglinge), 250 mg (Kleinkinder), 500 mg (Schulkinder), 1.000 mg (Jugendliche, Erwachsene), außerdem Tabletten und Kapseln zu 500 mg

Dosierung:
- 10 – 15 mg/kg KG (ggf. alle 6 Stunden), entspricht:

Kinder < 1 Jahr:	125 mg rektal
Kinder 1 – 5 Jahre:	250 mg rektal
Kinder 6 – 12 Jahre:	500 mg rektal
Erwachsene:	500 – 1.000 mg oral/i. v.

Wirkweise:
- hemmt die Prostaglandinsynthese (COX-Hemmung)
- stark fiebersenkend, (schwach) analgetisch

Wirkzeiten:
- Wirkeintritt: 5 – 10 min, Wirkdauer: 4 – 6 h

Indikation:
- leichte bis mittelstarke, nicht-entzündliche Schmerzen
- Fieber bzw. Fieberkrämpfe

Nebenwirkung:
- Leberschäden bei Überdosierung

Kontraindikation:
- Überempfindlichkeit
- schwere Leber- und Nierenfunktionsstörung

Schwangerschaft / Stillzeit:
- gut verträglich/ Analgetikum 1. Wahl

Alternativen:
- Metamizol (stärker schmerzhemmend), Diclofenac, Ibuprofen (stärker entzündungshemmend)

Antidot:
- N-Acetylcystein (150 mg/kg KG i. v.)

Bemerkung!
- Bereits 150 mg/kg KG können zu Lebernekrosen führen.
- Bei anhaltenden Schmerzen steht Paracetamol auch i. v. zur Verfügung, z. B. Perfalgan® 10 mg/ml-Infusionslösung.
- Paracetamol hat eine geringe therapeutische Breite (Abstand zwischen erforderlichem Wirkspiegel und unerwünschten Nebenwirkungen, z. B. Leberschädigung) und ist der häufigste Auslöser für akutes Leberversagen, z .B. im Rahmen von Intoxikationen.

NotSan

prednisoLON 50 mg

Prednisolon

Kortikosteroid: Solu-Decortin® H

1-ml-Ampulle enthält 250 mg Prednisolon-21-hydrogensuccinat-Natrium, entspricht 186,7 mg Prednisolon, zu lösen in 5 ml (50 mg/ml) Aqua ad inject.

Dosierung:	– initial: 125 – 250 mg langsam i. v., z. B. 2,5 – 5 ml i. v.
Wirkweise:	– entzündungshemmend – Stabilisierung der Zellmembran – Verbesserung der Mikrozirkulation und Gefäßerweiterung – Erweiterung der Bronchien
Wirkzeiten:	– Wirkeintritt: 15 – 30 min, Wirkdauer: 12 – 36 h
Indikation:	– allergische Reaktionen – anaphylaktischer Schock – Reizgasinhalation – schweres Asthma bronchiale
Nebenwirkung:	– Anstieg des Blutzuckerspiegels – bei zu schneller Injektion: Venenreizung, Juckreiz, Übelkeit, Ohrgeräusche – Blutdruckabfall
Kontraindikation:	– akute Infektionserkrankungen – schwerer Diabetes mellitus – Glaukom
Schwangerschaft / Stillzeit:	– Kortikoid 1. Wahl/ Kortikoid 1. Wahl
Alternative:	– Methylprednisolon

Bemerkung!

- Im anaphylaktischen Schock immer zuerst Sicherung der Atmung, Epinephrin und Flüssigkeitsinfusion.
- Wegen des günstigen Wirkungsspektrums eignet sich Prednisolon besser als die hochpotenten Glukokortikoide, z. B. Dexamethason, zur Behandlung des Asthma bronchiale.

Propofol

Hypnotikum: z. B. Disoprivan®

Propofol 1%
20 mg/ml

NA

20-ml- Ampulle enthält 200 mg (10 mg/ml).
50 ml Infusionsflasche enthält 500 mg (10 mg/ml, 1 %).
50 ml Infusionsflasche enthält 1.000 mg (20 mg/ml, 2 %).

Dosierung:
- Narkoseeinleitung: 1,5 – 2,5 mg/kg KG langsam i. v., z. B. 10 – 20 ml i. v.
- Narkoseaufrechterhaltung: 0,25 – 0,5 mg/kg KG i. v., z. B. 2 – 4 ml i. v. alle 5 min

Wirkungsweise:
- kurzwirksames Narkotikum ohne analgetische Wirkung

Wirkzeiten:
- Wirkeintritt: 30 – 45 sec, Wirkdauer: ca. 5 – 10 min

Indikation:
- Narkoseeinleitung
- Intubation
- Langzeitsedierung (in Kombination mit Opioid)

Nebenwirkung:
- Atemdepression bis Atemstillstand
- Blutdruckabfall
- Senkung des Hirndrucks (durch Verminderung der Hirndurchblutung)
- spontane Bewegungen, Muskelzuckungen
- Venenschmerzen bei der Injektion (Vermeidung durch Beimischung von Lidocain 1 %, z. B. 2 ml in 20 ml Propofol)

Kontraindikation:
- Kreislaufinsuffizienz
- nicht ausgeglichene Hypovolämie (Dosis vermindern)

Schwangerschaft / Stillzeit:
- Einsatz möglich/
Einsatz möglich

Bemerkung!
- ▸ Vorsicht bei Einnahme von Antihypertonika, Antidepressiva: → Blutdruckabfall.
- ▸ Einsatz auch in der Schwangerschaft möglich (z. B. Eklampsie).
- ▸ Lagerung bei max. 25 °C.
- ▸ Neben der 1 %-Lösung (200 mg in 20 ml) wird (zur Verminderung der Fettzufuhr) vor allem in der Intensivmedizin eine 2 %-Lösung verwendet.

Ranitidin
10 mg/ml

Ranitidin

Antihistaminikum: z. B. Ranitic®

5-ml-Ampulle enthält 50 mg Ranitidin (10 mg/ml).

Dosierung:
– 50 mg i. v., z. B. 5 ml i. v.

Wirkweise:
– Blockierung der Histamin$_2$-Rezeptoren insbesondere im Magen-Darm-Trakt

Wirkzeiten:
– Wirkeintritt: 45 – 60 min, Wirkdauer: 6 – 8 h

Indikation:
– Störungen im Magen-Darm-Bereich im Rahmen von Überempfindlichkeitsreaktionen

Nebenwirkung:
– Kopfschmerzen
– Schwindel
– Verwirrtheit
– Verstärkung der Wirkung von Benzodiazepinen, z. B. Midazolam

Kontraindikation:
– ausgeprägte Bradykardie
– Kinder unter 14 Jahre

Schwangerschaft / Stillzeit:
– Einsatz möglich/
Einsatz möglich

Alternative:
– Cimetidin

Bemerkung!

- Die Bedeutung der H$_2$-Blockade im Rahmen der Behandlung einer Überempfindlichkeitsreaktion tritt deutlich zurück gegenüber der (zügigen) Infusion einer kristalloiden Lösung, der H$_1$-Blockade (z. B. durch Dimetinden) und der unspezifischen Unterdrückung der Reaktion, z. B. durch Prednisolon, sowie ggf. der Gabe von Epinephrin.
- Insbesondere im Zusammenspiel mit Alkohol können Bewusstseinsstörungen ausgelöst werden.

Ringer-Laktat- bzw. Ringer-Acetat-Lösung

Kristalloide Lösung: Vollelektrolytlösung

Zusammensetzung: 500 ml Beutel Ringer-Laktat (DAB 7)/Ringer-Acetat

	Ringer-Laktat	Ringer-Acetat
Natrium =	130 mmol/l	130 mmol/l
Kalium =	5,4 mmol/l	5,4 mmol/l
Kalzium =	3,7 mmol/l	0,9 mmol/l
Chlorid =	111,7 mmol/l	112 mmol/l
Laktat =	27,2 mmol/l	27,2 mmol/l

Dosierung:
- initial »Bolus«: 10 ml/kg KG i. v., z. B. 700 – 1.000 ml i. v. je nach Flüssigkeitsmangel und Kreislaufverhältnissen, ggf. wiederholen

Wirkweise:
- Vollelektrolytlösung
- ersetzt Wasser und Elektrolyte des Extrazellulärraums

Indikation:
- Flüssigkeits- und Elektrolytverluste durch Erbrechen, Durchfall, Darmverschluss, Verbrennung
- primäres Volumenersatzmittel (insbesondere bei Säuglingen und Kleinkindern)
- Trägerlösung für Medikamente
- zum Offenhalten von peripheren und/oder zentralen Venenzugängen

Nebenwirkung:
- primär Vergrößerung des in der Blutbahn vorhandenen Flüssigkeitsvolumens mit sekundärer Verschiebung in den Zwischenzell- und Zellraum mit Gefahr der Ödembildung

Kontraindikation:
- dekompensierte Herzinsuffienz
- Volumenüberladung

Schwangerschaft / Stillzeit:
- Kristalloid 1. Wahl/ Kristalloid 1. Wahl

Alternative:
- NaCl 0,9 %, Ringer-Malat-Lösung

Bemerkung!
- Der Laktatanteil wird unter hohem Sauerstoffverbrauch verstoffwechselt. Günstiger sind balancierte Lösungen mit Malat oder Acetat.
- Da Laktat den Sauerstoffverbrauch (vor allem der Leber) erhöht und außerdem die Labordiagnostik erschwert, erscheint der Einsatz von Ringer-Acetat (oder Ringer-Malat) günstiger als die Infusion von (größeren Mengen) Ringer-Laktat-Lösungen.
- Ringer-Lösung wird wegen des hohen Chlorid-Anteils (156 mmol/) mit nachfolgender metabolischer Azidose nicht (mehr) als Infusionslösung verwendet.

NA

ROCuronium
10 mg/ml

Rocuronium

Muskelrelaxans: z. B. Esmeron®

5 ml-Durchstechflasche enthält 50 mg Rocuronium (10 mg/ml).

Dosierung:
- Intubationsdosis: bis 0,6 mg/kg KG i. v., z. B. 4 – 5 ml i. v.
- Nachinjektion: 0,1 – 0,15 mg/kg KG i. v., z. B. 1 ml i. v.

Wirkweise:
- nicht-depolarisierendes Muskelrelaxans vom Curare-Typ
- Blockade der nikotinischen Acetylcholinrezeptoren der muskulären Endplatte mit Verhinderung der Erregungsübertragung vom Nerven auf den Muskel
- keine Beeinflussung des Bewusstseins

Wirkzeiten:
- Wirkeintritt: 1 – 2 min, Wirkdauer: 20 – 30 min

Indikation:
- Muskelrelaxierung zur Intubation und künstlichen Beatmung

Nebenwirkung:
- Atemstillstand
- Tachykardie
- Hautrötung
- Bronchospasmus

Kontraindikation:
- Myasthenia gravis

Schwangerschaft / Stillzeit:
- Einsatz möglich/ Einsatz möglich

Alternative:
- Vecuronium, Mivacurium, Cisatracurium

Antidot:
- Sugammadex (2 – 4 mg/kg KG, z. B. 3 ml i. v.)

Bemerkung!
- ▶ Rocuronium setzt, wie alle Muskelrelaxanzien vom Curare-Typ, Histamin frei, sodass es zu anaphylaktoiden Reaktionen mit Hautreaktionen und bronchospastischen Zuständen bis hin zum Kreislaufkollaps führen kann.
- ▶ Rocuronium ist im Kühlschrank (2 – 8 °C) zu lagern!

Salbutamol

Salbutamol
_______ mg/ml

NotSan

Betasympathomimetikum:
z. B. Sultanol N®

1 Hub Dosier-Aerosol enthält 100 µg Salbutamol,
2,5 ml Ampulle enthält 1,25 mg Salbutamol (0,5 mg/ml).

Dosierung:
- 1–2 Hübe pro Stunde
- 1,25 - 2,5 mg inhalieren

Wirkweise:
- Stimulation der β_2- Rezeptoren in den Bronchien und der glatten Muskulatur führt zu deren Relaxation

Wirkzeiten: Wirkeintritt: 1–2 min, Wirkdauer: 3–4 h

Indikation:
- Asthma bronchiale
- Krankheitsbilder mit enggestellten Atemwegen (COPD)

Nebenwirkung:
- Unruhe
- Muskelzittern
- Tachykardie
- Herzrhythmusstörungen
- Angina pectoris

Kontraindikation:
- Tachykardie
- Arrhythmie
- frischer Herzinfarkt

Schwangerschaft / Stillzeit:
- Wehenhemmung/ Einsatz möglich

Alternative:
- Fenoterol/Ipratropiumbromid, Reproterol, Terbutalin

Vorsicht! Auch Zubereitung in doppelter Konzentration (»forte«) auf dem Markt (Verwechslungsgefahr).

Bemerkung!
- Behandlung des schweren akuten Asthmaanfalls stets durch Kombination von bronchialerweiternden Medikamenten, Kortikosteroiden i. v. sowie angemessener Flüssigkeitszufuhr (kristalloide Lösung)
- Günstig: Inhalation der Kombination von Salbutamol (2,5 mg) + Ipratropiumbromid (250 µg).
- Wirkungsabschwächung durch Vorbehandlung mit Betablockern.

NA

Suxamethonium
20 mg/ml

Suxamethonium

Muskelrelaxans: z. B. Pantolax®

5-ml-Ampulle (2 %) enthält 100 mg Suxamethonium (20 mg/ml).

Dosierung:
– 1 – 2 mg/kg KG i. v., z. B. 4 – 7 ml i. v.

Wirkweise:
– Blockierung der Erregungsübertragung an den nikotinischen Acetylcholinrepezeptoren der neuromuskulären Endplatte, wobei zu Beginn einmalig eine Erregung ausgelöst wird (depolarisierendes Relaxans)
– Erschlaffung der Skelett- und Atemmuskulatur

Wirkzeiten:
– Wirkeintritt: 60–90 sec, Wirkdauer: 3–5 min

Indikation:
– kurzzeitige Muskelrelaxation, z. B. zur Narkoseeinleitung (Rapid Sequence Induction, RSI)

Nebenwirkung:
– Bronchospasmus
– Bradykardie
– Freisetzung von Kaliumionen
– muskelkaterartige Beschwerden am nächsten Tag
– Histaminfreisetzung, Überempfindlichkeitsreaktionen

Kontraindikation:
– schwere Leberfunktionsstörung
– offene Augenverletzung (Erhöhung des Augeninnendrucks)
– Hyperkaliämie
– maligne Hyperthermie
– neuromuskuläre Erkrankungen, z. B. Polio, MS, Myasthenia gravis

Schwangerschaft / Stillzeit:
– Einsatz möglich/
Einsatz möglich

Bemerkung!

- Keine Wirkung auf das Zentralnervensystem: Das Bewusstsein bleibt voll erhalten → deshalb nur in Kombination mit Narkosemitteln anwenden.
- Zur Notintubation bei Reanimation keine Relaxierung! Im Bereich der Notfallmedizin hat Suxamethonium nur wenige Indikationen (z. B. Narkoseeinleitung beim nicht bewusstlosen, polytraumatisierten Patienten).
- Wegen beschränkter Haltbarkeit bei Raumtemperatur: monatlich austauschen. Im Kühlschrank lagern (2 – 8 °C)!

Terbutalin

β_2-Sympathomimetikum: z. B. Bricanyl®

Terbutalin
0,5 mg/ml

NotSan

1-ml-Ampulle enthält 0,5 mg Terbutalin (0,5 mg/ml).

Dosierung:
- 4 – 8 µg/kg KG s. c., z. B. 0,6 – 1 ml, s. c., Nachinjektion nach ca. 30 min möglich

Wirkweise:
- Entspannung der glatten Muskulatur (z. B. Bronchien, Gefäße, Uterus)
- geringe Zunahme von Herzfrequenz und -kraft
- höherer O_2-Verbrauch

Wirkzeiten:
- Wirkeintritt: 1 – 2 min, Wirkdauer: 3 – 4 h

Indikation:
- akuter Asthmaanfall
- COPD
- Bronchospasmen

Nebenwirkung:
- Unruhe, Kopfschmerzen
- Muskelzittern
- Tachykardie
- Herzklopfen
- Angina pectoris

Kontraindikation:
- akutes Rechtsherzversagen
- Tachykardie
- koronare Herzkrankheit (KHK), Herzinfarkt

Schwangerschaft / Stillzeit:
- Wehenhemmung/ Einsatz möglich

Alternative:
- Fenoterol/Ipratropiumbromid, Salbutamol, Reproterol

Bemerkung!
- ▶ Betablocker können die Wirkung von Terbutalin abschwächen.
- ▶ Offiziell nur zur s. c. Injektion zugelassen, nach Verdünnung auch i. v. Gabe möglich (Vorsicht: Auslösung von Kammerflimmern!).

Theophyllin
20 mg/ml

Theophyllin

Bronchodilatator: z. B. Euphylong® 200

10-ml-Ampulle Theophyllin enthält 200 mg Theophyllin (20 mg/ml) H_2O-frei + 151,6 mg Natriumacetat-Trihydrat.

Dosierung:
- initial: 5 mg/kg KG (z. B. 400 mg) langsam i. v., bei Theophyllinvorbehandlung: initial 3 mg/kg KG (z. B. 200 mg) langsam i. v.

Wirkweise:
- Erweiterung der Bronchien mit Herabsetzung des Atemwegswiderstandes durch Phosphodiesterasehemmung
- Stimulation des Atemzentrums im Gehirn
- Verbesserung der Zwerchfellfunktion
- Verbesserung der Schleimhautfunktion

Wirkzeiten:
- Wirkeintritt: 3 – 5 min, Wirkdauer: 3 – 4 h

Indikation:
- Asthma bronchiale
- Krankheitsbilder mit enggestellten Atemwegen
- Status asthmaticus
- akute Rechtsherzinsuffizienz
- atropinresistente Bradykardie

Nebenwirkung:
- Tachykardie, Arrhythmie
- Unruhe
- Übelkeit, Erbrechen
- Kopfschmerz
- Blutdruckabfall
- gesteigerte Urinproduktion
- erhöhte Krampfneigung (Kinder)

Kontraindikation:
- Tachykardie
- schwere Hypertonie
- Herzinfarkt
- Epilepsie
- Kinder < 6 Monaten

Schwangerschaft / Stillzeit:
- Wehenhemmung/ Einsatz möglich

Bemerkung!
- Therapie einer Theophyllinintoxikation: Lidocain (50 – 100 mg) ▶ s. S. 309, ggf. Sedierung: Midazolam (2 – 3 mg-weise) ▶ s. S. 315, Flüssigkeitszufuhr.
- Theopyllin wird insbesondere wegen der Steigerung der Herzfrequenz nicht mehr zur Erstbehandlung bei Asthma bronchiale und COPD empfohlen.
- In der Praxis hat die Inhalation von Salbutamol/Ipratropiumbromid die Theophyllingabe ersetzt.

Thiopental

Hypnotikum: z. B. Trapanal®

Thiopental
25 mg/ml

20-ml-Ampulle enthält 0,5 g Thiopental-Natrium in Pulverform. Zu lösen mit 20 ml Aqua für Injektionszwecke. 1 ml Lösung enthält 25 mg Wirkstoff.

Dosierung:
- Narkoseeinleitung: 3 – 5 mg/kg KG i. v. (je nach Allgemeinzustand), z. B. 300 mg = 12 ml beim Erwachsenen, ggf. nach jeweils 5 – 10 min die Hälfte der Dosis nachinjizieren

Wirkweise:
- Dämpfung bzw. Ausschaltung zentralnervöser Funktionen
- schnelles Einschlafen des Patienten, Bewusstseinsverlust
- Verminderung des Hirnstoffwechsels → Krampfdurchbrechung, Hirndrucksenkung

Wirkzeiten:
- Wirkeintritt: 30 – 45 sec, Wirkdauer: 8 – 15 min

Indikation:
- Narkoseeinleitung (und -unterhaltung)
- Sedierung

Nebenwirkung:
- Histaminfreisetzung
- Flacherwerden der Atmung → Atemstillstand
- Blutdruckabfall
- Vagusübererregbarkeit → Erbrechen → Aspirationsgefahr

Kontraindikation:
- Atemwegserkrankungen mit enggestellten Atemwegen, z. B. Asthma bronchiale
- drohendes Kreislaufversagen, z. B. bei Hypovolämie
- schwere Nieren-, Leber- und Herzmuskelschäden
- Schock
- Herzrhythmusstörungen

Schwangerschaft / Stillzeit:
- Einsatz möglich/
  Einsatz möglich

Alternative:
- Etomidat, Propofol

Bemerkung!

- ▶ Bei Anwendung von Thiopental ist zur Sicherung eines ausreichenden Gasaustauschs stets eine assistierte bzw. kontrollierte Beatmung durchzuführen.
- ▶ Paravenöse oder intraarterielle Injektionen sind unbedingt zu vermeiden, sie führen zu schweren Gewebsschäden (Nekrosen).

Tranexamsäure
100 mg/ml

Tranexamsäure

Koagulationsförderung: z. B. Cyklokapron®

5-ml-Ampulle enthält 0,5 g Tranexamsäure (100 mg/ml).

Dosierung:
- 0,5 – 1 g i. v., z. B. 5 – 10 ml langsam i. v.

Wirkweise:
- blockiert die Aktivierung von Plasminogen zu Fibrin spaltendem Plasmin
- Blockierung einer überschießenden Gerinnselauflösung, z. B. bei massivem Blutverlust durch Polytrauma

Wirkzeiten:
- Wirkeintritt: 10 – 15 min, Wirkdauer: 4 – 6 h

Indikation:
- Vermeidung und Behandlung von starken Blutungen bei Hyperfibrinolyse mit schlechten Gerinnungsverhältnissen

Nebenwirkung:
- Übelkeit, Erbrechen
- Durchfälle

Kontraindikation:
- arterielle und venöse Thrombosen
- zerebrales Krampfleiden

Schwangerschaft / Stillzeit:
- 1. Trimenon Einsatz nicht empfohlen/ Einsatz nicht empfohlen

Bemerkung!

▶ Tranexamsäure wird schon außerklinisch bei starken Blutverlusten zur Förderung der Gerinnung eingesetzt.

Urapidil

Sympatholytikum: z. B. Ebrantil®

Urapidil
5 mg/ml

NA

10-ml-Ampulle enthält 50 mg Urapidil (5 mg/ml).

Dosierung:
- 10 – 25 mg i. v., z. B. 2 – 5 ml langsam i. v., ggf. Dosis wiederholen

Wirkweise:
- Verminderung des Sympathikotonus durch Angriff an zentralen Strukturen (Beeinflussung des Vasomotorenzentrums im verlängerten Rückenmark)
- Blockade der zentralen und peripheren α_1-Rezeptoren der Gefäßmuskulatur mit Weitstellung der Gefäße

Wirkzeiten:
- Wirkeintritt: 1 – 2 min, Wirkdauer: 2 – 3 h

Indikation:
- hypertensiver Notfall
- schwere Hypertonie

Nebenwirkung:
- Übelkeit, Erbrechen
- Schwindel, Kopfschmerzen
- Herzklopfen, pektanginöse Beschwerden
- Atemnot

Kontraindikation:
- Aortenisthmusstenose

Schwangerschaft / Stillzeit:
- Einsatz nicht empfohlen/ Einsatz nicht empfohlen

Alternative:
- Clonidin

Bemerkung!

- ▶ Die blutdrucksenkende Wirkung kann durch andere, gleichzeitig verabreichte blutdrucksenkende Medikamente (z. B. Glyceroltrinitrat, Nitrendipin, Furosemid) verstärkt werden.
- ▶ Urapidil ist bei 10 mg-weiser Dosierung Medikament der Wahl zur Behandlung des hypertensiven Notfalls im Notarztdienst und eignet sich besonders zur Blutdrucksenkung bei Patienten mit beeinträchtigter Hirnfunktion (erhöhtem Hirndruck, Schlaganfall), da es zu keiner Hirndrucksteigerung führt.

Verapamil

Kalziumantagonist: z. B. Isoptin®

2-ml-Ampulle enthält 5 mg Verapamil (2,5 mg/ml).

Dosierung:
- 2,5–5 (–10 mg) langsam i. v., z. B. 1–2 ml i. v.

Wirkweise:
- hemmende Wirkung auf den Ca^{++}-Einstrom an der Herzmuskelzelle
- antiarrhythmische Wirkung durch Verlangsamung der Erregungsleitung und -ausbreitung im Herzmuskel
- Verminderung der Überleitung von Vorhof auf Kammer
- periphere Gefäßerweiterung

Wirkzeiten:
- Wirkeintritt: 1–2 min, Wirkdauer: 15–20 min

Indikation:
- tachykarde Rhythmusstörungen (vor allem supraventrikuläre und absolute Tachyarrhythmien)
- Vorhofflattern
- Vorhofflimmern

Nebenwirkung:
- Hemmung der Erregungsleitung (AV-Blockierung) bis zum Herzstillstand
- Minderung der Herzkraft
- Blutdruckabfall

Kontraindikation:
- ausgeprägte Herzinsuffizienz
- ausgeprägte Bradykardie
- akutes Koronarsyndrom
- kardiogener Schock
- vorbestehende höhergradige AV-Blockierung
- Präexzitationssyndrome (WPW- bzw. LGL-Syndrom)

Schwangerschaft / Stillzeit:
- Einsatz nicht empfohlen/ Einsatz nicht empfohlen

Bemerkung!
- ▶ Verapamil sollte nur unter EKG-Kontrolle verabreicht werden.
- ▶ Auf keinen Fall Kombination mit Betablockern, z. B. Metoprolol!
- ▶ Verapamil wird zunehmend durch Betablocker, z. B. Metoprolol, ersetzt.
- ▶ Therapie einer Intoxikation mit Kalziumantagonisten: Kalzium 10 % (10–20 ml i. v.), ggf. Atropin (0,5–2 mg i. v.) ▶ s. S. 289, Epinephrin (0,05–0,1 mg i. v.) ▶ s. S. 296.

Spritzen-Etiketten

Farbcode nach ISO 26825 und DIVI-Standard 2012

Hypnotika, z. B. Propofol	Opioide, z. B. Fentanyl
Benzodiazepine, z. B. Midazolam	Antikonvulsiva, z. B. Phenytoin
Muskelrelaxanzien, z. B. Rocuronium	Lokalanästhetika, z. B. Lidocain
Vasopressoren, z. B. Norepinephrin	Anticholinergika, z. B. Atropin
Inodilatatoren, z. B. Dobutamin	Antiarrhythmika, z. B. Amiodaron
Heparin	Koagulanzien, z. B. Tranexamsäure
Antikoagulanzien, z. B. Alteplase	Antihypertonika, z. B. Urapidil
Bronchodilatatoren, z. B. Salbutamol	Antiemetika, z. B. Granisetron
Hormone, z. B. Prednisolon	Insulin
NaCl	Elektrolyte, z. B. Magnesiumsulfat
verschiedene Medikamente	

Antagonisten: in der jeweiligen Kennfarbe mit zusätzlichem schwarz-weiß schraffiertem Rand

Eigene Notizen

VI Kurzinformationen

Rechtliche Aspekte der Notfallmedizin

Vorrangige Aufgabe des Rettungsdienstes ist die **Erstversorgung von Notfallpatienten**, die **Erzielung der Transportfähigkeit** und die **sachgerechte Betreuung** während der Fahrt in das geeignete Krankenhaus. Daneben gehört der **Krankentransport** zur Beförderung Kranker, Verletzter oder sonstiger hilfloser Personen, die keine Notfallpatienten im engeren Sinn sind, zu den Aufgaben.

Gesetzliche Grundlage dieser Funktionen sind die **Rettungsdienst**- und ggf. die **Feuerwehrgesetze** der Länder. Hier ist festgelegt, in welchem Rahmen die Aufgaben an die Feuerwehren und Hilfsorganisationen delegiert sind.

Für die **Ausstattung** der Rettungsmittel existieren europäische und nationale Empfehlungen (KTW-Typ A1 und A2, NKTW-Typ B, RTW-Typ C mit DIN EN 1789 bzw. DIN EN 1865, ITW DIN 75076, NEF DIN 75079, RTH/ITH/ITF DIN EN 13718–2), die entsprechend den Fortschritten der Medizin und Technik regelmäßig überarbeitet und erweitert werden.

Die **Ausbildung** des Personals im Rettungsdienst, einschließlich der Disponenten in der Rettungsleitstelle, gliedert sich in die Stufen Rettungshelfer (260 Stunden), Rettungssanitäter (520 Stunden) und Notfallsanitäter (3 Jahre). Während die Aufgaben der ersten Gruppen vor allem im Krankentransport, in der Assistenz und in der Fahrerfunktion liegen, führt der Notfallsanitäter eine Reihe von medizinischen Aufgaben, die bisher rein ärztliche Tätigkeiten waren, selbstständig und verantwortlich durch.

In den meisten Bundesländern wird für die Tätigkeit als Arzt im Rettungsdienst eine besondere Fachkunde bzw. **Zusatzbezeichnung Notfall- bzw. Rettungsmedizin** benötigt, die eine mehrjährige klinische Tätigkeit inklusive Intensivstation, eine spezifische theoretische und praktische Fortbildung sowie eine Mindestzahl an Einsätzen unter Anleitung eines erfahrenen Notarztes voraussetzt. Ansprechpartner für professionelle Hilfe gibt es meist innerhalb der jeweiligen Organisation oder bei Notfallseelsorgern, medizinischen Psychologen und Ärzten.

Bei der notfallmedizinischen Versorgung sind eine Reihe von Gesetzen und Vorschriften zu beachten. Erwähnt sei der sogenannte **rechtfertigende Notstand** in § 34 des Strafgesetzbuches (StGB), nach dem zur Abwendung von Gefahren für Leib und Leben des Betroffenen unter Einsatz von angemessenen Mitteln die Verletzung anderer Rechtsgüter erforderlich sein kann. § 823 Bürgerliches Gesetzbuch (BGB) regelt die **Schadensersatzpflicht** bei widerrechtlicher vorsätzlicher/fahrlässiger Verletzung. Weiter regelt § 323 c StGB die **Verpflichtung zur Hilfeleistung** in Notfällen, soweit sie zumutbar ist. Dabei sind naturgemäß besondere Anforderungen an alle Mitarbeiter im Rettungs- und Notarztdienst gerichtet. Grundsätzlich ist bei allen Patienten, auch z. B. gegenüber der Polizei, auf die Wahrung der persönlichen Sphäre des Patienten zu achten, wobei alle vor Ort Tätigen der **Schweigepflicht** unterliegen.

Die Behandlung von Patienten verlangt von allen im Rettungsdienst Tätigen grundsätzlich ein **sorgfältiges Vorgehen nach den aktuellen Regeln der wissenschaftlichen Erkenntnisse**. Dabei erfüllt jeder medizinische Eingriff primär den Tatbestand der Körperverletzung nach § 223 ff StGB und erfordert deshalb die Einwilligung des Patienten und eine Rechtfertigung. Entscheidend hierfür ist der **(mutmaßliche) Wille des Patienten**, der typischerweise auf eine Behandlung mit Linderung und Heilung ausgerichtet ist.

Eine **Patientenverfügung** ist eine von einer volljährigen und einwilligungsfähigen Person im Vorfeld abgegebene, schriftliche, mit Orts- und Datumsangabe unterschriebene Erklärung. Sie gibt rechtlich maßgebend an, in welche medizinischen Maßnahmen eine Person im Bedarfsfall einwilligt bzw. welche Eingriffe sie verweigert. Sind die darin gegebenen Anweisungen konkret auf die in der Notfallsituation gegebenen Verhältnisse anwendbar, sind die Verfügungen – möglichst in Rücksprache mit Angehörigen bzw. Betreuern – einzuhalten und z. B. Wiederbelebungsmaßnahmen zu unterlassen/abzubrechen. In einer **Vorsorgevollmacht** (meist zusammen mit der Patientenverfügung ausgestellt) bestimmt die Person einen Bevollmächtigten, z. B. den Ehepartner, der für den Betroffenen im Bedarfsfall, z. B. schwere Erkrankung, rechtlich verbindliche Entscheidungen treffen kann.

Nach entsprechender Aufklärung entscheidet ein mündiger und einwilligungsfähiger Patient grundsätzlich selbst, ob er einer geplanten Maßnahme zustimmt oder diese ablehnt. Verweigert ein Patient die Behandlung, ist zu entscheiden, ob dies respektiert werden muss (volle **Geschäftsfähigkeit** → schriftliche Fixierung, vor Zeugen) oder ob wegen **Selbst- oder Fremdgefährdung** unter Hinzuziehung der Polizei eine fürsorgliche Einweisung in eine (psychiatrische) Klinik vorgenommen werden muss.

Öffentliche Krankenhäuser haben grundsätzlich eine Aufnahmeverpflichtung von Notfallpatienten. Aufnahmeeinheiten können sich deshalb letztlich nicht definitiv »abmelden« (auch wenn z. B. primär kein Intensivbett zur Verfügung steht).

Im Routinebetrieb sind vor allem **Unfallverhütungsvorschriften** (UVV/DGUV) und die Regelungen des **Medizinproduktegesetzes** (MPG) einschließlich der **Medizinprodukte-Betreiberverordnung** (MPBetreibV) bzw. der **Medizinprodukte-Verordnung** (MPV) und des **Arzneimittelgesetzes** (AMG) sowie des **Betäubungsmittelgesetzes** (BtMG) zu beachten.

(Vorläufige) Todesfeststellung

– Nur durch einen Arzt definitiv durchzuführen!
– NotSan, RettSan sollten prinzipiell mit der Reanimation beginnen!

Klinischer Tod:

– Wiederbelebung möglich: unverzüglich beginnen
– Unsichere Todeszeichen:
- Bewusstlosigkeit
- Atemstillstand
- Kreislaufstillstand
- Reflexlosigkeit
- Unterkühlung

Scheintod (Vita minima):

– anscheinender Atem-/Kreislaufstillstand, insbesondere bei Intoxikationen, Stoffwechselkoma, Unterkühlung, Stromunfall; Trauma, Hirnblutung → sofortiger Beginn der Wiederbelebungsmaßnahmen

Biologischer Tod:

– keine Wiederbelebung möglich
– Sichere Todeszeichen (von Umgebungstemperatur abhängig):

Totenflecke:
- an tief gelegenen, nicht aufliegenden Körperpartien rötlich-blaue Verfärbungen
- Beginn ca. 1/2 Stunden nach Todeseintritt, nach 6 – 12 Stunden ausgeprägt
- bleiben ca. 12 – 16 Stunden wegdrückbar
- können bei ausgeblutetem Organismus ausbleiben

Totenstarre:
- Beginn ca. 0,5 – 3 Stunden nach Todeseintritt, nach 5 – 8 Stunden noch zu brechen
- vom Kiefer auf den übrigen Körper absteigend
- löst sich nach einigen Tagen wieder

Fäulnis:
- Beginn ca. 2 Tage nach Todeseintritt, Grünfärbung beginnt am Bauch, vollständig nach ca. 1 Woche, Aufdunsung nach ca. 2 Wochen

▶ **Merke**

– Auskühlung in den ersten 2 – 3 Stunden gering, dann ca. 1 °C pro Stunde, stark von der Umgebungstemperatur abhängig.
– Wasserleiche: Waschhaut nach 3 – 6 Stunden, Hand-/Fußsohle weißlich nach 3 Tagen, Hautablösung nach 6 Tagen.
– Fliegeneier (auf Schleimhäuten): sofort; Maden: nach 2 Tagen; Puppen: nach 2 Wochen; leere Puppenhülsen: nach 4 Wochen.

Leichenschau

– Immer unverzüglich nach Auffinden des Leichnams durchzuführen!

Leiche:
– Körper (mind. Kopf oder Rumpf) eines Verstorbenen; Neugeborenes mit Lebenszeichen, Totgeburt ≥ 500 g

Todeszeitpunkt:
– Zeitpunkt des irreversiblen Kreislaufstillstandes bzw. der Beginn der erfolglosen Wiederbelebungsversuche, ggf. Zeitpunkt des Nachweises des unumkehrbaren Hirnfunktionsausfalls (»Hirntod«); ggf. klar dokumentieren: zuletzt lebend gesehen, aufgefunden, Fremdangaben

Todesart natürlicher Tod:
– durch innere Erkrankungen bedingt, keine äußere Einwirkung

Todesursache (ungeklärt):
– Unfall, Tötung, Selbstmord, unklare Todesumstände, unbekannte Leiche, sonstige besondere Umstände
– Polizei/Staatsanwaltschaft hinzuziehen!

Daten:
– Personalien: Name, Vorname, Geburtsort, Wohnadresse
– Todesort, -zeitpunkt, -ursache, evtl. weitere Erkrankungen, Infektiosität

weitere Abwicklung:
– evtl. Beschlagnahmung durch Staatsanwaltschaft, sonst Abholung durch Bestattungsunternehmen/kommunale Einrichtungen

Tod auf dem Transport:
– je nach Ausgangslage (und Bundesland) Friedhof oder rechtsmedizinisches Institut (evtl. Krankenhaus) anfahren

Vorläufige Leichenschau:
– im Rettungsdienst mit Angabe von Auffindesituation, Auffälligkeiten, durchgeführten Maßnahmen, Hinweis auf Infektionskrankheiten

▶ Merke

– Die Angehörigen eines soeben Verstorbenen befinden sich in einer absoluten Ausnahmesituation. Berücksichtigen Sie das bei Ihrem Verhalten! Hinweis auf Notfallseelsorger/Kriseninterventionsteam geben.
– Nur bei natürlichem Tod nach Einstellung der Wiederbelebungsmaßnahmen Tubus, venösen Zugang etc. entfernen, Leichnam – entsprechend dem Wunsch der Angehörigen – z. B. ins Bett legen, abdecken, Notfallort aufräumen.
– Geben Sie den Angehörigen alle möglichen Hilfestellungen zur organisatorischen Abwicklung der anstehenden Maßnahmen!
– Ermöglichen Sie den Angehörigen, sich würdig und in Ruhe von dem Verstorbenen zu verabschieden.
– Eine Leichenschau sollte grundsätzlich nur bei einem vollständig entkleideten Leichnam durchgeführt werden und alle Körperregionen umfassen, einschließlich behaarter Kopf, Rücken, alle Körperöffnungen (Leiche umdrehen).
– Vorsicht: Versterben an Spätfolgen eines Unfalls gilt wie das Versterben direkt durch einen Unfall als nicht-natürlicher Tod!

Körperliche Untersuchung zur Feststellung von

- im Auftrag des Gerichts, der Staatsanwaltschaft bzw. der Polizei im Rahmen der Ermittlungen zu einer Straftat bzw. Ordnungswidrigkeit
- Durchführung nach den Regeln der ärztlichen Kunst, ggf. auch ohne Einwilligung des Betroffenen. Kann durch Anwendung körperlicher Gewalt (seitens der Polizei) erzwungen werden.
- Ermittelnde Beamten belehren über den Grund der Ermittlung, weisen auf die Möglichkeit der Verweigerung der Aussage bzw. der vorherigen Zuziehung eines Rechtsbeistands hin und erstellen einen sog. Polizeibericht mit Personalien, Anlass der Untersuchung, freiwilligen Angaben über die Einnahme von Alkohol, Drogen, Medikamenten etc. und ggf. Ergebnis des Alkoholtests.

Auf Anweisung der Ermittler:

- Befragung
- Schriftprobe
- körperliche/neurologische Untersuchung
- eine/zwei Blutentnahmen

Befragung:

- Anamnese, aktuelle Situation
- vorbestehende Erkrankungen:
  - Epilepsie
  - Geisteskrankheiten
  - früheres Schädel-Hirn-Trauma
  - Diabetes mellitus
- Orientierung (zur Person, zur Situation, örtlich, zeitlich)
- Ablauf der aktuellen Ereignisse
- Ursache der Polizeiermittlungen
- Einschätzung der Situation durch den Betroffenen
- Einnahme von Alkohol, Drogen Medikamenten (einschl. Verabreichung von Medikamenten/Infusionen [Name, Dosis, Zeitpunkt], ggf. auch durch vorbehandelnde Ärzte)
- Blutverlust durch Verletzung, Erbrechen, Durchfall

Schriftprobe:

- nicht Unterschrift, sondern z. B. Wohnadresse

Körperliche / neurologische Untersuchung:

(stets zu erhebende Befunde, unabhängig von der Zustimmung des Betroffenen)

- Größe/Gewicht (angegeben, gemessen, geschätzt)
- Konstitutionstyp (z. B. hager, mittel, adipös)
- Herzfrequenz, Blutdruck
- Alkoholgeruch der Atemluft
- Verletzungen, insbesondere SHT

- Bewusstseinslage (klar, verwirrt, benommen, somnolent, bewusstlos)
- Denkablauf (geordnet, sprunghaft, verlangsamt, perseverierend, verworren)
- Stimmung (ruhig, redselig, aufgeregt, provokativ, distanzlos, abweisend, aggressiv)
- Befinden (normal, Schweißausbruch, Mundtrockenheit, Frösteln, Juckreiz, Gähnen, Schmerzen)
- Verhalten (fröhlich, weinerlich, verlangsamt, schwerfällig, lethargisch, stumpf, schläfrig)
- Muskeltonus (Händezittern, Lidflattern)
- Sprache (deutlich, Silbenstolpern, verwaschen, lallend)
- Gang (sicher, schleppend, schwankend, torkelnd)
- Pupillen (Weite, Lichtreaktion), Bindehäute (blass, gerötet)

Freiwillige Untersuchung: *(Einwilligung einholen!)*

- Finger-Finger-Probe und Finger-Nasen-Probe (sicher, unsicher)
- Romberg-Test (Stehen mit geschlossenen Augen, ggf. mit vorgestreckten Armen: sicher, geringes bzw. starkes Schwanken)
- schnelle Kehrtwendung (sicher, unsicher)
- Bulbusposition und -bewegungen
- Drehnystagmus (5 × in 10 sec um die eigene Achse drehen, anhalten, Zeigefinger fixieren lassen: fein-/grobschlägig, kleine/große Auslenkung, Dauer)

- **abschließende Schilderung/Beurteilung** von Kritikfähigkeit bzw. Gesamtverhalten des Untersuchten sowie ggf. weiterer (vom Alkohol- bzw. Drogen-/Medikamentenkonsum unabhängiger) Krankheitssymptome

Blutentnahme:

- Hautdesinfektion mit geeigneten, von den Beamten zur Verfügung gestellten Tupfern
- Abnahme einer Blutprobe in speziellen, von den Beamten zur Verfügung gestellten Blutcontainer (EDTA-Röhrchen); 8 – 10 ml Blut für Doppelbestimmungen und ggf. zusätzliche Untersuchungen; sofortiges Bekleben mit Identifikationsetiketten; keine Abnahme aus liegenden Venenverweilkanülen!
- bei Angabe eines »Nachtrunks« Abnahme eines 2. Röhrchens nach 20 – 30 min, ebenso bei Drogen und/oder Medikamenteneinfluss; bei letzterem Bitte um freiwillige Abgabe einer Urinprobe

Gewahrsamstauglichkeit – Haftfähigkeit

- Häufigste Anlässe sind Alkohol- Drogen- und/oder Medikamenteneinflüsse bzw. Gewaltdelikte einschl. damit zusammenhängender Ermittlungen.
- Ermittelnde Beamten stellen Personalien fest und dokumentieren Anlass und Gründe für freiheitsentziehende Maßnahmen, ggf. einschl. Angaben zu Erkrankungen/Verletzungen und anderen medizinisch bedeutsamen Hinweisen.

- wesentliche Elemente des schriftlichen **ärztlichen Untersuchungsberichts:**

Anamnese:

(ggf. nur mit Dolmetscher möglich)
- Vorerkrankungen, insbes. Diabetes mellitus, chron. Lungenerkrankungen, Hypertonie
- Dauermedikation
- Alkohol-, Drogen-, Medikamenteneinnahme
- aktuelle Beschwerden

Körperliche Untersuchung:

(Zeitpunkt angeben)
- Pulsfrequenz, Blutdruck, SpO_2, Blutzucker
- Bewusstseinslage, Pupillenfunktion, Neurostatus, Ausfallserscheinungen
- Stimmungslage, Kontrollverlust
- Atem- und Kreislauffunktion
- Verletzungszeichen, insbes. Schädel-Hirn-Trauma

Abschließende Beurteilung:

- der vitalen Gefährdung
- der Notwendigkeit einer stationären Aufnahme/Überwachung
- der »Haftfähigkeit«

Bescheinigung der Gewahrsamstauglichkeit:

(von Polizeibeamten gegenzeichnen lassen)
- uneingeschränkt,
- unter Auflagen (zeitlich befristet, kontinuierliche Überwachung z. B. per Videoanlage, kurzfristige Intervalle von Kontrolluntersuchungen, Hinzuziehung weiterer Ärzte) bzw.
- nicht gegeben

▶ Merke
- Grundsätzlich schließen eine (vorübergehende) Bewusstlosigkeit, stärkerer Alkohol-/Drogen-/Medikamenteneinfluss einschl. Entzugserscheinungen und stärkere Schmerzzustände eine Gewahrsamsfähigkeit aus.
- Fixierung grundsätzlich nur im Sitzen bzw. in Seitenlage zum Ausschluss eines »positionsbedingten Asphyxie-Phänomens« (Ateminsuffizienz in Rücken- oder Bauchlage).

Körperverletzung – Sexualisierte Gewalt

▶ s. a. Genitale Blutung S. 213, Kindesmisshandlung S. 236

Auftreten:

- Betroffene meist im Alter 16 – 25 Jahre, überwiegend weiblich
- daneben kleine(re) Kinder beiderlei Geschlechts betroffen
- Täter meist aus Bekannten-, Freundes- oder Familienkreis
- häufig Alkohol- und/oder Drogeneinfluss bei Täter und Opfer
- im Einsatz meist emotional aufgeladene Atmosphäre; widersprüchliche Aussagen von Betroffenen und Zeugen

Befunde:

- neben Verletzungen im Genitalbereich oft begleitende Kampf- bzw. Sturzverletzungen (Kopf, Arme, Beine)
- Oft übersteigt die empfundene psychische Traumatisierung die körperlichen Verletzungen um ein Vielfaches.

Vorgehen:

- nach Ausschluss einer vitalen Gefährdung nach dem ABCDE-Konzept: einfühlendes und behutsames Vorgehen
- die extreme Ausnahmesituation erfassen und die damit verbundene Verunsicherung und Angst einschließlich der verletzten Schamgefühle respektieren
- Patienten unterstützend im Sinne einer Abklärung der Situation (Verletzungsausmaß, Schwangerschaft, Infektionen etc.) beraten
- ggf. Polizei hinzuziehen
- keine kriminaltechnisch wichtigen Spuren verwischen
- Blutabnahme für Alkohol-, Drogenscreening etc. **vor** Medikamentengabe
- genaue Dokumentation aller Befunde und Beobachtungen
- Transport zur gynäkologischen Untersuchung und detaillierte Informationsweitergabe

▶Merke
Entscheidend ist, bei »merkwürdigen Umständen« am Notfallort überhaupt an die Möglichkeit eines sexualisierten Gewaltszenarios zu denken.

Notfallmedizinische Ausrüstung an Bord von Verkehrsflugzeugen

Statistisch häufigste Notfälle:

- abdominelle Beschwerden (Übelkeit, Erbrechen, Durchfall)
- Kollapszustände (Synkope, Epilepsie, Schlaganfall, Kreislaufstillstand)
- Atembeschwerden
- Brustschmerzen
- (kleinere) Kopfverletzungen

→ Flugbegleitpersonal hat Erste-Hilfe-Ausbildung (regelmäßige Auffrischungen)

In allen international zugelassenen Verkehrsflugzeugen vorhanden:

1. »Flieger-Sauerstoff«: transportable Flaschen, Flow 4 l/min, fest eingestellt
2. Emergency Medical Kit – empfohlener Inhalt:
   - Bronchodilatator, z. B. β_2-Sympathomimetikum-Spray
   - Koronardilatator, z. B. Glyceroltrinitrat-Spray
   - Epinephrin 1:1.000 i. v.
   - Diuretikum, z. B. Furosemid i. v.
   - Spasmolytikum, z. B. Butylscopolamin i. v.
   - Antihistaminikum, z. B. Dimetinden i. v.
   - Kortikosteroid, z. B. Prednisolon i. v.
   - starkes Analgetikum, z. B. Esketamin i. v.
   - Sedativum/Antikonvulsivum, z. B. Diazepam
   - Glucose 40 %-, Glucagon-, Atropin-, Digoxin-Ampullen

→ Zusätzlich zur Pflichtausstattung kann ein (halb-)automatischer externer Defibrillator (AED) mitgeführt werden (der als Monitor benutzt werden kann).

Sondersituation Lufthansa:

1. Cabin Attendant Kit: einfache Schmerzmittel, Nasentropfen, Medikamente gegen Übelkeit, Erbrechen, Durchfall
2. First Aid Kit: insbes. Verbandmaterial, Hilfsmittel
3. Doctor's Kit: Notarztkoffer (verplombt)

▶ Merke

- Registrierung bei Lufthansa als »Doctor on Board« unter: www.lufthansa.com/de/de/doctor-on-board → Miles & More-Gutschriften.
- Unterstützung, z. B. Beratung, Zwischenlandung, Organisation der Notfallbehandlung nach der Landung von ärztlich besetzten Callcentern (MASH®, MedAire, International SOS) über Funk oder Satellitentelefon möglich.

Sera- und Plasmaderivate

In den Notfalldepots der Landesapothekerkammern stehen in bestimmten Krankenhäusern folgende Immunglobuline etc. bereit:

Stets vorrätig:
- Botulismus-Antitoxin
- C1-Inhibitor
- Hepatitis-B-Immunglobulin
- polyvalentes Immunglobulin
- Prothrombinkonzentrat (PPSB)
- Tetanus-Immunglobulin
- Varizella-Zoster-Immunglobulin

Eventuell vorrätig:
- Diphtherie-Antitoxin
- Röteln-Immunglobulin
- Schlangengift-Immunserum Europa
- Tollwut-Immunglobulin
- Tollwut-HDC-Impfstoff
- Obidoximchlorid (Toxogonin®)

Information z. B. über:
DRK-Blutspendedienst Baden-Württemberg-Hessen gGmbH/Universitätsklinikum Ulm:
Institut für Klinische Transfusionsmedizin und Immungenetik Ulm (IKT)
Helmholtzstr. 10
89081 Ulm
Tel.: (0731) 150 – 0
Fax: (0731) 150 – 575
www.blutspende.de/ueber-uns/institute-einrichtungen/ulm/institut-ulm.php

Notfalldepots der Landesapothekerkammer Baden-Württemberg:
Villastraße 1
70190 Stuttgart
www.lak-bw.de

Notfalldepot der Apothekerkammer Berlin:
Charité Campus Virchow-Klinikum
Medizinische Klinik und Poliklinik mit Schwerpunkt Nephrologie und Intensivmedizin
Station 43
Augustenburger Platz 1
13353 Berlin-Wedding
www.akberlin.de

Informationszentren für Vergiftungsfälle

Deutschland

Giftnotruf Berlin,
Charité-Universitätsmedizin Berlin,
Hindenburgdamm 30,
12203 Berlin,
Tel.: (030) 19240,
Fax: (030) 450569 – 901,
https://giftnotruf.charite.de

Informationszentrale gegen Vergiftungen,
Zentrum für Kinderheilkunde des Universitätsklinikums Bonn,
Venusberg-Campus 1,
53127 Bonn,
Tel.: (0228) 19240,
Fax: (0228) 287 – 33314,
www.gizbonn.de

Gem. Giftinformationszentrum der Länder Mecklenburg-Vorpommern, Sachsen, Sachsen-Anhalt und Thüringen,
Nordhäuser Str. 74,
99089 Erfurt,
Tel.: (0361) 730730,
Fax: (0361) 73073 – 17,
www.ggiz-erfurt.de

Vergiftung-Informations-Zentrale am Universitätsklinikum Freiburg,
Breisacher Straße 86 b,
79110 Freiburg,
Tel: (0761) 19240,
Fax: (0761) 270 – 44570,
www.giftberatung.de

Giftinformationszentrum-Nord der Länder Bremen, Hamburg, Niedersachsen und Schleswig-Holstein,
Georg-August-Universität,
Robert-Koch-Str. 40,
37075 Göttingen,
Tel.: (0551) 19240,
Fax: (0551) 3831 – 881,
www.giz-nord.de

Giftinformationszentrum der Länder Rheinland-Pfalz und Hessen sowie für das Saarland,
Klinische Toxikologie,
Langenbeckstr. 1,
55131 Mainz,
Tel.: (06131) 19240,
Fax: (06131) 232468,
www.giftinfo.uni-mainz.de

Abteilung für Klinische Toxikologie und Giftnotruf München,
Klinikum rechts der Isar,
Technische Universität München,
Ismaninger Str. 22,
81675 München,
Tel.: (089) 19240,
Fax: (089) 4140 – 2467,
www.toxikologie.mri.tum.de/de/giftnotruf-muenchen

Österreich

Vergiftungsinformationszentrale der Gesundheit Österreich GmbH,
Stubenring 6,
1010 Wien,
Tel.: (+43) (1) 4064343
www.goeg.at/vergiftungsinformation

Schweiz

Tox Info Suisse,
Freiestr. 16,
8032 Zürich,
Tel.: (+41) 145 oder
Tel.: (+41) 442515151
Fax: (+41) (44) 2528833
www.toxinfo.ch

Stationäre Druckkammern (Auswahl)

Deutschland

Zentrum für Sauerstofftherapie und Tauchmedizin,
Vivantes Klinikum im Friedrichshain,
Landsberger Allee 49
Haus 15.2 , UG
10249 Berlin,
Tel.: (030) 130231502

Universitätsklinikum Halle,
Hyperbare Oxygenation,
Ernst-Grube-Str. 40
FG15 U02,
06120 Halle (Saale),
Tel.: (0345) 557 – 4350

Branddirektion München, Druckkammer
Feuerwache 5,
Aschheimer Straße 30,
81671 München,
Tel.: (089) 23530

Druckkammerzentrum Rhein-Main-Taunus GmbH,
Asklepios Gesundheitszentrum,
Schiersteiner Str. 42,
65187 Wiesbaden,
Tel.: (0611) 847 – 27170

HBO Druckkammerzentrum,
BG Unfallklinik Murnau,
Prof.-Küntscher-Str. 8,
82418 Murnau,
Tel.: (08841) 48 – 2709

HBO-Zentrum Euregio Aachen,
Kackertstr. 11,
52072 Aachen,
Tel. Notruf: (0241) 84044

Druckkammer Centrum Stuttgart DCS 1,
Klinikum Ludwigsburg,
Posilipostr. 4,
71640 Ludwigsburg,
Tel.: (07141) 9968680

Druckkammerzentrum im Klinikum Traunstein,
Cuno-Niggl-Str. 3,
83278 Traunstein,
Tel.: (0861) 15967

HELIOS Spital Überlingen,
Härlenweg 1,
88662 Überlingen,
Tel.: (07551) 9477 – 0

BW-Krankenhaus Ulm,
Klinik für Anästhesiologie, Intensivmedizin, Notfallmedizin und Schmerztherapie
Oberer Eselsberg 40,
89081 Ulm,
Tel.: (0731) 1710 – 26520

Österreich

Klinische Abteilung für Thoraxchirurgie und Hyperbare Chirurgie,
Universitätsklinikum für Chirurgie, LKH-Univ. Klinikum Graz,
Auenbrugger Platz 29,
8036 Graz,
Tel.: (+43) (0316) 385 – 12827

Schweiz

HBO-Zentrum Universität Genf, Hôpitaux Universitaires Genève, CAO,
Rue Gabrielle-Perret-Gentil 4,
1211 Genève 14,
Tel.:(+41) (022) 372 – 8140

Weitere Informationen

Gesellschaft für Tauch- und Überdruckmedizin e. V.,
www.gtuem.org

Notruf bei Tauchunfällen

DAN-Hotline Deutschland und Österreich:
00800 326 668 783

DAN-Hotline international:
(+39) 06 4211 – 8685
bzw. – 5685

Regionale Strahlenschutzzentren

Universitätsklinikum Carl Gustav Carus Dresden, Klinik und Poliklinik für Nuklearmedizin, Fetscherstr. 74, 01307 Dresden, Tel.: (0351) 458 – 2226

Charité Universitätsklinikum Berlin, Klinik für Nuklearmedizin, Charitéplatz 1, 10117 Berlin, Tel.: (030) 450 - 557 - 338 oder (030) 450 - 657 - 024

Uniklinikum Greifswald, Klinik und Poliklinik für Nuklearmedizin, Fleischmannstr. 42 – 44, 17475 Greifswald, Tel.: (03834) 86 – 6989

Asklepios Klinik St. Georg, Abt. für Nuklearmedizin, Lohmühlenstr. 5, 20099 Hamburg, Tel.: (040) 181885 – 2371

Medizinische Hochschule Hannover, Klinik für Nuklearmedizin, Carl-Neuberg-Str. 1, 30625 Hannover, Tel.: (0176) 1532 – 3082 oder – 2295

Heinrich-Heine-Universität Düsseldorf, Nuklearmedizinische Klinik, Leo-Brandt-Str., 52428 Jülich, Tel.: (02461) 61 – 5763

Universitätskliniken des Saarlandes, Klinik für Nuklearmedizin, Geb. 50, Kirrberger Str., 66421 Homburg/Saar, Tel.: (06841) 162 – 22201

Karlsruher Institut für Technologie, Med. Abteilung, Hermann-von-Helmholtz-Platz 1, 76344 Eggenstein-Leopoldshafen, Tel.: (0721) 6082 - 3333

Städt. Klinikum Schwabing, Klinik für Nuklearmedizin, Kölner Platz 1, 80804 München, Tel.: (089) 3068 – 2427 oder – 3123

Helmholtz Zentrum München, Institut für Strahlenschutz, Ingolstädter Landstr. 1, 85764 Neuherberg, Tel.: (089) 3187 – 3990

Universität Würzburg, Klinik und Poliklinik für Nuklearmedizin, Oberdürrbacher Str. 6, 97080 Würzburg, Tel.: (0931) 201 – 44400 bzw. – 0

Spezialabteilung zur stationären Behandlung bei schweren Strahleneinwirkungen: Berufsgenossenschaftliche Unfallklinik Ludwigshafen, Schwerbrandverletztenzentrum, Ludwig-Guttmann-Str. 13, 67071 Ludwigshafen/Rhein, Tel. (0621) 6810 – 2010 bzw. – 00

Betten für Schwerbrandverletzte

(Erwachsene / Kinder)			
Aachen	(6/0)	Köln	(10/4)
Berlin	(12)	Leipzig	(6/2)
Bochum	(6/3)	Lübeck	(4/2)
Dortmund	(4/0)	Ludwigshafen	(8/0)
Dresden	(0/2)	Mainz	(0/2)
Duisburg	(6/2)	Mannheim	(0/2)
Erfurt	(0/2)	München	(7/8)
Gelsenkirchen	(4/0)	Murnau	(3/0)
Halle (Saale)	(8/4)	Nürnberg	(8/0)
Hamburg	(6/2)	Offenbach	(9/0)
Hamm	(0/2)	Stuttgart	(3/1)
Hannover	(6/2)	Tübingen	(4–5/0)
Kassel	(0/4)		

Zentraler Bettennachweis:

Tel.: (040) 42851 – 4950
Fax: (040) 42851 – 4269
E-Mail: einsatzmeldungen@feuerwehr.hamburg.de
Online: www.feuerwehr.hamburg/zentrale-anlaufstelle-fuer-die-vermittlung-von-krankenhausbetten-fuer-schwerbrandverletzte--890176

Kurzinformationen

ICD10-Kodierung

Diagnose	ICD10
Abdominaltauma	S39.9
Akutes Abdomen	R10.0
Akutes Koronarsyndrom	I21.9
Alkoholvergiftung	F10.0
Alkylphosphatvergiftung	T60.0
Anaphylaktischer Schock	T78.2
Aortenaneurysma	I71.8
Arterienverschluss	I74.9
Aspiration	T17.9
Asthma bronchiale	J45.9
Atemnot	R06.0
Atropinvergiftung	T44.3
Augenverletzung	S05.9
Bewusstlosigkeit	R40.2
Blausäurevergiftung	T57.3
Bluthusten	R04.2
Bronchitis	J20.9
Brustschmerz	R07.4
CO-Vergiftung	T58
CO_2- Erstickung	T59.7
COPD	J44.9
EPH-Gestose	O14.9
Eklampsie	O15.0
Erfrierung	T35.7
Erregungszustand	F23.0
Ertrinkungsunfall	T75.1
Extremitätentrauma	T11.9/T13.9
Fieber	R50.88
Geburt	O63.9 /O80
Genitale Blutung	N93.9
Gesichtsschädeltrauma	S01.7
Giftbisse/Stiche	T63.8
Glaukomanfall	H40.2
Harnverhaltung	R33
Herzinsuffizienz	I50.19
Herzrhythmusstörungen	I49.9
Hirnblutung	S06.8
Hitzenotfälle	T67.-
Hodenschmerzen	N44./N45.
Höhenkrankheit	T70.2
Hypertensiver Notfall	I10.01
Hyperventilation	R06.4
Hyperglykämie	E11.01
Hypoglykämie	E11.61
Kardiogener Schock	R57.0
Kohlenwasserstoffvergiftung	T52.9
Kopfschmerz	R51
Krampfanfall	R56.8
Lebensmittelvergiftung	T62.8 /.0
Lungenembolie	I26.9
Lungenödem	I50.14
Magen-Darm-Blutung	K92.2
Medikamentenvergiftung	T50.9
Methanolvergiftung	T51.1
Nabelschnurvorfall	O69.0
Nasenbluten	R04.0
Opioidvergiftung	F11.0
Pneumonie	J18.9
Pneumothorax	S27.0
Polytrauma	T07
Reanimation	P21.9/I46.9
Reizgasvergiftung	T59.9
Säure-Basen-Störung	E87.2
Schädel-Hirn-Trauma	S06.9
Schaumbildnervergiftung	T55
Schlaganfall	I64
Sepsis	A41.9
Stimulanzienvergiftung	F15.0
Strahlenunfall	W91.9
Stromunfall	T75.4
Synkope	R55
Tauchunfall	T70.3
Thoraxtrauma	S22.9
Unterkühlung	T68
Vena-cava-Kompression	O26.5
Venenverschluss	I80.9
Verätzung	T30.4
Verbrennung/Verbrühung	T30.0
Volumenmangelschock	R57.1
Wasser-Elektrolyt-Störung	E87.8
Wirbelsäulentrauma	T09.3

Rufnamen der Hilfsorganisationen

RettSan NotSan

Bezeichnung	Internet	Kürzel	Rufname	Telefon
Arbeiter-Samariter-Bund	www.asb.de/de	ASB	Sama	(0221) 476050
Deutsches Rotes Kreuz	www.drk.de	DRK	Rotkreuz	(030) 854040
Johanniter-Unfall-Hilfe	www.johanniter.de	JUH	Akkon	(030) 269970
Malteser Hilfsdienst	www.malteser.de	MHD	Johannes	(0221) 98220
Feuerwehr	www.dfv.org	FW	Florian	(030) 288848800
Technisches Hilfswerk	www.thw.de	THW	Heros	(0228) 9400
Bergwacht	www.bergwacht.de	BW	Bergwacht/Ort/Ordnungszahl	(0761) 493366
Deutsche Lebens-Rettungs-Gesellschaft	www.dlrg.de	DLRG	Pelikan	(05723) 9550
Deutsche Gesellschaft zur Rettung Schiffbrüchiger	www.seenotretter.de	DGzRS	Triton	MRCC / Seenotleitung (0421) 536870 Info: (0421) 537070
Wasserwacht-Bayern	www.wasserwacht.de	WW	Wasserwacht/Ort/Ordnungszahl	(089) 854040
Wasserschutzpolizei	www.polizei.nrw.de (Homepage der Länderpolizeien)	WSP	bundesweit nicht einheitl.	–
Bundespolizei	www.bundespolizei.de	BPOL	nicht einheitlich	(01805) 234566 (0800) 6888000
Notfallseelsorge	www.notfallseelsorge.de	–	–	(02304) 755138

Funkmeldesystem (FMS)

Leitstelle → Fahrzeug

Status	Information
A	Sammelruf (an alle)
E	Einrücken/Abbrechen
C	Melden Sie sich für Einsatzübernahme
F	Kommen Sie über Draht
H	Fahren Sie Wache an
J	Sprechaufforderung (nach Status 5 oder 0)
L	Geben Sie Lagemeldung
P	Einsatz mit Polizei
U	Unerlaubte Statusfolge
c	Status korrigieren
d	Transportziel durchgeben
h	Zielklinik verständigt
o	Warten, alle Abfrageplätze belegt
u	Verstanden

TKI*#	Information
I	ohne Notarzt/ohne Sondersignal
II	ohne Notarzt/mit Sondersignal
III	mit Notarzt/ohne Sondersignal
IV	mit Notarzt/mit Sondersignal

TKI* – Taktische Kurzinformation
– Nicht im Feuerwehrbereich

Fahrzeug → Leitstelle

Status	Information
0	Notruf/priorisierter Sprechwunsch
1	einsatzbereit über Funk
2	einsatzbereit auf Wache
3	Einsatz übernommen/Anfahrt zum Einsatzort („ab“)
4	Ankunft am Einsatzort („an“)
5	Sprechwunsch
6	nicht einsatzbereit
7#	Patient aufgenommen
8#	am Transportziel
9#	unterschiedlich belegt: z. B. Handquittung, Notarzt aufgenommen, dringender Sprechwunsch

Buchstabiertafel

Buchstabiertafel, Deutschland (Österreich, Schweiz)

A	=	Anton, Aachen (CH: Anna)	J	=	Julius, Jena (CH: Jakob)	SCH	=	Schule
Ä	=	Ärger, Umlaut Aachen (CH: Äsch)	K	=	Kaufmann, Köln (A: Konrad; CH: Kaiser)	ß	=	Eszett (A: scharfes S)
B	=	Berta, Berlin	L	=	Ludwig, Leipzig (CH: Leopold)	T	=	Theodor, Tübingen
C	=	Cäsar, Chemnitz	M	=	Martha, München (CH: Marie)	U	=	Ulrich, Unna
CH	=	Charlotte	N	=	Nordpol, Nürnberg (CH: Nikolaus)	Ü	=	Übermut, Umlaut Unna (A: Übel)
D	=	Dora, Düsseldorf (CH: Daniel)	O	=	Otto, Offenbach	V	=	Viktor, Völklingen
E	=	Emil, Essen	Ö	=	Ökonom, Umlaut Offenbach (A: Österreich; CH: Örlikon)	W	=	Wilhelm, Wuppertal
F	=	Friedrich, Frankfurt	P	=	Paula, Potsdam (CH: Peter)	X	=	Xanthippe, Xanten (A, CH: Xaver)
G	=	Gustav, Goslar	Q	=	Quelle, Quickborn (CH: Quasi)	Y	=	Ypsilon (CH: Yverdon)
H	=	Heinrich, Hamburg	R	=	Richard, Rostock (CH: Rosa)	Z	=	Zacharias/Zeppelin, Zwickau (A, CH: Zürich)
I	=	Ida, Ingelheim	S	=	Samuel, Salzwedel (A: Siegfried; CH: Sophie)			

Buchstabiertafel, international

A	=	Alpha	J	=	Juliett	S	=	Sierra
B	=	Bravo	K	=	Kilo	T	=	Tango
C	=	Charlie	L	=	Lima	U	=	Uniform
D	=	Delta	M	=	Mike	V	=	Victor
E	=	Echo	N	=	November	W	=	Whisky
F	=	Foxtrott	O	=	Oscar	X	=	X-Ray
G	=	Golf	P	=	Papa	Y	=	Yankee
H	=	Hotel	Q	=	Quebec	Z	=	Zulu
I	=	India	R	=	Romeo			

	Vorwahl	*Rufnummer*
Zentraler Bettennachweis für Verbrennungspatienten, Hamburg	040	Tel. 42851 – 4950 Fax 42851 – 4269
Beratungsstellen bei Vergiftungen, z. B Universitätsklinikum Mainz	06131	Tel. 19240 Fax 232468
Klinik mit Druckkammer, z. B. Bundeswehrkrankenhaus Ulm	0731	171 – 26520
Spezialabteilung bei Strahlenunfall: Berufsgenossenschaftliche Unfallklinik Ludwigshafen	0621	6810 – 2010
ADAC-Dispositionszentrale vom Handy vom Ausland	 089 +4989	0180 – 2222222 222222 222222
Deutsche Rettungsflugwacht (DRF)	0711	Tel. 701070 Fax 701071
SAR-Leitstellen Glücksburg Münster	 04631 0251	 6013 135757
Seenotleitung Bremen MRCC	0421	536870
Fahrdienstleiter		
Leitstellenpersonal		
Nummer der eigenen Hilfsorganisation		
Weitere Telefonnummern		

Arbeits-, Dienst- und Wegeunfälle

Arbeits-, Dienst und Wegeunfälle von Beschäftigten in Arbeits-, Ausbildungs- und Dienstverhältnissen stehen unter dem Schutz der gesetzlichen Unfallversicherung, ausgeschlossen Beamte und Soldaten (Versicherungsstrukturen).

Träger:
- Deutsche Gesetzliche Unfallversicherung (DGUV)
- Sozialversicherung für Landwirtschaft, Forsten und Gartenbau

Berufsgenossenschaft:
- Bauwirtschaft (BG Bau)
- Energie, Textil-, Elektro-, Medienerzeugnisse (BG ETEM)
- Rohstoffe und chemische Industrie (BG RCI)
- Verkehrswirtschaft, Post, Logistik, Telekommunikation (BG Verkehr)
- für Handel und Warenlogistik (BGHW)
- Nahrungsmittel und Gastgewerbe (BGN)
- für Gesundheitsdienst und Wohlfahrtspflege (BGW)
- Verwaltungsberufsgenossenschaft (VBG)
- Landwirtschaftliche Berufsgenossenschaft, Sozialversicherung für Landwirtschaft, Forsten und Gartenbau (SVLFG)

Unfallkassen: im Länderbereich, bei Bund und Bahn, Gemeindeunfallversicherungsverbänden, Unfallkassen der Gemeinden, Feuerwehrunfallkassen

Schwerst- / Verletzungsartenverfahren (SVAV/VAV)

Das VAV ist ein Bestandteil des berufsgenossenschaftlichen Heilverfahrens. Versicherte Unfallverletzte sind in speziell zugelassenen Krankenhäusern zu versorgen.

„Leichte" Verletzung:
- z. B. Prellung, einfache Fraktur → lokales Traumazentrum

„Schwere" Verletzung:
- z. B. Trümmer-, Gelenkfrakturen, Kinder, alle im VAV erfassten Verletzungen → regionales Traumazentrum

„Schwerste" Verletzung:
- z. B. schweres SHT, Beatmungspflicht, neurologische Ausfälle, Gefäßverletzung, Polytrauma, alle im SVAV erfassten Verletzungen → überregionales Traumazentrum

Dokumentation:

- Name, Vorname, Geburtsdatum, Adresse,
- Gesetzliche Krankenversicherung,
- Berufsgenossenschaft (BG),
- Unfallort, -zeitpunkt,
- Zusammenhang mit Arbeit, Unfallbetrieb, Unfallhergang,
- Vor-, Begleiterkrankungen

VII Notfallsanitäter-Algorithmen

Atemwegs-
störung

Atem-
störung

Herz-Kreislauf-
Störung

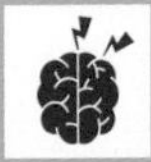

Bewusstseins-
störung

Vergiftung

Verletzung

Physikalische
Schädigungen

Schmerzen

▲ Wichtig

- In den Algorithmen sind grundsätzlich an den Notfallsanitäter delegierbare Maßnahmen genannt und durch ▲ gekennzeichnet. Definitive Entscheidungen (Indikation, Vorgehen) erfolgen auf regionaler Ebene durch die verantwortlichen Gremien und Personen (z. B. Ärztlicher Leiter Rettungsdienst) bzw. richten sich nach den jeweils geltenden Standard Operating Procedures. Diese Festlegungen sind verbindlich und unbedingt zu beachten.
- Auch bei den genannten Medikamenten sowie ihren Indikationen und Dosierungen handelt es sich um Vorschläge, die mit den regional gültigen Anweisungen abgeglichen werden müssen.
- Bei der Delegation einer BtM-Gabe (z. B. Morphin, Fentanyl) sind die entsprechenden gesetzlichen Vorgaben zu beachten.

▶ Legende Algorithmen

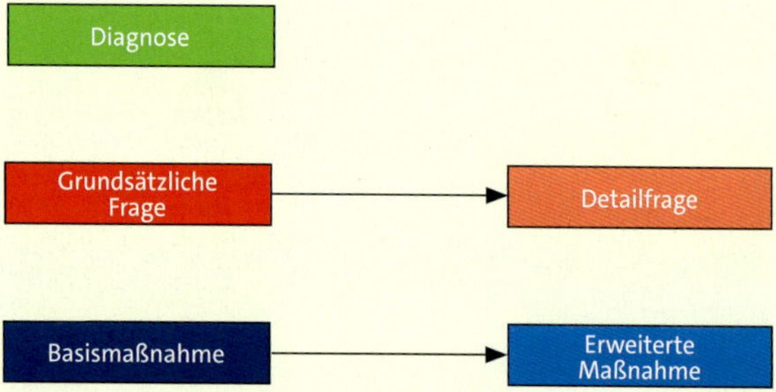

▶ Merke

- Bei der Verabreichung von Medikamenten 6-R-Regel beachten:
  Richtiger Patient? Richtiges Medikament? Richtige Dosierung? Richtige Konzentration? Richtige Applikationsart? Richtiger Zeitpunkt?
- 4-Augenprinzip (Gegenkontrolle) vor Injektion

ABCDE-Versorgung

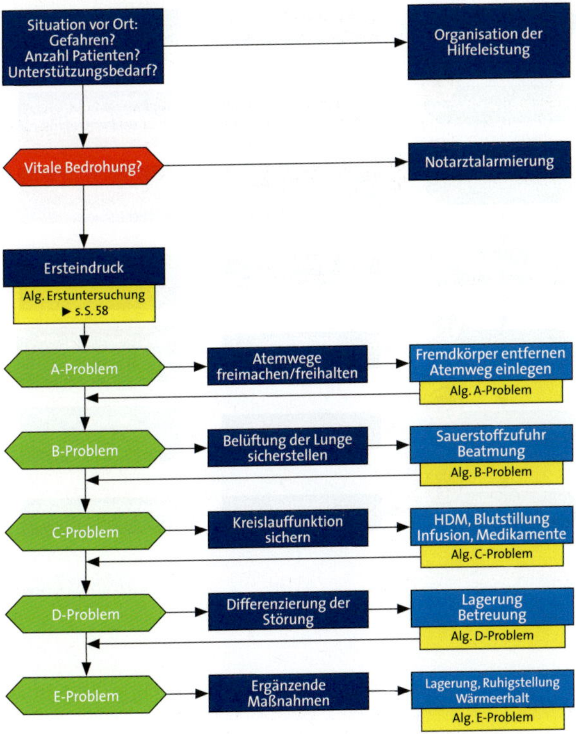

A-Problem

▲ An NotSan delegierbare Maßnahme
* Notärztliche Maßnahme

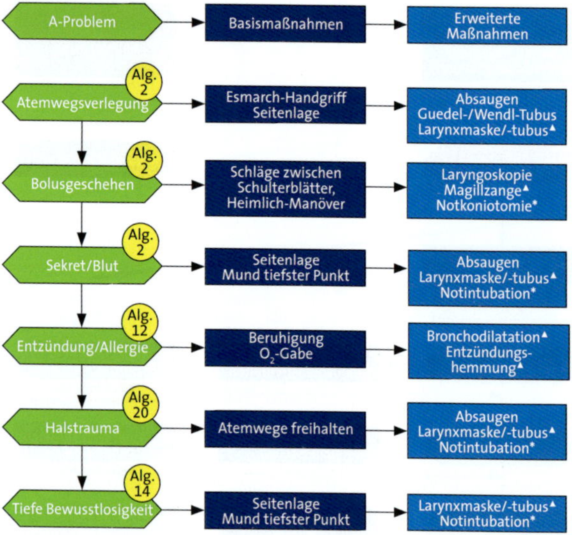

B-Problem

▲ An NotSan delegierbare Maßnahme
* Notärztliche Maßnahme

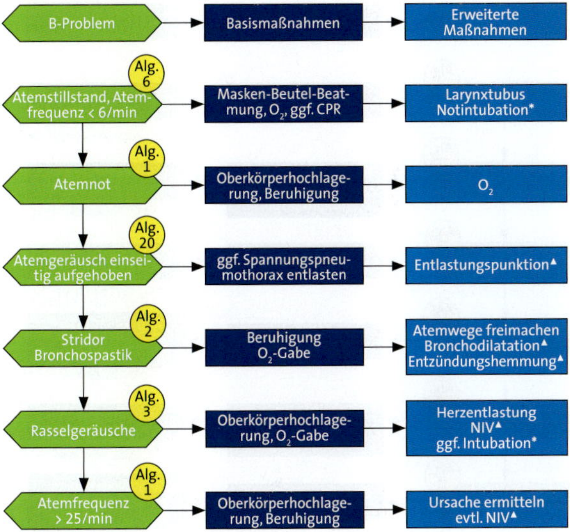

▶ **Merke**
Immer mit der am wenigsten invasiven Maßnahme beginnen.

C-Problem

▲ An NotSan delegierbare Maßnahme
* Notärztliche Maßnahme

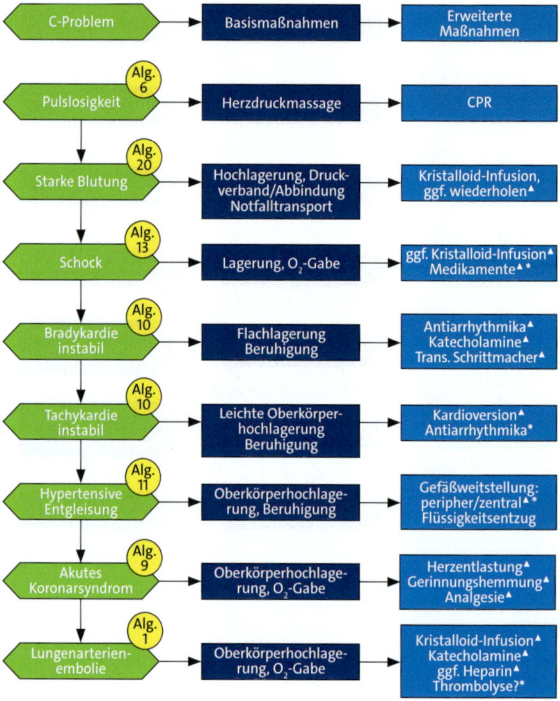

D-Problem

▲ An NotSan delegierbare Maßnahme
* Notärztliche Maßnahme

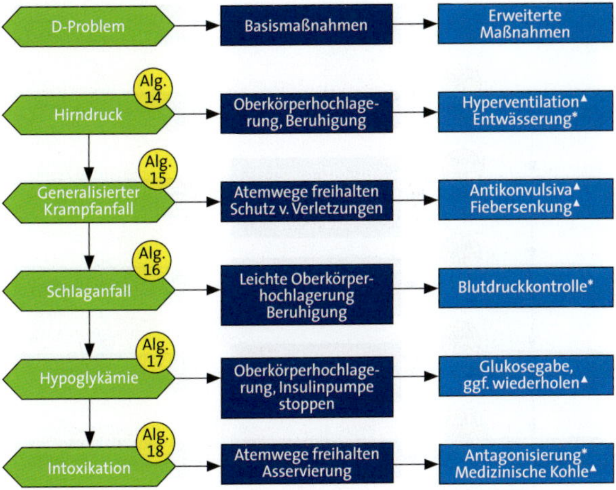

E-Problem

▲ An NotSan delegierbare Maßnahme
* Notärztliche Maßnahme

E-Problem		Basismaßnahmen	Erweiterte Maßnahmen
Thoraxtrauma	Alg. 20	Oberkörperhochlagerung, Beruhigung	Beatmung Entlastungspunktion▲
Abdominaltrauma	Alg. 19	Leichte Oberkörperhochlagerung Knierolle Beruhigung	Kristalloid-Infusion▲ Analgesie▲
Schädel-Hirn-Trauma	Alg. 20	Leichte Oberkörperhochlagerung Beruhigung	Blutdruckkontrolle* Analgesie▲
Wirbelsäulen-/Beckentrauma	Alg. 20	Flachlagerung Vakuummatratze Beckenschlinge	Kristalloid-Infusion▲ Analgesie▲
Extremitätentrauma	Alg. 20	Ruhigstellung Blutstillung	Kristalloid-Infusion▲ Analgesie▲
Verbrennung	Alg. 20	Erste Hilfe: Kühlung Wärmeerhaltung	Kristalloid-Infusion▲ Analgesie▲
Unterkühlung	Alg. 21	Flachlagerung RTW anwärmen	Warme Kristalloid-Infusion▲ Wärmeerhaltung
Stromunfall	Alg. 22	Eigenschutz beachten	Arrythmie- und Schockbehandlung
Akuter Schmerz	Alg. 23	Lagerung Medikamente	Metamizol▲ Esketamin▲, Opioid*

Alg. 1 – 24: Erweiterte Algorithmen

A/B	C	D	E
Alg. 1 Akute Atemnot	Alg. 4 CPR Neugeborene	Alg. 14 Bewusstseins-störung	Alg. 19 Akutes Abdomen
Alg. 2 Belüftungs-störung	Alg. 5 CPR Säuglinge/Kinder	Alg. 15 Krampfanfall	Alg. 20 Akutes Trauma
Alg. 3 Lungenödem	Alg. 6 CPR Erwachsene	Alg. 16 Schlaganfall	Alg. 21 Unterkühlung
	Alg. 7 ROSC	Alg. 17 Hypoglykämie	Alg. 22 Stromunfall
	Alg. 8 Akuter Brustschmerz	Alg. 18 Intoxikation	Alg. 23 Akuter Schmerz
	Alg. 9 Akutes Koronarsyndrom		
	Alg. 10 Herzrhythmus-störung		
	Alg. 11 Hypertensiver Notfall		Alg. 24 MANV
	Alg. 12 Anaphylaktischer Schock		
	Alg. 13 Schock		

Alg. 1 Erweiterte Algorithmen

▶ s. a. Massnahmen bei Atemwegsstörungen S. 88–94, Lagerung/Massnahmen bei Atemstörungen S. 95–99

Akute Atemnot

▲ An NotSan delegierbare Maßnahme
* Notärztliche Maßnahme

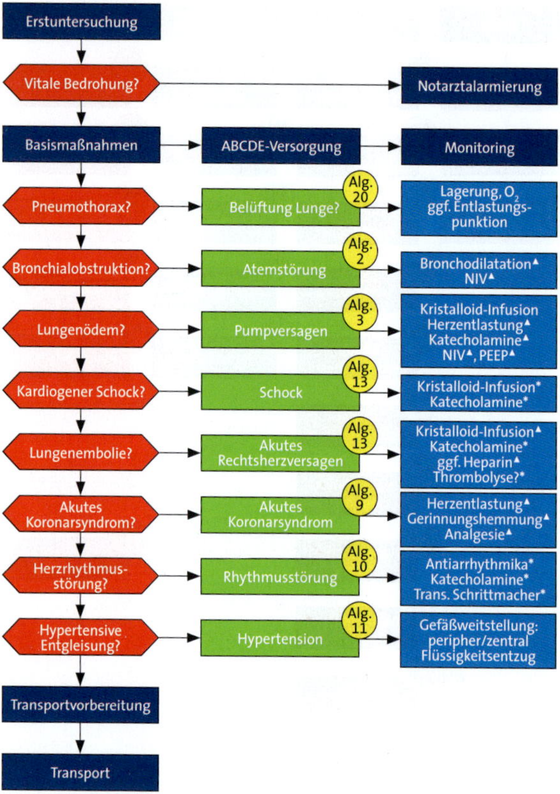

Erweiterte Algorithmen Alg. 2

► S. A. MASSNAHMEN BEI ATEMWEGSSTÖRUNGEN S. 88–94, ASTHMA BRONCHIALE/COPD S. 151

Belüftungsstörung

▲ An NotSan delegierbare Maßnahme
* Notärztliche Maßnahme

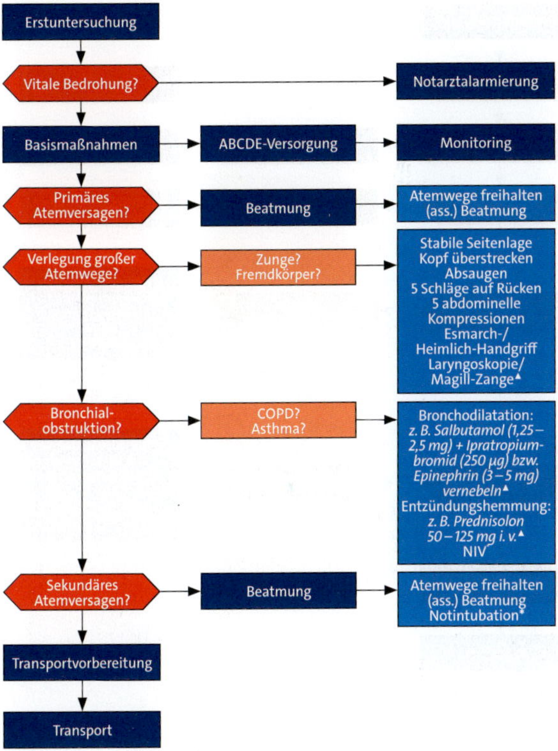

► s. a. (kardiales) Lungenödem S. 168, Reizgasvergiftung S. 267

Lungenödem

▲ An NotSan delegierbare Maßnahme
* Notärztliche Maßnahme

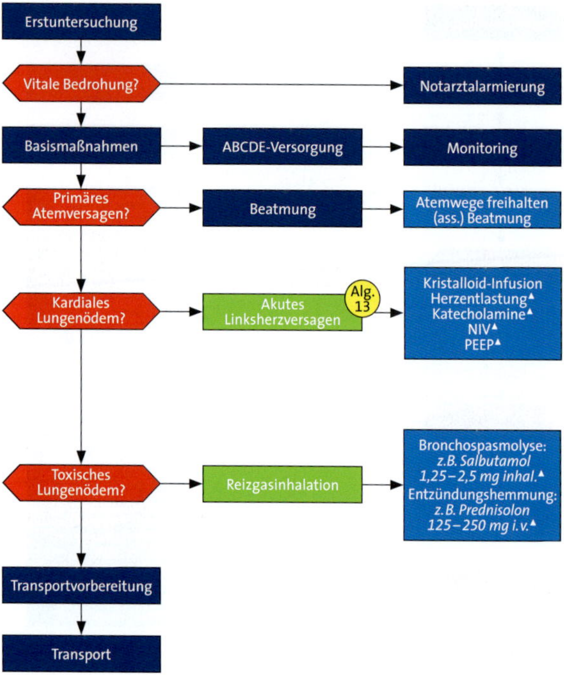

▶ s. a. Reanimation von Neugeborenen S. 233

▲ An NotSan delegierbare Maßnahme

CPR Neugeborene

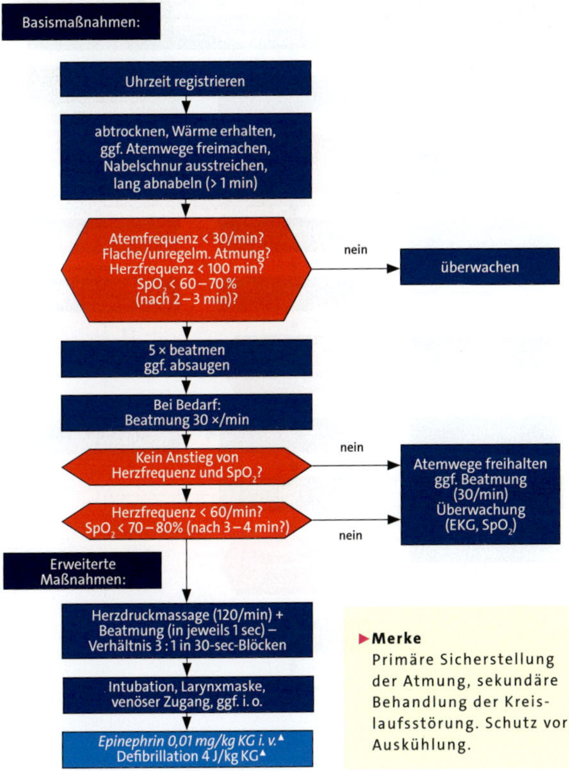

▶ **Merke**
Primäre Sicherstellung der Atmung, sekundäre Behandlung der Kreislaufstörung. Schutz vor Auskühlung.

NotSan-Algorithmen

▶ s. a. Reanimation von Säuglingen und Kleinkindern S. 235

CPR Säuglinge / (Klein-)Kinder

▲ An NotSan delegierbare Maßnahme

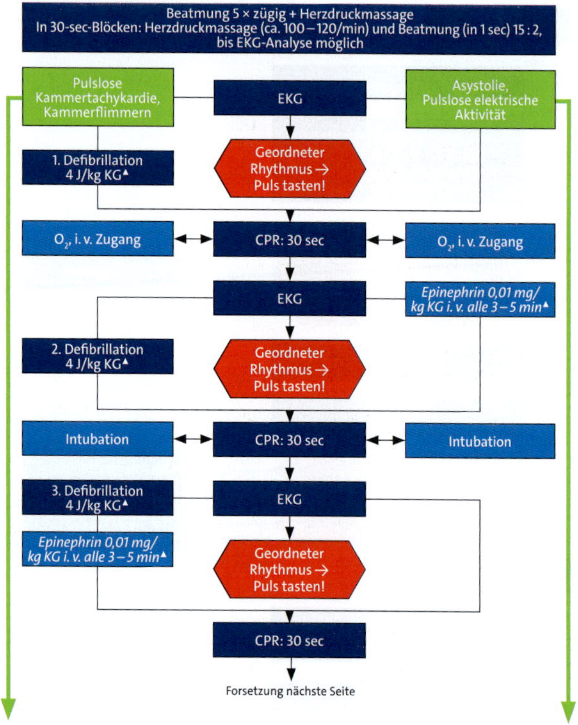

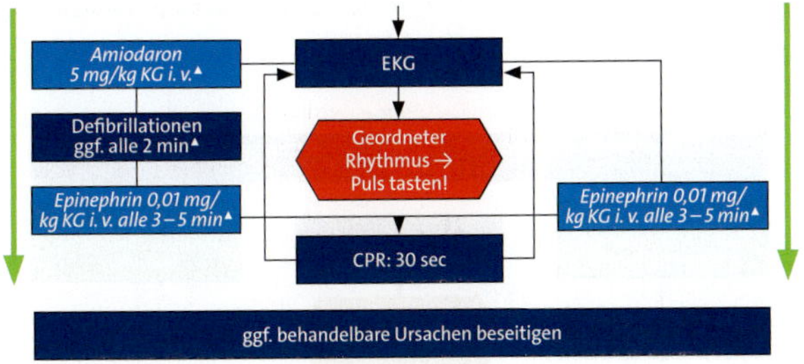

▶**Merke**

Besonderheiten der Reanimation im Kindesalter:

– **Keine normale Atmung: 5 × beatmen (jeweils 1–1,5 sec).**

– **Keine Lebenszeichen:**
  - Laien/Einzelhelfer: CPR 30 : 2
  - Fachpersonal: CPR 15 : 2
  - Neugeborenen-CPR 3 : 1, minimale Unterbrechungen, Pulstastung alle 30 sec.

– **Nach Intubation: Herzdruckmassage: 100–120/min/durchgehend, 1/3 Thoraxdurchmesser (ca. 4 cm) + Beatmung:**
  - Neugeborenes: ca. 30/min
  - im 1. Lebensjahr: ca. 20/min
  - im 6. Lebensjahr: ca. 15/min
  - im 10. Lebensjahr: ca. 12/min.

– **Defibrillation: 4 J/kg KG (mono- und biphasisch)**

– **Epinephrin (1 + 9 verd.): 0,01 mg/kg KG i. v./i. o., z. B.:**
  - Neugeborenes: ca. 0,4 ml
  - im 1. Lebensjahr: 0,5–1 ml
  - im 6. Lebensjahr: ca. 2 ml
  - im 10. Lebensjahr: ca. 3 ml.

– **Amiodaron (1 + 4 verd.): 5 mg/kg KG i. v./i. o., z. B.:**
  - Neugeborenes: ca. 2 ml
  - im 1. Lebensjahr: 3,5–5 ml
  - im 6. Lebensjahr: ca. 10 ml
  - im 10. Lebensjahr: ca. 15 ml.

Alg. 6

Erweiterte Algorithmen

▶ s. a. Kardiopulmonale Reanimation S. 108 – 112

CPR Erwachsene

▲ An NotSan delegierbare Maßnahme

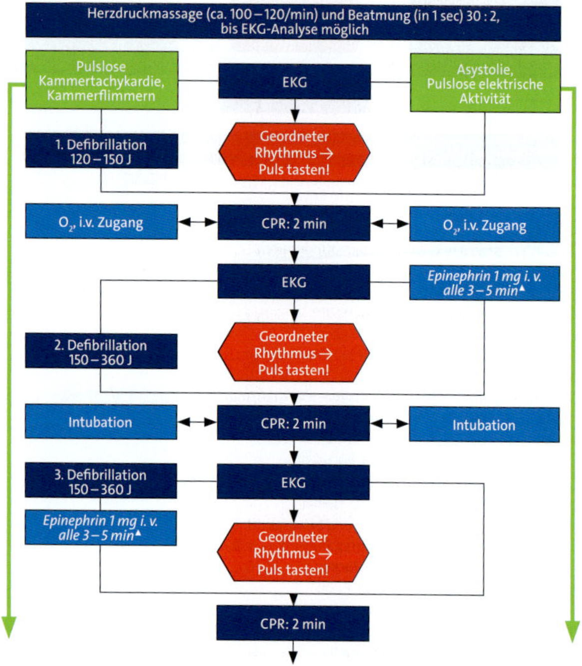

Fortsetzung nächste Seite

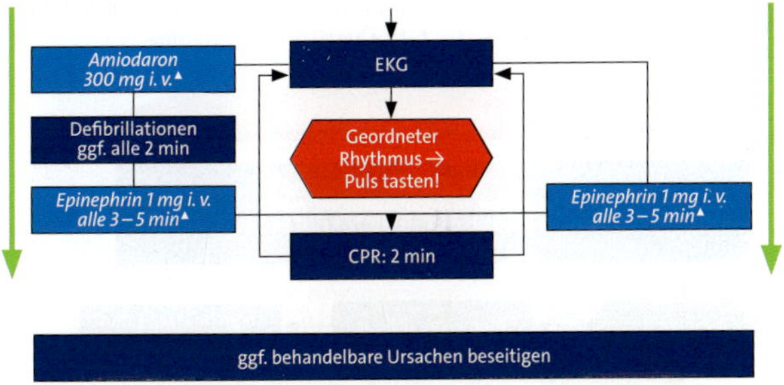

▶Beachte / Anmerkungen

Anhaltspunkte zur Beendigung von Reanimationsmaßnahmen (ToR-Kriterien):

- unbeobachtetes Ereignis
- Erstbefund Asystolie
- keine behebbaren Ursachen (4H, HITS)
- keine Ersthelfermaßnahmen
- keine Rhythmusänderung im Verlauf
- niedriges $etCO_2$

▶Merke

Vorgehen

1. sofortiger Beginn der Herzdruckmassage (30 ×)
2. Herzdruckmassage: ca. 5–6 cm tief, jeweils 30 × in 18 sec, minimale Unterbrechungen, Helfer alle 2 min wechseln **+**
3. Beatmung: ca. 500 ml 2 × in 2 sec, 10/min, O_2-Zugabe, **dabei**
4. jeweils 5 »Blöcke« von 30 : 2 in 2 min
5. frühestmögliche Defibrillation (biphasisch: inital 120–150 J, nachfolgend 150–360 J, beachte Herstellerangaben; monophasisch: 360 J), Herzdruckmassage nur zur Schockabgabe unterbrechen
6. i. v./i. o. Zugang vor Intubation **+**
7. Epinephrin 1 mg ca. alle 3–5 min
8. nach Intubation: Herzdruckmassage kontinuierlich
9. möglichst Pulsoxymetrie und Kapnografie anschließen
10. Ausschluss reversibler Ursachen des Atem-/Kreislaufstillstandes
11. nach 3 erfolglosen Defibrillationen: Amiodaron 300 mg i. v./i. o., ggf. 150 mg Repetition, ggf. Repetition und Veränderung der Elektrodenposition
12. Fortsetzung der Reanimation in der Regel über 20 min

Maßnahmen nach ROSC

▲ An NotSan delegierbare Maßnahme
* Notärztliche Maßnahme

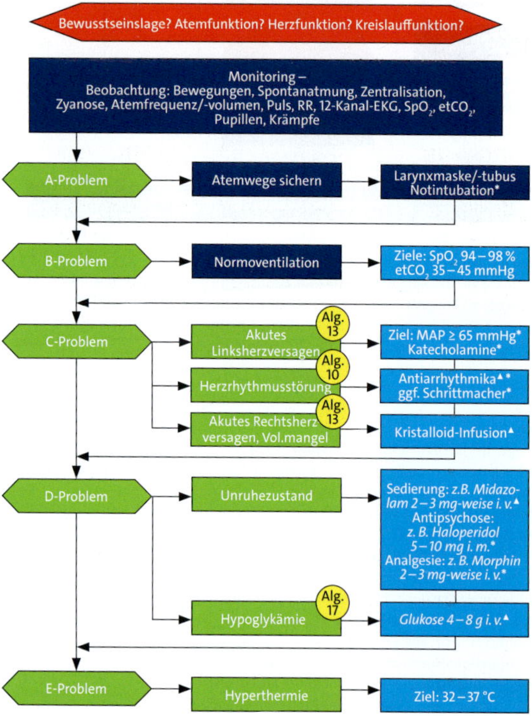

▶ **Beachte / Anmerkungen**

Gefahren: Blutdruckabfall mit Durchblutungsstörung der Organe.

Vermeide: Temperatur > 37,5 °C.

Erweiterte Algorithmen (Alg. 8)

► s. a. Thrombolyse S. 166, akutes Koronarsyndrom S. 167, (kardiales) Lungenödem S. 168, (Links-)Herzinsuffizienz S. 169, kardiogener Schock S. 171

Akuter Brustschmerz

▲ An NotSan delegierbare Maßnahme
* Notärztliche Maßnahme

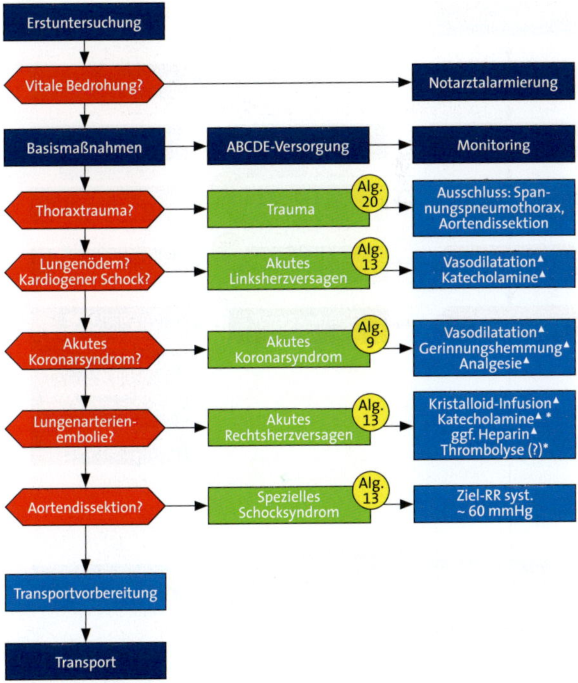

Alg. 9 Erweiterte Algorithmen

▶ S. A. AKUTES KORONARSYNDROM S. 167

Akutes Koronarsyndrom

▲ An NotSan delegierbare Maßnahme
* Notärztliche Maßnahme

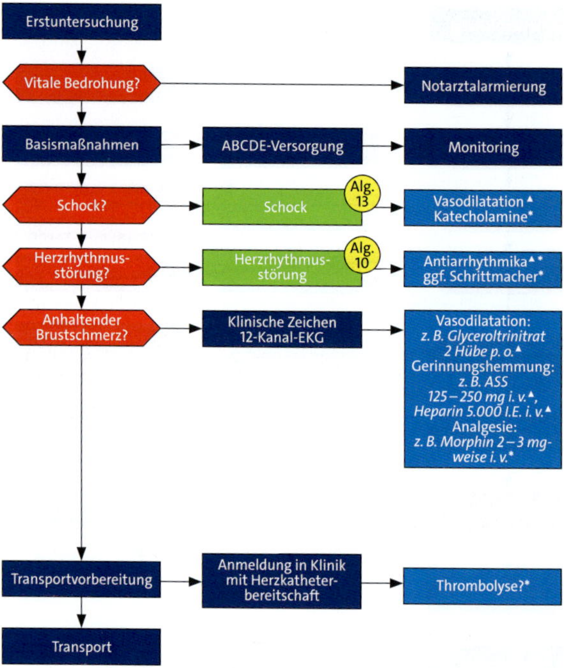

NotSan-Algorithmen

Erweiterte Algorithmen Alg. 10

▶ s. a. Leitsymptom: Herzrhythmusstörungen S. 158, Bradykardie S. 161, Tachykardie S. 162 – 163

Herzrhythmusstörung

▲ An NotSan delegierbare Maßnahme
* Notärztliche Maßnahme

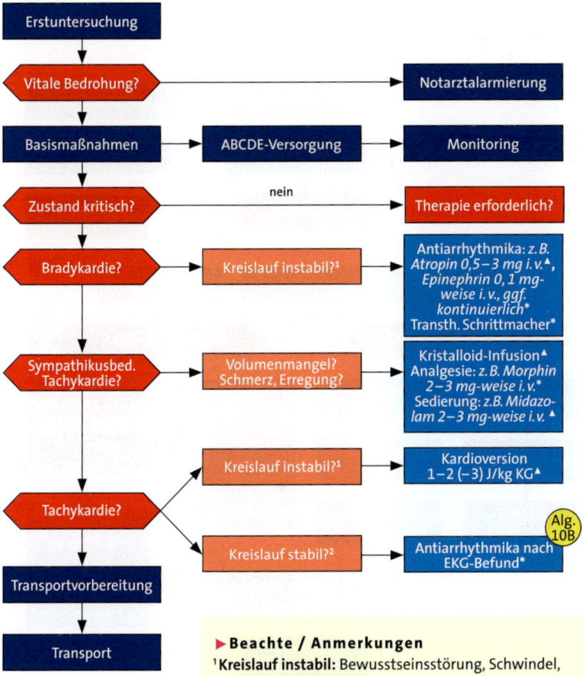

▶ Beachte / Anmerkungen

[1] **Kreislauf instabil:** Bewusstseinsstörung, Schwindel, Atemnot, Brustschmerz, Schockzeichen (SpO_2 < 90 %, RR_{sys} < 90 mmHg)

[2] **Kreislauf stabil:** bewusstseinsklar, keine Atemnot, kein Brustschmerz, Blutdruck angemessen

▶ s. a. Basismaßnahmen bei Herzrhythmusstörungen S. 159, Bradykardie S. 161, Tachykardie S. 162–163

Herzrhythmusstörung Basistherapie

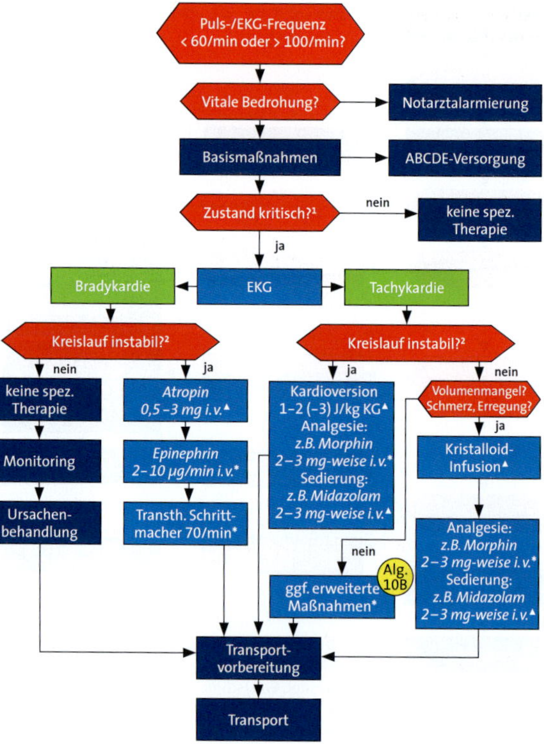

▶ Beachte / Anmerkungen

[1] **Herzrhythmusstörung kritisch:** Frequenz < 50/min oder > 150/min, unregelmäßig, plötzlicher Beginn, Schockzeichen.

[2] **Kreislauf instabil:** Bewusstseinsstörung/Schwindel, Atemnot/Brustschmerz, Schockzeichen (z. B. SpO_2 < 90%, RR_{sys} < 90 mmHg).

▶ Merke

Bei Versorgung und Transport: kontinuierliche EKG-Ableitung (Rhythmusstreifen).

▲ An NotSan delegierbare Maßnahme
* Notärztliche Maßnahme

► s. a. Basismassnahmen bei Herzrhythmusstörungen S. 159, Bradykardie S. 161, Tachykardie S. 162–163

Herzrhythmusstörung Erweiterte Therapie

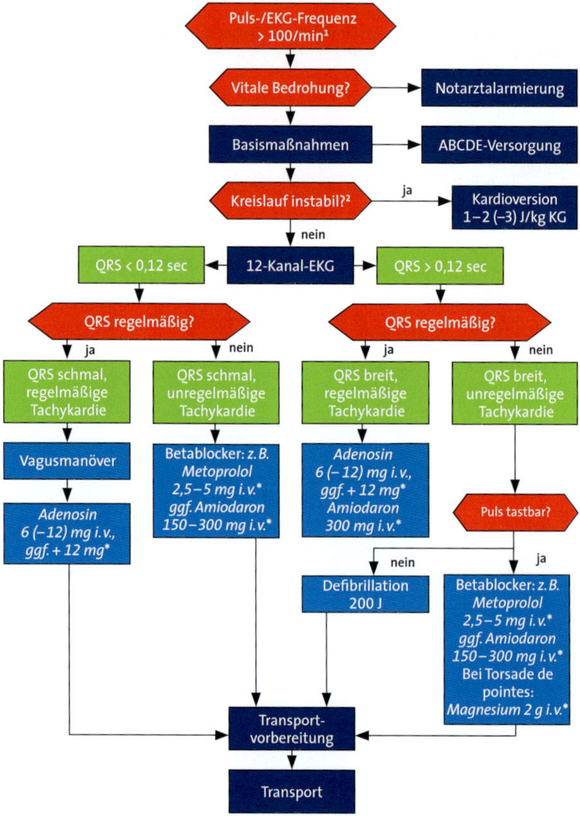

▶ **Beachte / Anmerkungen**

[1] **Insbesondere bei:** plötzlichem Beginn, Frequenz > 150/min, unregelmäßigem Puls und EKG-Bild.

[2] **Kreislauf instabil:** Bewusstseinsstörung/Schwindel, Atemnot/Brustschmerz, Schockzeichen (z. B. SpO_2 < 90%, RR_{sys} < 90 mmHg).

▶ **Merke**

Bei Versorgung und Transport: kontinuierliche EKG-Ableitung (Rhythmusstreifen).

* Notärztliche Maßnahme

▶ S. A. HYPERTENSIVER NOTFALL S. 176

Hypertensiver Notfall

▲ An NotSan delegierbare Maßnahme
* Notärztliche Maßnahme

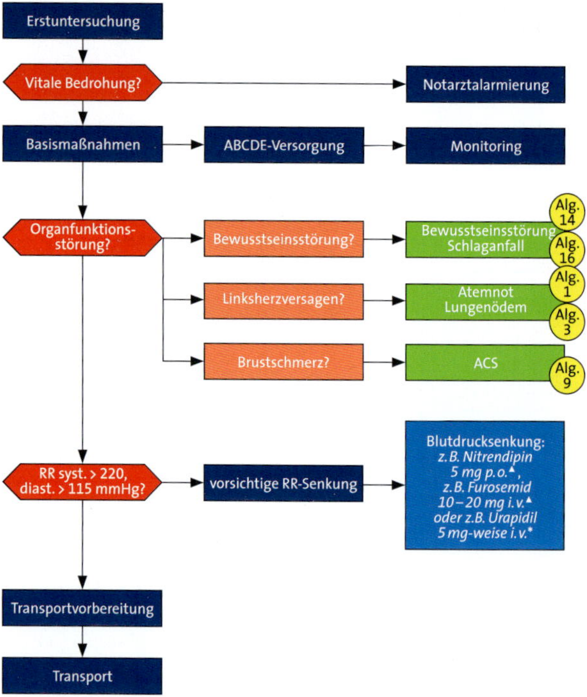

Erweiterte Algorithmen (Alg. 12)

▶ s. a. Anaphylaktischer Schock S. 174

Anaphylaktischer Schock

▲ An NotSan delegierbare Maßnahme
* Notärztliche Maßnahme

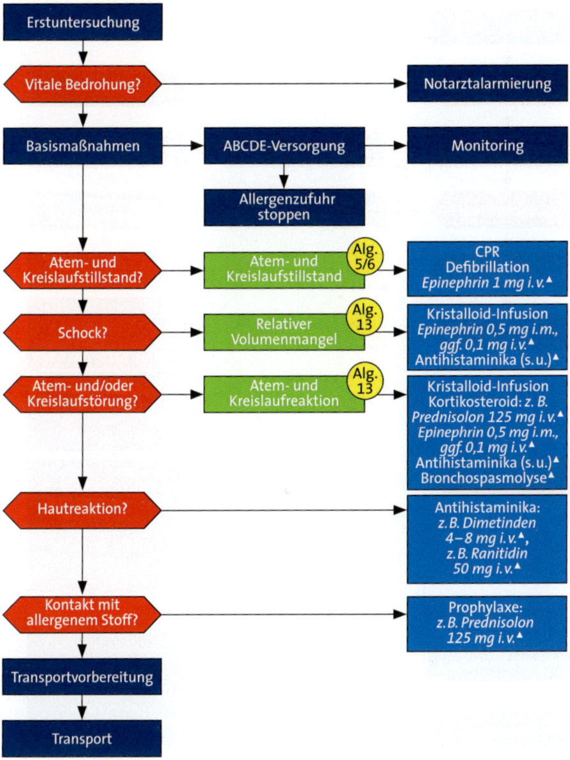

▶ S. A. KARDIOGENER SCHOCK S. 171, SEPSIS S. 175, LUNGENEMBOLIE S. 177

Schock

▲ An NotSan delegierbare Maßnahme
* Notärztliche Maßnahme

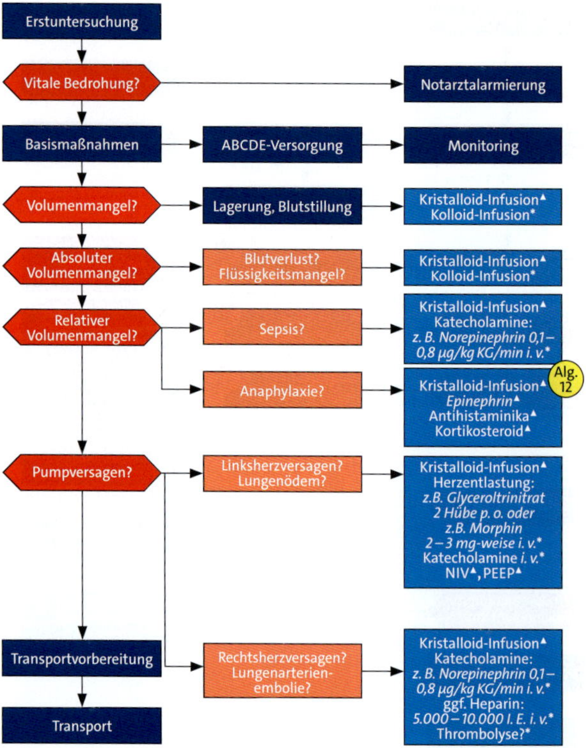

Alg. 14

▶ s. a. Hypoglykämischer »Schock« S. 137, Lungenembolie S. 177, Schädel-Hirn-Trauma S. 189, Unterkühlung S. 250, Vergiftungen S. 261–282

Bewusstseinsstörung

▲ An NotSan delegierbare Maßnahme
* Notärztliche Maßnahme

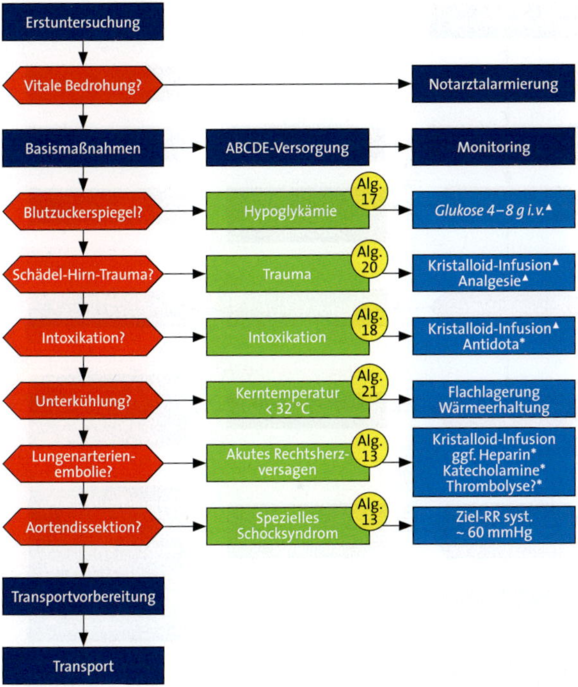

► s. a. Krampfanfall S. 140, 231, Säuglings-Fieber-Toxikose S. 230

Krampfanfall

▲ An NotSan delegierbare Maßnahme
* Notärztliche Maßnahme

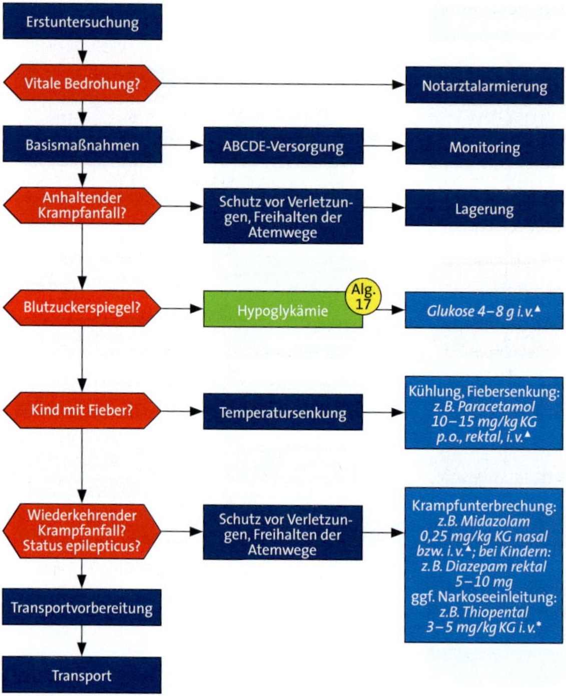

Erweiterte Algorithmen (Alg. 16)

▶ s. a. Schlaganfall S. 135

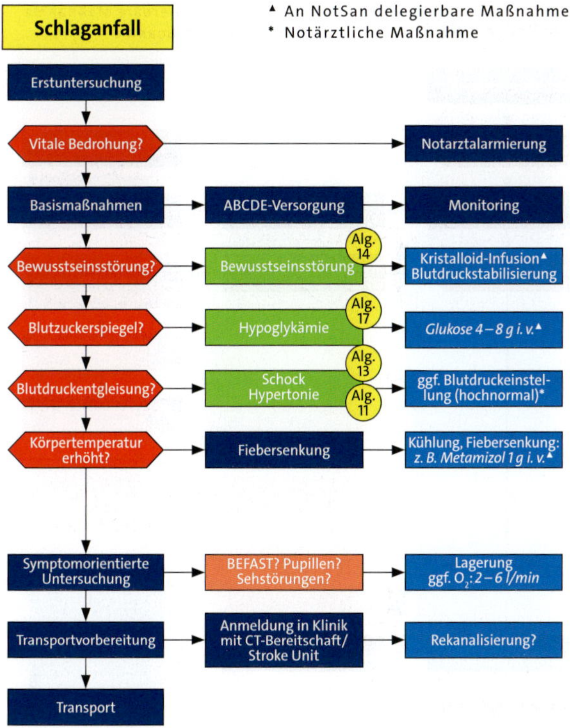

▶ Beachte / Anmerkungen

BEFAST: **B**alance/Gleichgewichtsstörung – **E**yes/Sehstörung – **F**ace/Lächeln – **A**rmhalteversuch – **S**prachstörung – **T**ime/Symptombeginn.

▶ S. A. HYPOGLYKÄMISCHER »SCHOCK« S. 137

Hypoglykämie

▲ An NotSan delegierbare Maßnahme
* Notärztliche Maßnahme

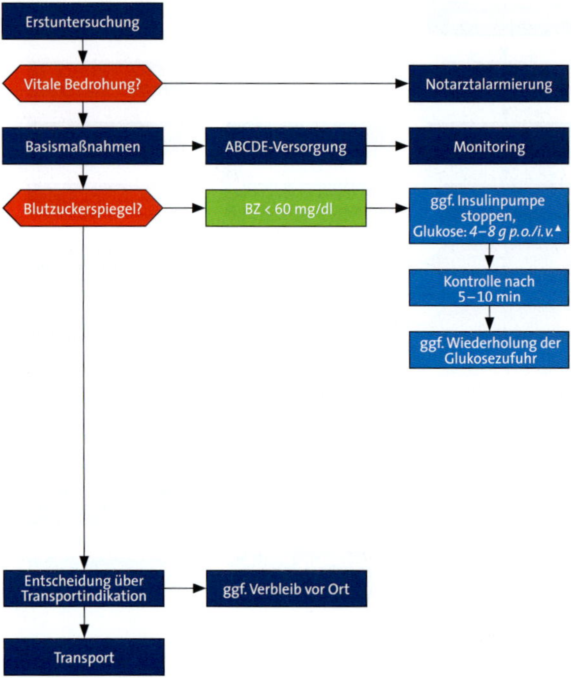

Erweiterte Algorithmen (Alg. 18)

▶ s. a. Massnahmen bei Vergiftungen S. 116–117, Vergiftungen S. 261–282, Informationszentren für Vergiftungsfälle S. 348

Intoxikation

▲ An NotSan delegierbare Maßnahme
* Notärztliche Maßnahme

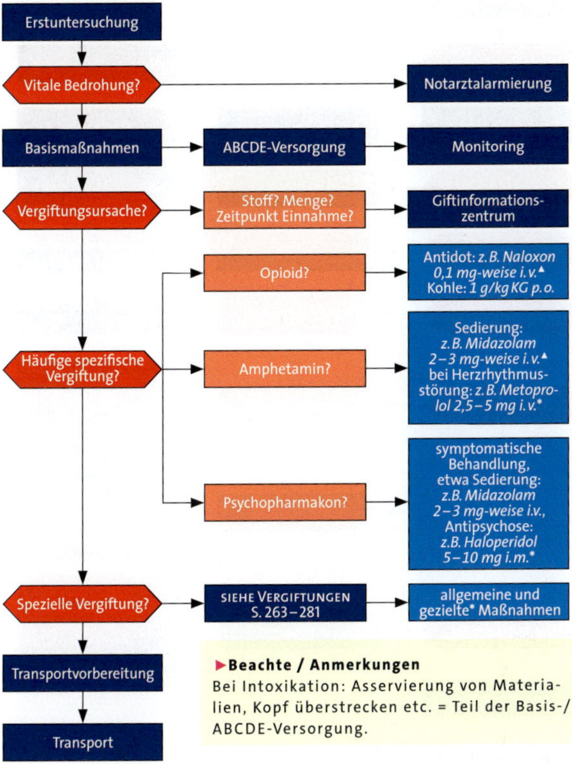

▶ Beachte / Anmerkungen
Bei Intoxikation: Asservierung von Materialien, Kopf überstrecken etc. = Teil der Basis-/ABCDE-Versorgung.

► s. a. Akutes Abdomen S. 199

▲ An NotSan delegierbare Maßnahme
* Notärztliche Maßnahme

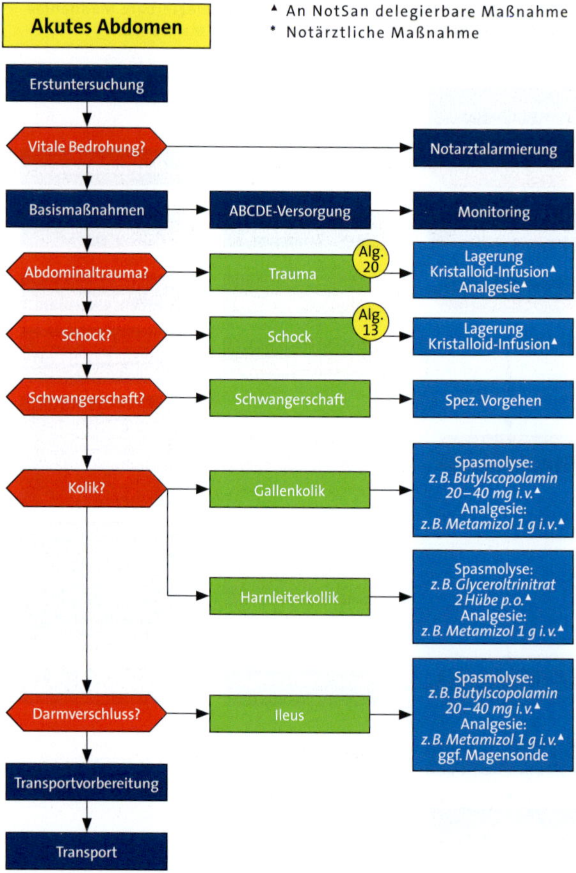

Erweiterte Algorithmen (Alg. 20)

▶ s. a. Schädel-Hirn- S. 189, Wirbelsäulen- S. 193, Thorax- S. 196, Abdominal- S. 197, Extremitätentrauma S. 205, Verbrennung/Verbrühung S. 247

Akutes Trauma

▲ An NotSan delegierbare Maßnahme
* Notärztliche Maßnahme

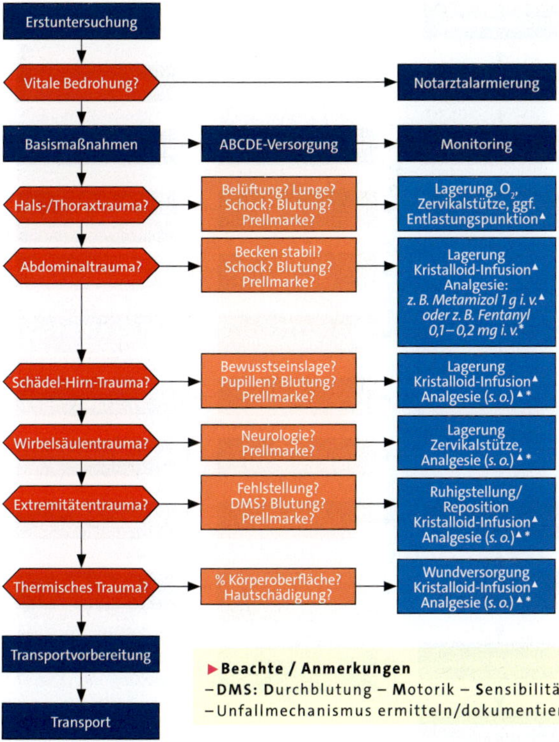

▶ **Beachte / Anmerkungen**
- **DMS: D**urchblutung – **M**otorik – **S**ensibilität
- Unfallmechanismus ermitteln/dokumentieren

▶ s. a. Unterkühlung S. 250

Unterkühlung

▲ An NotSan delegierbare Maßnahme
* Notärztliche Maßnahme

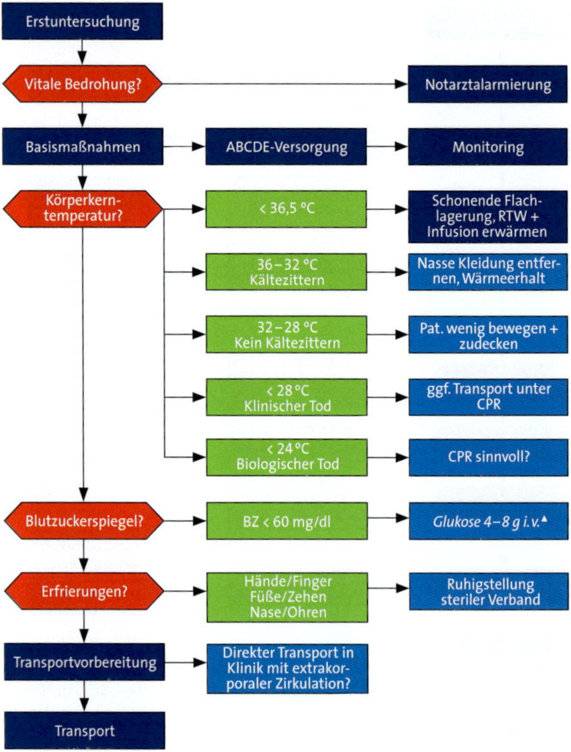

Erweiterte Algorithmen Alg. 22

▶ s. a. Niederspannungsunfall S. 256, Hochspannungsunfall S. 257

Stromunfall

▲ An NotSan delegierbare Maßnahme
* Notärztliche Maßnahme

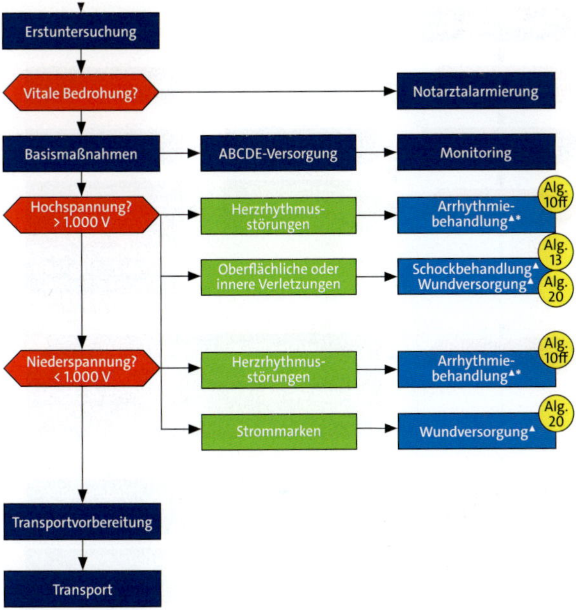

► s. a. Schmerzeinschätzung – Schmerzbehandlung S. 70

Akuter Schmerz

▲ An NotSan delegierbare Maßnahme
* Notärztliche Maßnahme

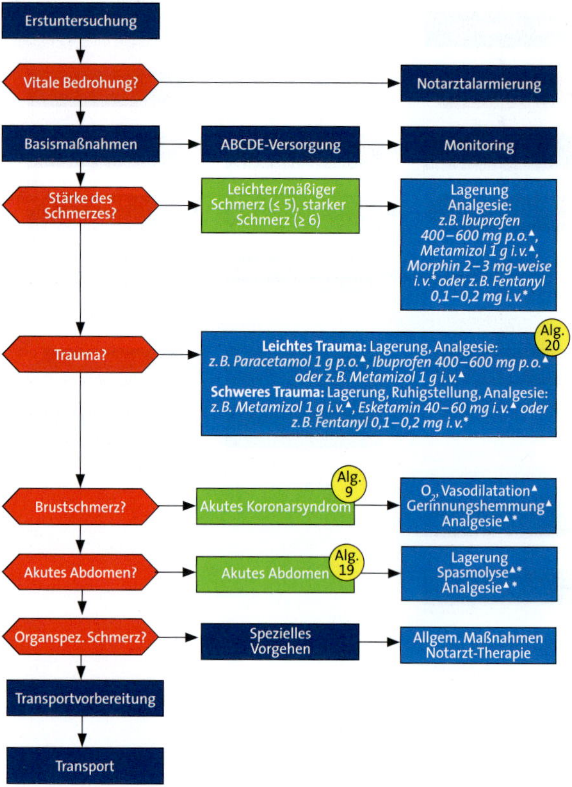

► s. a. Sichtung S. 36, Grossschadensereignisse/ Katastrophen S. 38

Massenanfall von Verletzten und Erkrankten (MANV)

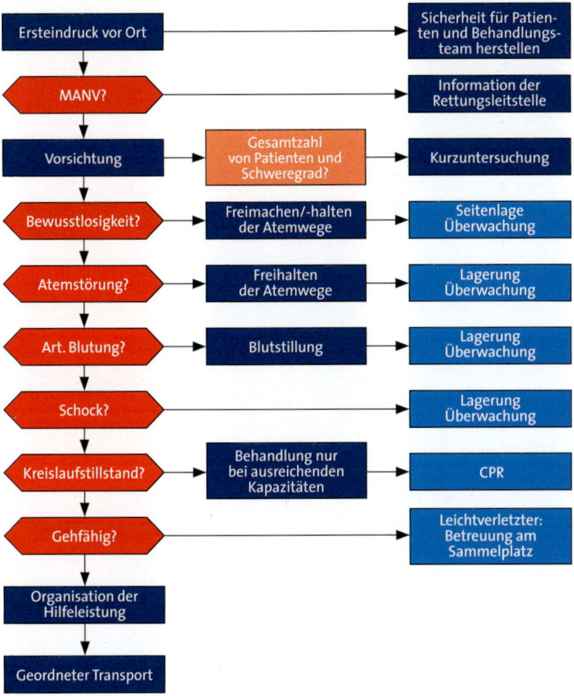

Eigene Notizen

VIII Anhang

Literaturverzeichnis (Auswahl)

Arbeitsgemeinschaft in Norddeutschland tätiger Notärzte e. V. (Hrsg.) (2024) Therapieempfehlungen für die Notfallmedizin. www.agnn.de

Ärztliche Leitungen Rettungsdienst Baden-Württemberg, Brandenburg, u. a. (2025) Standardarbeitsanweisungen und Behandlungspfade im Rettungsdienst (SAA und BPR). www.mags.nrw/system/files/media/document/file/saa_bpr_2025.pdf

Bakes KM et al. (2021) Emergency Medicine Secrets. 7. Aufl., Elsevier, Mosby, St. Louis.

Berliner Feuerwehr (2025) Medizinische Handlungsanweisungen Berliner Notfallrettung (2025). www.berliner-feuerwehr.de/fileadmin/bfw/dokumente/Publikationen/Rettungsdienst/Medizinische_Handlungsanweisungen_Berliner_Notfallrettung_2025.pdf

Böhmer R, Schneider T, Wolcke B (Hrsg.) (2021) Taschenatlas Rettungsdienst. 11. Aufl., Böhmer, Mundloch, Mainz.

Enke K et al. (Hrsg.) (2019) Lehrbuch für präklinische Notfallmedizin. 3 Bde., 6. Aufl., Stumpf + Kossendey, Edewecht.

Flake F, Hoffman B (Hrsg.) (2021) Leitfaden Rettungsdienst. 7. Aufl., Urban & Fischer bei Elsevier, München.

Hintzenstern U von, Koppenberg J (2026) Notarzt-Leitfaden. 11. Aufl., Urban und Fischer bei Elsevier, München

Knacke P et al. (Hrsg.) (2018) Das Trauma-Buch. 3. Aufl., Stumpf + Kossendey, Edewecht.

Luxem J et al. (Hrsg.) (2020) Notfallsanitäter Heute. 7. Aufl., Urban & Fischer bei Elsevier, München.

Müller S (2017) Memorix Notfallmedizin. 10. Aufl., Thieme, Stuttgart.

National Association of Emergency Medical Technicals (NAEMT) (Hrsg.) (2016) Präklinisches Traumamanagement. Preshospital Trauma Life Support (PHTLS). 3. Aufl., Urban & Fischer bei Elsevier, München.

Nickel C, Bellou A, Conroy C (Hrsg.) (2018) Geriatric Emergency Medicine. Springer, Berlin.

Stephan KS, Pinilla S (2014) Gehörlose Patienten in der Notfallmedizin. Notfall + Rettungsmedizin 17 (5): 449–462.

Zane RD, Kosowsky JM (2022) Pocket Emergency Medicine. 5. Aufl., Wolters Kluwer, Philadelphia (PA).

Ziegenfuß T (2022) Notfallmedizin. 8. Aufl., Springer, Berlin, Heidelberg.

Stichwortverzeichnis

Stichwortverzeichnis

Stichwortverzeichnis

Stichwortverzeichnis

Eigene Notizen

Eigene Notizen

Eigene Notizen

Eigene Notizen

Eigene Notizen

Eigene Notizen

Dosierungsrichtlinien: Notfallmedikamente

► s. a. Kap. VI Notfallmedikamente S. 283 – 336

	Indikation	Vorbereitung	Dosierung (mg/kg KG)	Dosisbeispiel (70-kg-Pat.)
Atmung				
Salbutamol-Spray (100 µg)	Asthma bronchiale	–	alle 15 min	1,25 – 2,5 mg
Ipratropiumbromid (0,5 mg/2 ml)	Asthma bronchiale	–	alle 30 min	0,25 mg
Herz-Kreislauf				
aMIOdaron (300 mg)	Arrhythmie	150 mg in 3 ml	4 – 6	300 – 450 mg i. v. (6 – 9 ml)
AcetylSalicylSäure (500 mg)	akutes Koronarsyndrom	500 mg in 5 ml	2 – 3	125 – 250 mg i. v. (1,25 – 2,5 ml)
Atropin (0,5 mg/100 mg)	Bradykardie; Intoxikation	0,5 mg in 1 ml; 100 mg in 10 ml	0,01; 2 – 3 mg-weise i. v	0,5 – 3 mg i. v.; 2 – 3 mg-weise i. v., bis 20 mg
Cafedrin/Theodrenalin (2 ml)	Hypotonie	2 ml-Spritze	–	0,5 – 1 ml i. v.
EPINEPHrin (1 mg/25 ml)	Reanimation/ Anaphylaxie	1 ml + 9 ml NaCl 0,9%	bis 0,1	1 mg in 10 ml i. v./ bis 1 ml-weise i. v.
fUROsemid (20 mg)	Ausschwemmung	20 mg in 2 ml	bis 1,25	20 – 40 mg i. v. (2 – 4 ml)
GlycerolTriNitrat 0,4 mg	Angina pectoris	–	–	0,8 – 1,6 mg p. o. (2 – 4 Hübe p. o.)
Metildigoxin (0,2 mg)	Arrhythmie	0,2 mg in 2 ml	bis 0,01	0,2 – 0,4 mg i. v. (2 – 4 ml)
Metoprolol (5 mg)	Betablockade	5 mg in 5 ml	0,05 – 0,1	2 – 10 mg i. v. (2 – 10 ml)
Norepinephrin (1 mg)	Hypotonie	5 mg in 50 ml	0,006 – 0,06	4 – 35 ml/h i. v.

Dosierungsrichtlinien: Notfallmedikamente

	Indikation	Vorbereitung	Dosierung (mg/kg KG)	Dosisbeispiel (70-kg-Pat.)
Urapidil (50 mg)	hypertensive Krise	50 mg in 10 ml	bis 0,8	10–25 mg i. v. (2–5 ml)
Verapamil (5 mg)	Arrhythmie	5 mg in 2 ml	bis 0,1	2,5–5 mg i. v. (1–2 ml)
Sedierung / Analgesie				
Butylscopolamin (20 mg)	Kolik	20 mg in 1 ml	0,3–0,5	20–40 mg i. v. (1–2 ml)
Diazepam rectal (10 mg)	Sedierung **(Kinder)**	10 mg	0,5	0,5–1 mg/kg KG (1–3 Rectiolen)
fenta**NYL** (0,5 mg)	Analgesie	0,1 mg in 2 ml	0,001–0,005	0,05–0,3 mg i. v. (1–6 ml)
Haloperidol (5 mg)	Antipsychose	5 mg in 1 ml	0,05–0,1	5–10 mg i. m. (1–2 ml)
Metamizol (2,5 g)	Analgesie	1 g in 2 ml	15–50	1–2,5 g i. v. (2–5 ml)
Midazolam 1 mg/ml	Sedierung, Krämpfe	5 mg in 5 ml	0,025–0,15	2–3 (–10) mg i. v. (2–3–10 ml)
Morphin (10 mg)	Analgesie	1 ml + 9 ml NaCl 0,9%	0,05–0,1	3–5 mg i. v. (3–5 ml)
Narkose				
es**KETA**min (25 mg)	Hypnotikum	25 mg in 5 ml	0,25–1	25–75 mg i. v. (5–15 ml)
Propofol 1% (200 mg)	Hypnotikum	200 mg in 20 ml	1,5–2,5	120–160 mg i. v. (12–16 ml)
ROCuronium (50 mg)	Relaxierung	50 mg in 5 ml	bis 0,6	30–40 mg i. v. (3–4 ml)
Suxamethon. 2% (100 mg)	Relaxierung	100 mg in 5 ml	1–2	70–100 mg i. v. (3,5–5 ml)

Dosierungsrichtlinien: Notfallmedikamente

	Indikation	Vorbereitung	Dosierung (mg/kg KG)	Dosisbeispiel (70-kg-Pat.)
Spezielle Notfälle				
Dimetinden (4 mg)	allergische Reaktion	4 mg in 4 ml	0,1	5 – 8 mg i. v. (5 – 8 ml i. v.)
Glucose 40% (10 mg)	Hypoglykämie	4 g in 10 ml	200 – 500	12 – 32 g i. v. (30 – 80 ml i. v.)
prednisoLON (250 mg)	allergische Reaktion, Asthma	250 mg in 5 ml	2 – 5	150 – 350 mg i. v. (2,5 – 7,5 ml i. v.)
4-DMAP (250 mg)	Zyanidintox.	250 mg in 10 ml	3 – 4	200 – 300 mg i. v. (8 – 12 ml i. v.)
Naloxon (0,4 mg)	Opiatintox.	1 ml + 3 ml NaCl 0,9%	0,01	0,1 – 0,8 mg i. v. (0,1 mg-weise i. v.)
Toluidinblau (300 mg)	Methhämoglobin-intoxikation	300 mg in 10 ml	2 – 4	150 – 300 mg i. v. (5 – 10 ml i. v.)
Aktivkohle (50 g)	perorale Intoxikation	50 g in 400 ml	1.000	50 – 70 g p. o. (600 – 1.000 ml)

Weitere Notfallmedikamente

Notfall im Kindesalter

Normalwerte:

Alter	Größe [cm]	Gewicht [kg]	Puls pro min.	RR [mmHG]	Atemfrequenz pro min	Atemzugvolumen [ml]	Tubus [mm]
Neugeboren.	50	4	140	60/40	40	30	3,0
½ Jahr	70	7	130	80/50	35	50	3,5
1 Jahr	80	10	120	90/55	30	80	4,0
2 Jahre	90	12	110	95/60	26	100	4,5
4 Jahre	100	16	100	100/60	24	150	5,0
6 Jahre	120	20	95	105/60	20	200	5,5
9 Jahre	140	30	90	110/65	16	300	6,0
14 Jahre	155	50	80	120/70	12	400	6,5

Reanimation / Infusion:

Alter	Herzdruckmassage pro min	Defibrillation (4 J/kg KG) [Joule]	Epinephrin (1 + 9) [ml]	Amiodaron (1 + 4) [ml]	Atropin (1 + 4) [ml]	$NaHCO_3$ 4,2 % (= 1 + 1) [ml]	Infusion Bolus [ml]
Neugeboren.	120	16	0,4	2,0	0,4	4	80
½ Jahr	120	28	0,7	3,5	0,7	7	140
1 Jahr	120	40	1,0	5,0	1,0	10	200
2 Jahre	120	48	1,2	6,0	1,2	12	240
4 Jahre	120	64	1,6	8,0	1,6	16	320
6 Jahre	120	80	2,0	10,0	2,0	20	400
9 Jahre	120	120	3,0	15,0	3,0	30	600
14 Jahre	120	200	5,0	25,0	5,0	50	1.000

Medikamentendosierung:

Alter	Glucose 40 % (unverd.) [ml]	Prednisolon [mg]	Fentanyl (2 + 8) [ml]	Morphin (1 + 9) [ml]	Paracetamol Supp. [mg]	Midazolam (1 mg/ml) [ml]	Diazepam rektal [mg]
Neugeboren.	4	20	0,8	0,4	125	0,4	5,0
½ Jahr	7	35	1,4	0,7	125	0,7	5,0
1 Jahr	10	50	2,0	1,0	250	1,0	7,5
2 Jahre	12	60	2,4	1,2	250	1,2	7,5
4 Jahre	16	80	3,2	1,6	500	1,6	10,0
6 Jahre	20	100	4,0	2,0	500	2,0	10,5
9 Jahre	25	150	6,0	3,0	1.000	2,7	–
14 Jahre	30	250	10,0	5,0	1.000	3,0	–